lua de
papel

Atul Gawande

SER MORTAL

Nós, a medicina e o que realmente importa no final

Being Mortal
Medicine and What Matters in the End

Traduzido do inglês por
Tânia Ganho

Título Original
Being Mortal

1.ª edição: março de 2015
ISBN: 978-989-23-3019-8
Depósito Legal n.º: 387 319/15

lua de papel®

[Uma chancela do grupo LeYa]
Rua Cidade de Córdova, n.º 2
2610-038 Alfragide
Tel.: (+351) 21 427 22 00
Fax: (+351) 21 427 22 01
luadepapel@leya.pt
www.luadepapel.pt

Os capítulos «Things Fall Apart» (O mundo desmorona) e «Letting Go» (Desapegar-se) foram anteriormente publicados, embora numa versão diferente, na revista *New Yorker*.

Para Sara Bershtel

Hoje, percebo que este mundo passa, veloz, e nada fica.
– o guerreiro Karna, no *Mahabharata*

Estacionam em qualquer berma da estrada:
Todas as ruas, a seu tempo, são visitadas.
– Philip Larkin, «Ambulâncias»

CONTEÚDOS

Prefácio

Atul Gawande ocupa hoje uma posição de singular destaque na corte dos médicos-escritores, e é importante distingui-los dos escritores-médicos porque, neste caso, a ordem de factores não é arbitrária e a forma como se alinham depende naturalmente da preponderância dos ofícios. É verdade, como explicou Miguel Torga, que a medicina sempre gerou escritores, embora, segundo ele, se limite simplesmente «a preservar o dom aos que nasceram com ele, o que já não é pouco». A lista dos escritores-médicos é extensa e ilustre: entre nós além de Torga, Júlio Dinis, Namora e o meu irmão António; de outras terras, Somerset Maugham, William Carlos Williams e, o mais genial de todos, Anton Tchekov.

Quase todos usaram da clínica o método e o manancial inesgotável de histórias, tantas vezes reveladoras daquilo que Tchekov chamava o «estofo vulgar da humanidade». Para ele, a medicina era a mulher legítima e a literatura a amante e, dizia, quando se cansava de uma, passava a noite com a outra.

Os médicos-escritores colhem, igualmente, da vida clínica, narrativas, episódios, situações e deles se servem para ilustrar um discurso mais científico, pedagógico, filosófico ou ético, assoprando a vida real em matérias de mais sisuda gravidade.

O sucesso de Gawande nesta segunda arte – porque a sua primeira (ou primeiras) são a cirurgia e a saúde pública – é bem atestado pelos inúmeros prémios que o distinguiram. Ainda recentemente a revista *Science* (juntamente com a *Nature*, a mais prestigiada revista científica do mundo) incluía-o no «top 20» dos cientistas mais seguidos no *twitter*, com 96 800 seguidores, à frente de um outro famosíssimo neurologista-escritor, Oliver Sacks. A inclusão é tanto mais de salientar quando Gawande não é, rigorosamente, um cientista, mas a sua forma de comunicar colocou-o a par de físicos, biólogos, neurocientistas físicos e outros cientistas mais ou menos «puros».

Eu creio que, em parte, o êxito se explica pela relevância comum dos temas que trata, e o estilo que ele adoptou para falar de coisas sérias. O estilo é puro *New Yorker*. Para os que não conhecem a *New Yorker*, vale a pena explicar que é uma revista publicada na Big Apple desde 1925, que sai 47 vezes por ano. É sofisticada, cosmopolita, e abraça o comentário político, o ensaio, a ficção (a lista de escritores que lançou é impressionante: Salinger, Updike, Cheever, Roth), crítica literária, de cinema, etc. Foi na *New Yorker* que John Hersey publicou uma reportagem histórica sobre Hiroshima, e foi a *New Yorker* que enviou Hannah Arendt a Jerusalém para fazer o relato do julgamento do cri-minoso nazi Adolf Eichmann, publicado em 16-03-1963. A reflexão de Arendt sobre o que chamou a «banalidade do mal» – e a expressão ficou para história – valeu-lhe intermináveis dissabores.

Gawande é, na *New Yorker*, um *staff writer* e a sua técnica literária, usada aliás com extremo sucesso em livros como *A Mão Que nos Opera*, *Ser Bom não Chega* e *O Efeito Checklist*, é escolher de histórias reais de que foi testemunha e, muitas vezes, participante ativo, contá-las de um modo muito simples, não raramente entrançando-as, ou seja, não as descrevendo com a frieza de uma anamnese clínica, mas tornando-as tão vivas (e neste livro, tão dolorosamente vivas) que o leitor se sente parte da narrativa e não um mero espectador. A partir dessa narrativa ele reflecte sobre a ciência e a prática da medicina moderna.

Três personagens ocupam neste volume um protagonismo mais destacado – a avó da mulher do escritor, o pai deste, e uma mulher, ainda jovem, que percorre o longo calvário de uma doença oncológica fatal. A narrativa está entremeada de comentários de uma erudição simples, sábia, mas não intimidante, e a seriedade do autor obriga-o a incluir no final do livro uma lista utilíssima de referências bibliográ-ficas. Estas não se intrometem no texto, nem clamam atenção com a impertinência de uma nota de pé de página. Naturalmente tudo isto é olhado através de uma lente cultural muito própria. Quero eu dizer que o livro é muito «americano», mas cotejando-o com muito do que eu próprio tenho escrito sobre as matérias que trata (perdoem-me o atrevimento de referir a recolha de ensaios a que chamei *Uma Inquie-tação Interminável*), é evidente que o sofrimento, a angústia, a espe-rança, a dignidade servem-se, para se exprimirem, de um dialecto universal, nascido na profundidade da nossa frágil condição.

Este é, na minha leitura, um livro sobre ética: não uma ética normativa, refém de princípios rígidos derivados da filosofia analítica, maniqueísta, que ilude as sombras, mas da ética que mais prezo, que trata da carne viva dos valores e das crenças, da compaixão e da finitude, da «ternura egoísta do homem pelo homem», para usar a expressão tão doce de Albert Camus.

Parece que aquilo que eu próprio tenho escrito sobre estas matérias tem merecido o reparo dos especialistas que me acusam de excessivo protagonismo da minha própria *persona*, pelas referências frequentes às experiências que vivi. Gawande fá-lo com absoluta liberdade, e não poupa as «incursões no seu próprio ser» – expressão do meu amigo (e um dos mais humanos e sofisticados cultores da ética entre nós) Walter Osswald. E esta «ética narrativa» tem, quanto a mim, as virtudes do «conhecimento das vidas». Tenho insistido que aprendi mais com ficção – e a citação, logo no início, da novela tremenda de Tolstoi *A Morte de Ivan Illitch*, tem a ressonância de uma abertura trágica – de que em muitos tratados de ética. Martha Nussbaum, uma filósofa bem atenta à realidade do nosso tempo, sublinhou, com pesar, o facto dos filósofos modernos se escusarem a aceitar a literatura como um modo sério de argumentação moral. Para eles a literatura é demasiado mole, emocional e particularizante. Preferem a sua ética seca e lógica, a ética dos princípios e dos axiomas. Na realidade, a literatura revela o sentido das coisas que não são redutíveis a teoremas e protesta contra a tirania da abstracção. E, no entanto, este livro ilustra bem como os dois discursos não são incompatíveis.

Este livro é também uma carta de viagem, ou seja, a descrição do caminho do nosso devir. Escrevia Montaigne: «Tous le jours vont à la mort, le dernier y arrive» («todos os dias caminham para a morte, o último chega lá»). Com o assombroso progresso da medicina o caminho é mais longo, e o viajante chega ao fim cada vez mais extenuado e débil. É o resultado do processo de envelhecimento, do «bombardeamento silencioso pela artilharia do tempo», que Gawande trata com sensibilidade e bom senso. Recorro a uma citação de *O Animal Moribundo*, de Philip Roth, que nos últimos livros (que incluem o admirável *Património*, em que descreve a doença do pai) tanto cuidou deste tema: «Se somos saudáveis e nos sentimos bem, vamos morrendo invisivelmente.»

13

O autor descreve o que hoje se pode e deve fazer para cuidar dos nossos velhos, as várias formas de lhes guardar, até ao fim, a autonomia, a independência, e a dignidade. Escrevi num texto que dediquei a meu pai (*A Historia de Um Velho*): «o meu velho sobreviveu porque foi dignamente médico até lhe faltarem as forças e isso deu-lhe uma persistente razão de viver.» Entre nós fala-se de «lares de idosos», e bom seria que fossem sempre «lares» e não depósitos de pessoas, tantas vezes lá abandonadas à espera da morte. A importância deste aspecto é defendida com vigorosa eloquência pelo autor.

Mas este livro trata também da morte, e explica que há de facto muitas maneiras de morrer, ilustrando com três gráficos – aliás muito citados na literatura sobre o tema – três percursos diferentes. A distinção é importante porque a maior parte do debate ético centra-se no paradigma oncológico, em que o doente vive com razoável autonomia, ou seja, capaz de tomar decisões sobre as suas escolhas terapêuticas, quase até ao final da vida, embora a racionalidade das suas preferências nem sempre seja baseada na evidência científica. Os médicos têm muitas vezes uma enorme dificuldade em lidar com a morte, porque, no seu íntimo, esta é quase sempre tomada como equivalente à derrota. A luta que travam pode assumir duas faces: uma é a tendência «pugilística» de combate e a outra, mais enganadora, é o da ritualização do optimismo. Como o autor sublinha, a formulação do prognóstico está longe de ser uma ciência exacta e é, como tenho dito, a porção mais afectiva do acto médico e uma tarefa da diabólica dificuldade, pois os doentes e as famílias exigem que seja precoce, seja correcto e seja optimista. De facto, algo mudou radicalmente, pois a morte em casa hoje é quase excepção. Gawande cita uma estatística de 1980 que documenta que só 17 por cento das mortes ocorrem em casa. Entre nós os números são um pouco diferentes. No livro *A Morte e o Morrer em Portugal* (Maria do Céu Machado e col., Almedina 2011), os valores apresentados são 29,9 por cento. Dos restantes, 61,4 por cento morrem no hospital e 8,7 por cento noutros locais. Descrevi a morte do meu avô, explicando como tinha sido um acontecimento tribal, isto é, cercado pela família e pelos amigos mais íntimos, e religioso, como fora aliás a morte do Dom Quixote. Hoje a morte é um acontecimento secular, solitário e discreto.

A ênfase nos cuidados paliativos (que chamei de «medicina do crepúsculo») e nas várias opções na morte é inevitável numa obra desta natureza. Recordo um admirável ensaio de Fernando Gil intitulado *Mors Certa, Hora Incerta*, em que é bem analisada a realidade desta incerteza. De facto, a sociedade hoje parece oferecer uma mão-cheia de opções na morte, e alimenta a percepção ilusória de sermos capazes de escolher a hora, o local, e o modo de morrer. Suicídio assistido, eutanásia, abstenção voluntária de alimentos, declarações antecipadas de vontade, tudo isto parece contribuir para uma certa ilusão de autonomia na última decisão. A análise deste tópico, neste livro, é de uma tolerância prudente, longe da frivolidade como estes temas são tratados, sobretudo pelos não especialistas.

Quando chega o tempo de parar, chega o tempo das decisões dilacerantes, que muitas vezes rasgam um tecido familiar cerzido com emoções contraditórias, memórias partilhadas, vontades presumidas, e as múltiplas cintilações que conferem a cada um de nós a identidade única que é o cerne da dignidade. O autor tem razão quando dedica um capítulo à coragem, embora a decomponha, algo redutoramente, em duas parcelas: a coragem de enfrentar a realidade da nossa finitude e a coragem de actuar sobre a verdade que percepcionamos. A sua definição de coragem é mais rebuscada do que a que adoptei há anos: «Courage is grace under pressure.» É claro que o sentido de «grace» nesta definição é difícil captar num sinónimo português, mas é algo em que se enlaçam o bem, a verdade e o belo.

Atul Gawande conclui com a comovente descrição do cumprimento dos rituais sagrados que embalam os restos mortais de seu pai. Aqui está muito próximo do final da *Morte de Ivan Illitch*: «A morte não existe mais», isto é, a morte não triunfou. E esta alusão a uma espiritualidade contida deve fazer-nos pensar que há sempre uma dimensão espiritual na vida e na morte, embora muitas vezes abafada ou até negada. Mas é ela que obriga a interrogarmo-nos sobre qual a nossa razão de existir.

Seja-me permitida mais uma nota pessoal, mas a leitura é assim, pois um livro bom está aberto a que lhe acrescentemos outros parágrafos! Meu pai morreu há 10 anos, e enquanto minha mãe foi viva, a biblioteca que construíra e que vigiava com zelo feroz, manteve-se quase intacta. Minha mãe morreu há pouco. Agora, filhos e netos (muitos) foram esvaziando as prateleiras, conforme as suas preferências intelectuais ou os seus interesses académicos. Porque descobrira um livro que, pensei, seria muito do gosto da minha filha mais velha, telefonei-lhe a dar-lhe conta disso. Passados minutos mandou-me o seguinte SMS: «É bom fazer parte de uma família em que os livros são tão preciosos como as jóias.»

Este livro sobre o qual escrevi estas palavras ficará na minha Biblioteca, esperando que um dia alguém o leve... como jóia.

JOÃO LOBO ANTUNES
Outubro de 2014

Introdução

Aprendi muitas coisas na Faculdade de Medicina, mas a mortalidade não foi uma delas. Embora me tenham dado um cadáver ressequido como couro para dissecar no primeiro ano, essa foi apenas uma maneira de aprender a anatomia humana. Os nossos manuais não tinham praticamente nada sobre o envelhecimento, a fragilidade ou o processo de morrer. A maneira como esse processo se desenrola, como as pessoas vivem o final da sua vida e a forma como isso afeta quem as rodeia parecia ser irrelevante. Na nossa perspetiva, e na perspetiva dos nossos professores, o objetivo do curso de Medicina era ensinar a salvar vidas e não a cuidar do seu fim.

A única vez que me lembro de termos abordado a mortalidade foi durante uma hora em que estivemos a falar sobre *A morte de Ivan Ilitch*, o conto clássico de Tolstoi. Foi numa cadeira semanal chamada Doente-Médico, que representava um esforço da faculdade para fazer de nós médicos mais completos e humanos. Numas semanas, treinávamos a nossa etiqueta relativa aos exames físicos; noutras, analisávamos os efeitos dos fatores socioeconómicos e raciais na saúde. E, uma tarde, contemplámos o sofrimento crescente de Ivan Ilitch, que padecia de uma qualquer doença incurável e sem nome.

Na história, Ivan Ilitch tem quarenta e cinco anos e é um magistrado mediano de São Petersburgo cuja vida gira à volta de preocupações menores com o estatuto social. Um dia, cai de um escadote e fica com uma dor num dos lados do corpo. Em vez de esmorecer, a dor piora e ele deixa de poder trabalhar. Ilitch, que era «um homem inteligente, educado, alegre e simpático», entra em depressão e perde as forças. Os amigos e os colegas evitam-no. A mulher chama uma série de médicos cada vez mais dispendiosos. Nenhum deles consegue fazer um diagnóstico definitivo e os remédios que lhe dão não surtem efeito. Para Ilitch, todo este processo é um suplício e ele fervilha de raiva perante a sua situação.

«O que mais atormentava Ivan Ilitch», escreve Tolstoi, «era o engano, a mentira, que, por algum motivo, todos aceitavam, de que ele não estava a morrer, estava simplesmente doente, e que bastava ficar sossegado e submeter-se a um tratamento para que, depois, algo de muito positivo adviesse daí.» Ivan Ilitch tem pontadas de esperança de que as coisas deem uma reviravolta, mas à medida que vai ficando mais fraco e escanzelado, compreende o que lhe está a acontecer. Vive cada vez mais angustiado e com medo da morte. Mas a morte não é um tema que os seus médicos, amigos ou familiares tolerem. É isto que o magoa mais profundamente.

«Ninguém tinha pena dele como ele gostaria que acontecesse», escreve Tolstoi. «Em determinados momentos, depois de sofrimento prolongado, o que mais desejava (embora tivesse vergonha de o confessar) era que alguém tivesse pena dele como se tem de uma criança doente. Ansiava por mimos e consolo. Sabia que era um funcionário importante, que tinha uma barba encanecida e que, por conseguinte, aquilo por que ansiava era impossível, mas ainda assim desejava-o.»

Na nossa perspetiva de alunos de Medicina, a incapacidade das pessoas que rodeavam Ivan Ilitch de lhe oferecerem consolo e reconhecerem o que lhe estava a acontecer era uma falha pessoal e cultural. A Rússia do final do século XIX da história de Tolstoi parecia-nos dura e quase primitiva. Assim como acreditávamos que a Medicina moderna teria provavelmente conseguido curar Ivan Ilitch de qualquer que fosse a doença de que ele padecia, também era para nós um dado adquirido que a honestidade e a amabilidade eram responsabilidades básicas de um médico moderno. Estávamos convencidos de que, numa situação daquelas, agiríamos com compaixão.

O que nos preocupava era o conhecimento. Embora soubéssemos como mostrar compaixão, não estávamos seguros de saber fazer um diagnóstico adequado e prescrever um tratamento correto. Pagávamos propinas para aprender os processos internos do corpo, os mecanismos intrincados das suas patologias e a vasta gama de descobertas e tecnologias que se iam acumulando para os deter. Nem imaginávamos que precisávamos de pensar em muito mais do que isso. Por isso, tirámos Ivan Ilitch da cabeça.

E, no entanto, uns anos depois, quando fiz a especialidade em Cirurgia e comecei a exercer, encontrei doentes que se viam obrigados a enfrentar as realidades do declínio e mortalidade, e rapidamente me apercebi do quão pouco preparado estava para os ajudar.

Comecei a escrever quando era interno de Cirurgia e, num dos meus primeiros artigos, contei a história de um homem a quem chamei Joseph Lazaroff, um vereador da câmara cuja mulher tinha falecido, uns anos antes, vítima de cancro do pulmão. Era sexagenário e padecia ele próprio de um cancro incurável: cancro da próstata com várias metástases. Tinha perdido mais de vinte e cinco quilos. O abdómen, o escroto e as pernas estavam cheios de líquido. Um dia, acordou sem conseguir mexer a perna direita nem controlar os intestinos. Foi internado no hospital, onde o conheci na qualidade de interno da equipa neurocirúrgica. Descobrimos que o cancro se tinha espalhado à coluna torácica e estava a comprimir a espinal medula. O cancro não tinha cura, mas esperávamos conseguir tratá--lo. A radioterapia de emergência não conseguiu reduzir, porém, as dimensões do cancro e por isso o neurocirurgião propôs duas opções ao paciente: cuidados paliativos ou cirurgia para retirar o tumor da coluna. Lazaroff optou pela cirurgia. O meu trabalho, como interno do serviço de Neurocirurgia, era obter a confirmação por escrito da parte dele em como percebia os riscos da operação e, não obstante, desejava submeter-se a ela.

Fiquei parado à porta do quarto dele, com a ficha clínica na minha mão suada, a tentar decidir como é que ia abordar o assunto. A esperança era que a operação travasse o avanço das lesões na espinal medula. Não o curaria, nem inverteria o processo de paralisia, nem lhe devolveria o tipo de vida que levara antes. Fizéssemos nós o que fizéssemos, ele tinha no máximo uns meses de vida e a operação era inerentemente perigosa. Seria necessário abrir-lhe o tórax, retirar uma costela e colapsar um pulmão para aceder à coluna. A perda de sangue seria elevada. A recuperação, difícil. No seu estado de fraqueza, enfrentava consideráveis riscos de posteriores complicações debilitantes. A cirurgia acarretava o risco de lhe piorar e encurtar a vida. Mas o neurocirurgião explicara-lhe tudo e Lazaroff tinha a certeza de que queria submeter-se à intervenção. A única coisa que eu tinha de fazer era entrar no quarto e tratar da papelada.

Deitado na cama, Lazaroff estava cinzento e escanzelado. Disse-lhe que era interno e que precisava do consentimento dele por escrito para a operação e, para isso, tinha de confirmar que ele estava ciente dos riscos. Expliquei que a operação podia extrair o tumor mas acarretar complicações graves, tais como paralisia ou um AVC, e podia inclusive ser fatal. Tentei ser claro sem parecer duro, mas a minha conversa pô-lo na defensiva. O mesmo aconteceu quando o filho, que estava no quarto, perguntou se seria uma boa ideia optar por medidas tão radicais, o que Lazaroff não apreciou minimamente.

«Não desistam de mim», disse ele. «Deem-me todas as hipóteses possíveis.» Quando saímos do quarto, depois de o paciente ter assinado o documento, o filho chamou-me à parte. A mãe tinha morrido ligada a um ventilador nos Cuidados Intensivos e, na época, o pai tinha dito que não queria que lhe acontecesse nada daquele género. E, no entanto, agora, mostrava-se perentório em tentar «tudo».

Achei, na altura, que o Sr. Lazaroff tinha tomado a decisão errada e continuo a achar o mesmo. Escolheu mal, não por causa dos riscos, mas porque a operação nunca lhe poderia ter dado o que ele realmente queria: continência, força, a vida que levara antes de adoecer. Estava a correr atrás de uma fantasia, correndo o risco de sofrer uma morte prolongada e terrível, que foi precisamente o que acabou por acontecer.

A operação foi um êxito do ponto de vista técnico. Ao longo de oito horas e meia, a equipa médica retirou o tumor que invadira a coluna e reconstruiu a estrutura vertebral com cimento acrílico. A pressão sobre a espinal medula desapareceu, mas ele nunca recuperou da cirurgia. Nos Cuidados Intensivos, sofreu insuficiência respiratória, uma infeção sistémica, coágulos no sangue por causa da imobilidade e, a seguir, hemorragia por causa dos anticoagulantes que tomou para os coágulos. A cada dia que passava, andávamos para trás. Por fim, tivemos de admitir que ele estava a morrer. Ao décimo quarto dia, o filho mandou a equipa parar.

Coube-me desligar Lazaroff do ventilador artificial que o mantinha vivo. Certifiquei-me de que o doseador de morfina estava ligado no máximo, para ele não sofrer com a falta de oxigénio. Debrucei-me sobre ele e, para a eventualidade de me conseguir ouvir, expliquei que lhe ia retirar o tubo de respiração da boca. Ele tossiu duas ou três vezes quando lho tirei, abriu os olhos por um breve instante e fechou-os novamente. A respiração tornou-se mais difícil e depois parou. Encostei o estetoscópio ao peito dele e ouvi o coração a esmorecer.

Hoje, mais de uma década depois de eu ter contado pela primeira vez a história do Sr. Lazaroff, o que mais me interpela não é como foi errada a decisão que ele tomou mas, sim, a maneira como todos nós evitámos falar honestamente com o doente sobre a escolha que tinha pela frente. Não tivemos dificuldade em explicar os perigos específicos de diversas opções de tratamento, mas nunca abordámos verdadeiramente a realidade concreta da sua doença. Os oncologistas, radiologistas, cirurgiões e outros médicos que o acompanharam submeteram-no a meses de tratamentos para um problema que sabiam que não tinha cura. Nunca tivemos coragem para analisar a verdade mais lata sobre a doença dele e os derradeiros limites das nossas capacidades, e muito menos para conversar sobre o que poderia ser mais importante para o doente ao aproximar-se do fim da vida. Se ele quis correr atrás de uma fantasia, nós também o fizemos. Ali estava ele, no hospital, parcialmente paralisado por causa de um cancro que se espalhara pelo corpo. As hipóteses de voltar a ter uma vida nem que fosse minimamente parecida com a que levara umas semanas antes eram inexistentes. Mas admitir esta realidade e ajudá-lo a lidar com ela pareceu-nos algo que estava para lá das nossas capacidades. Não lhe oferecemos reconhecimento, nem conforto, nem orientação. Limitámo-nos a propor-lhe mais um tratamento que *talvez* tivesse um resultado positivo.

Não nos saímos muito melhor do que os primitivos médicos oitocentistas de Ivan Ilitch. Aliás, agimos pior, tendo em conta as novas formas de tortura física que infligimos ao nosso doente. É caso para nos perguntarmos, afinal, quem são os primitivos...

As possibilidades científicas modernas alteraram profundamente o curso da vida humana. As pessoas vivem mais e melhor do que em qualquer outro período da História. Mas os avanços científicos transformaram os processos de envelhecer e morrer em experiências médicas, questões a serem geridas por profissionais de saúde. E nós, no meio médico, demos assustadoramente provas de não estarmos preparados para isso.

Esta realidade tem estado, em grande parte, escondida, uma vez que as fases finais da vida são cada vez menos familiares para as pessoas. Até uma data tão recente como 1945, a maior parte das mortes ocorria em casa. Nos anos 80, isso já só acontecia em 17 por cento dos casos. Quem morria em casa era provavelmente por ter sido apanhado tão subitamente pela morte que nem teve tempo para se dirigir ao hospital – por exemplo, as mortes por ataque cardíaco fulminante, AVC ou lesões graves – ou então por viver num lugar tão isolado que não havia quem o socorresse. Em todo o território dos Estados Unidos e não só, em todo o mundo industrializado, a experiência da velhice profunda e morte foi transferida para os hospitais e casas de repouso.

Quando me tornei médico, passei para o lado de lá das portas do hospital e, embora tenha crescido com pai e mãe médicos, tudo o que via era novidade para mim. A verdade é que nunca tinha visto ninguém morrer e, quando isso aconteceu, foi um choque. Não por me ter feito pensar na minha própria mortalidade. Não sei porquê, mas essa ideia nem me passou pela cabeça, nem sequer quando vi morrer pessoas da minha idade. Eu vestia uma bata branca; elas, uma bata de hospital. Não conseguia imaginar os papéis invertidos. Conseguia, no entanto, imaginar a minha família no lugar dessas pessoas. Já tinha visto vários familiares – a minha mulher, os meus pais e os meus filhos – acometidos por doenças graves e em perigo de vida. Mesmo nessas terríveis circunstâncias, a Medicina conseguira sempre salvá--los. O choque para mim foi, por conseguinte, ver que a Medicina *não* era capaz de salvar toda a gente. É claro que eu sabia, teoricamente, que os meus doentes podiam morrer, mas de cada vez que isso aconteceu pareceu-me uma infração, como se aquelas que eu achava que eram as regras do jogo estivessem a ser quebradas. Não sei que jogo seria esse na minha cabeça, mas, nele, ganhávamos sempre.

Todos os médicos e enfermeiros novos são confrontados com o processo de morrer e com a morte. Das primeiras vezes, alguns choram. Outros fecham-se. Outros ainda quase nem reparam. Quando vi morrer pela primeira vez alguns doentes, eu era demasiado reservado e não chorei, mas sonhei com essas mortes. Tinha pesadelos recorrentes em que encontrava os cadáveres dos meus doentes em minha casa... dentro da minha cama.

«Como é que ele aqui veio parar?», perguntava-me, em pânico.

Sabia que teria um sarilho enorme em mãos, talvez até problemas com a lei, se não levasse o cadáver de volta para o hospital sem ser apanhado. Tentava içá-lo para a mala do carro, mas era demasiado pesado. Ou conseguia encaixá-lo na bagageira, mas depois via o sangue a pingar como óleo preto até transbordar do automóvel. Ou então conseguia levar o cadáver para o hospital e deitá-lo numa maca e empurrava-o de enfermaria em enfermaria, à procura do quarto onde a pessoa costumava estar, e nunca o encontrava. «Ei!», gritava alguém, e começava a perseguir-me. Eu acordava ao lado da minha mulher, no escuro, suado e com taquicardia. Sentia que tinha matado aquelas pessoas. Que tinha fracassado.

A morte, como é óbvio, não é um fracasso. A morte é normal. A morte pode ser o inimigo, mas é também a ordem natural das coisas. Eu sabia estas verdades em sentido abstrato, mas não no sentido concreto: que podiam ser verdades não só em termos gerais, mas também no caso daquela pessoa que estava ali mesmo à minha frente, aquela pessoa por quem eu era responsável.

O falecido Sherwin Nuland, cirurgião, lamentou-se no seu livro *Como morremos*, que é hoje um clássico: «As gerações que nos precederam encaravam como um dado adquirido a necessidade de a derradeira vitória ser da natureza e aceitavam-no. Os médicos estavam muito mais dispostos a reconhecer os sinais de derrota e tinham muito menos pretensões arrogantes de os negar.» Mas enquanto percorro a pista de descolagem do século XXI, treinado no uso do nosso espantoso arsenal de tecnologia, pergunto-me o que significará exatamente ser menos arrogante.

Decidimos ser médicos, porque imaginamos que o trabalho nos dará satisfação pessoal e descobrimos que essa satisfação assenta na competência. É algo de profundo, muito parecido com a satisfação de um carpinteiro ao restaurar uma arca antiga e frágil, ou de um professor de ciências ao conseguir que um aluno tenha uma espécie de epifania ao perceber pela primeira vez o que é um átomo. A satisfação advém, em parte, do prazer de ajudar os outros. Mas também vem da noção de sermos tecnicamente competentes e capazes de resolver problemas difíceis e complexos. A nossa competência dá-nos uma sensação segura de identidade. Por conseguinte, para um médico, não há nada de tão ameaçador para a sua noção de identidade do que um doente com um problema que ele não consegue solucionar.

É impossível fugir à tragédia da vida, que é o facto de envelhecermos a cada dia que passa, desde o instante em que nascemos. Até podemos compreender e aceitar este facto. Os meus doentes mortos e moribundos já não me assombram em sonhos. Mas isto não é o mesmo que dizer que sabemos como lidar com o que não tem solução. Tenho uma profissão considerada de sucesso por causa da sua capacidade para solucionar problemas. Se o seu problema tiver solução, nós sabemos exatamente o que fazer. Mas, e se não tiver? O facto de ainda não dispormos de respostas adequadas para esta pergunta é inquietante e tem causado insensibilidade, desumanidade e um sofrimento enorme.

Esta tentativa de fazer da mortalidade uma experiência médica existe apenas há umas décadas. É jovem. E as provas mostram que está a falhar.

Este livro é sobre a experiência moderna da mortalidade: sobre o que significa sermos criaturas que envelhecem e morrem, como é que a Medicina mudou – ou não – essa experiência e em que é que as nossas ideias sobre como lidar com a nossa finitude se equivocaram. Estando eu a celebrar uma década de prática cirúrgica e a entrar eu próprio na meia-idade, sinto que nem eu, nem os meus pacientes consideramos aceitável a situação em que nos encontramos. Mas, ao mesmo tempo, sinto que é difícil decidir quais deveriam ser as respostas, ou sequer se há respostas adequadas. Acredito, porém, enquanto escritor e cientista, que afastando o véu e observando mais de perto, acabamos por conseguir dar sentido às coisas mais confusas, estranhas ou inquietantes.

Não é preciso passar muito tempo com pessoas idosas ou doentes em fase terminal para ter a noção da quantidade de vezes que a Medicina não consegue socorrer as pessoas que supostamente deveria ajudar. Os derradeiros dias da nossa vida são ocupados com tratamentos que nos baralham o cérebro e sugam o nosso corpo até ao tutano, em busca de uma ínfima hipótese de obter um resultado benéfico. São passados em instituições – casas de repouso e unidades de Cuidados Intensivos –, onde rotinas rígidas e impessoais nos afastam de todas as coisas que são importantes para nós na vida. A nossa relutância em analisar honestamente a experiência do envelhecimento e morte agravou o mal que infligimos às pessoas e negou-lhes os confortos básicos de que mais necessitam. Como nos falta uma visão coerente de como é que as pessoas podem viver bem até ao finzinho da vida, deixámos que o nosso destino fosse controlado pelos imperativos da Medicina, da tecnologia e de desconhecidos.

Escrevi este livro na esperança de perceber o que tem vindo a acontecer. A mortalidade pode ser um assunto traiçoeiro. Há quem ficará assustado com a ideia de um médico escrever sobre a inevitabilidade do declínio e morte. Para muitas pessoas, este tipo de conversa, por mais cuidado que se tenha a enquadrá-la, evoca o espectro de uma sociedade a preparar-se para sacrificar os seus doentes e velhos. Mas, e se os doentes e os velhos já estiverem a ser sacrificados, *já* forem vítimas da nossa recusa em aceitar a inexorabilidade do ciclo da vida? E se houver melhores abordagens, mesmo à frente dos nossos olhos, só à espera de serem reconhecidas?

CAPÍTULO 1

O «eu» independente

Quando era pequeno, nunca convivi com doenças graves nem com as dificuldades da velhice. Os meus pais, ambos médicos, eram saudáveis e estavam em boa forma física. Eram imigrantes indianos e criaram-me, a mim e à minha irmã, na pequena cidade universitária de Athens, no Ohio, por isso cresci longe dos meus avós. A única pessoa idosa que eu costumava encontrar regularmente era uma mulher que vivia na nossa rua e me deu aulas de piano no segundo ciclo. Mais tarde, ela adoeceu e teve de mudar de casa, mas não me passou pela cabeça perguntar-me para onde teria ido nem o que seria feito dela. A experiência de uma velhice moderna estava completamente fora da minha realidade.

Na faculdade, porém, comecei a namorar com uma rapariga do meu dormitório, chamada Kathleen, e no Natal de 1985, numa visita a casa dela, em Alexandria, na Virgínia, conheci a avó dela, Alice Hobson, que na época tinha setenta e sete anos. Achei-a uma pessoa vivaz e muito independente. Não tentava disfarçar a idade. Não pintava o cabelo branco e usava-o liso, com a risca ao lado, ao estilo da atriz Bette Davis. Tinha as mãos manchadas da idade e a pele enrugada. Vestia blusas e vestidos simples e impecavelmente passados a ferro, usava um batom discreto e andava de saltos altos, quando muita gente consideraria que já não tinha idade para isso.

Como vim a descobrir ao longo dos anos – porque a Kathleen e eu acabámos por nos casar –, a Alice foi criada numa povoação rural na Pensilvânia, conhecida pelas suas plantações de flores e cogumelos. O pai era floricultor e cultivava cravos, malmequeres e dálias, em estufas sem-fim. Alice e as irmãs foram as primeiras pessoas da família a frequentar o ensino superior. Na Universidade de Delaware, Alice conheceu Richmond Hobson, um aluno de Engenharia Civil. Devido à Grande Depressão, tiveram de esperar seis anos depois de se licenciarem para terem meios financeiros para se casarem. Nos primeiros anos de casamento, a Alice e o Rich mudavam de casa com frequência por causa do trabalho dele. Tiveram dois filhos, o Jim, o meu futuro sogro, e depois o Chuck. O Rich foi contratado pelo Corpo de Engenheiros do Exército e tornou-se especialista na construção de grandes barragens e pontes. Uma década depois, foi promovido a um cargo no gabinete da chefia, na sede nos arredores de Washington, onde permaneceu até ao fim da carreira. Ele e a Alice instalaram-se em Arlington. Compraram um carro, fizeram viagens de automóvel pelos quatro cantos do país e, ao mesmo tempo, conseguiram fazer umas economias. Puderam mudar-se para uma casa maior e mandar os filhos intelectuais para a universidade sem terem de contrair empréstimos.

E depois, um dia, numa viagem de negócios a Seattle, o Rich teve um ataque cardíaco. Ele tinha um historial de angina e tomava comprimidos de nitroglicerina para aliviar as pontadas ocasionais de dores no peito, mas corria o ano de 1965 e, nessa época, os médicos não podiam fazer muita coisa em relação às doenças cardíacas. Ele morreu no hospital antes que a Alice lá pudesse chegar. Tinha apenas sessenta anos, e a Alice cinquenta e seis.

Com a pensão que recebia do Corpo de Engenheiros do Exército, ela conseguiu manter a casa de Arlington. Quando a conheci, ela vivia sozinha naquela casa, na Greencastle Street, há vinte anos. Os meus sogros, o Jim e a Nan, moravam perto, mas a Alice era completamente independente. Cortava ela própria a relva do jardim e sabia tratar das canalizações. Ia ao ginásio com a amiga Polly. Gostava de costura e tricô e de criar peças de roupa, uns cachecóis e umas rebuscadas meias natalícias vermelhas e verdes para a família toda, com o pormenor do Pai Natal com um botão cor-de-rosa a fazer de nariz e os nomes escritos no cós. Criou um grupo que fazia uma subscrição anual para assistir a espetáculos no Kennedy Center for the Performing Arts. Conduzia um grande *Chevrolet Impala V8*, sentada em cima de uma almofada para conseguir ver a estrada. Tratava das coisas do dia-a-dia, visitava a família, dava boleia a amigas e distribuía refeições porta a porta a pessoas com mais fragilidades do que ela.

Com o passar dos anos, tornou-se difícil não nos perguntarmos quanto mais tempo conseguiria ela manter aquele estilo de vida. Era uma mulher franzina, de um metro e cinquenta no máximo, e, embora se eriçasse se alguém falasse nisso, perdia altura e forças a cada ano que passava. Quando me casei com a neta dela, a Alice sorriu de orelha a orelha e abraçou-me com força, dizendo-me que o casamento a deixara muito feliz, mas que estava demasiado afetada pela artrite para poder dançar comigo. E continuou a viver na sua própria casa, levando uma vida independente.

Quando o meu pai a conheceu, ficou surpreendido por saber que ela vivia sozinha. Ele era urologista, o que significava que via muitos doentes idosos e ficava sempre incomodado quando sabia que viviam sozinhos. Segundo ele, se ainda não tinham necessidades de monta, mais cedo ou mais tarde isso ia acontecer e, sendo oriundo da Índia, achava que cabia à família a responsabilidade de acolher os idosos, fazer-lhes companhia e cuidar deles. Desde que chegara a Nova Iorque, em 1963, para fazer o internato, o meu pai abraçara praticamente todos os aspetos da cultura americana. Abdicou do vegetarianismo e descobriu o mundo dos encontros românticos. Arranjou namorada, uma interna de Pediatria de uma parte da Índia onde não falavam a língua dele. Quando casou com ela, em vez de deixar o meu avô escolher-lhe uma mulher conveniente, a família ficou escandalizada. Ele tornou-se adepto fervoroso do ténis, presidente do Clube dos Rotários da zona e um contador de anedotas picantes. Um dos seus dias de maior orgulho foi o 4 de julho de 1976, o bicentenário da nação, em que recebeu a cidadania americana na presença de centenas de pessoas a aclamarem, no palanque da Feira do Condado de Athens, entre o leilão de porcos e o concurso de demolição. Mas uma coisa à qual nunca se conseguiu habituar foi à maneira como tratamos os nossos velhos e frágeis: deixamo-los viver em solidão ou isolamo-los numa série de instituições impessoais, onde passam os seus derradeiros momentos conscientes na companhia de enfermeiras e médicos que mal sabem como se chamam. Era o extremo oposto do mundo em que ele fora criado.

O pai do meu pai teve o tipo de velhice tradicional que, do ponto de vista ocidental, parece idílico. Sitaram Gawande era agricultor numa aldeia chamada Uti, a quinhentos quilómetros de Bombaim, no interior, onde os nossos antepassados cultivavam a terra há séculos.

Lembro-me de o ir visitar com os meus pais e a minha irmã, mais ou menos na mesma altura em que conheci a Alice, já ele tinha mais de cem anos. Era, de longe, a pessoa mais velha que eu conhecia na vida. Usava uma bengala e caminhava vergado pela cintura como uma haste de trigo dobrada. Era tão surdo que as pessoas tinham de lhe gritar ao ouvido por um tubo de borracha. Estava fraco e às vezes precisava de ajuda para se levantar de uma cadeira. Mas era um homem cheio de dignidade, com um turbante branco muito bem apertado, um casaco de malha castanho aos losangos, sem gelhas, e uns óculos antiquados, de lentes grossas, do género dos do Malcolm X. Estava rodeado e amparado pela família a tempo inteiro e era venerado, não apesar da idade, mas precisamente por causa dela. Era consultado sobre todas as questões importantes – casamentos, disputas de terras, decisões de negócios – e ocupava um lugar de grande honra na família. À hora das refeições, ele era o primeiro a ser servido. Quando iam jovens a casa dele, faziam uma vénia e tocavam-lhe nos pés, num gesto de humildade.

Na América, ele teria seguramente sido mandado para um lar de idosos. Os profissionais de saúde têm um sistema formal para classificar as pessoas consoante o seu grau de autonomia. Se não conseguir, sem ajuda, usar a casa de banho, comer, vestir-se, lavar-se, arranjar-se, sair da cama, levantar-se de uma cadeira e falar – as oito «Atividades da vida diária» –, uma pessoa não tem capacidade para a autonomia física básica. Se não conseguir fazer as compras sozinha, preparar a sua própria comida, tratar da casa, cuidar da roupa, tomar a medicação, fazer telefonemas, viajar sozinha e tratar das finanças – as oito «Atividades independentes da vida diária» –, a pessoa não tem capacidade para viver sozinha em segurança.

O meu avô só conseguia fazer algumas das atividades básicas de uma pessoa independente e umas quantas das mais complexas. Mas, na Índia, isto não tinha mal. A situação dele não desencadeou nenhuma reunião familiar de emergência, nem discussões angustiadas sobre o que fazer com ele. Era ponto assente que a família se certificaria de que o meu avô poderia continuar a viver como desejava. Um dos meus tios e a respetiva família viviam com ele e, com um pequeno rebanho de crianças, netos e sobrinhos sempre por perto, nunca lhe faltou ajuda.

Este contexto familiar permitiu-lhe manter um estilo de vida de que poucas pessoas idosas podem desfrutar nas sociedades modernas. A família fez com que ele pudesse, por exemplo, continuar a ser proprietário e a gerir a quinta, que construíra do nada – aliás, com menos do que nada. O pai dele tinha perdido tudo, exceto um hectare hipotecado e dois touros escanzelados, para um agiota, num ano em que a colheita fora uma desgraça. Ele morrera a seguir, deixando a Sitaram, o filho mais velho, as suas dívidas. Com apenas dezoito anos e acabado de casar, Sitaram foi obrigado a trabalhar por conta de outrem no único hectare que restava à família. A dada altura, a única comida que ele e a noiva tinham dinheiro para comprar era pão e sal. Estavam a morrer à fome. Mas ele rezou e trabalhou afincadamente com o arado e as suas preces foram atendidas. A colheita foi espetacular. Ele conseguiu não só pôr comida na mesa, mas também pagar as dívidas. Nos anos que se seguiram, transformou o seu hectare em mais de oitenta e tornou-se um dos proprietários rurais mais ricos da aldeia e ele próprio um agiota. Teve três mulheres, tendo sobrevivido a todas, e treze netos. Dava importância à educação, ao trabalho árduo, à frugalidade, a subir na vida a pulso, a manter-se fiel às suas raízes e a responsabilizar os outros no sentido de adotarem a mesma conduta. Ao longo da vida, acordou sempre antes de amanhecer e só se deitava depois de fazer uma inspeção noturna de cada hectare das suas terras a cavalo. Mesmo depois dos cem anos, teimava nisso. Os meus tios tinham medo de que ele caísse – estava fraco e com pouco equilíbrio –, mas eles sabiam que aquilo era importante para ele, por isso arranjaram-lhe um cavalo mais pequeno e certificaram-se de que alguém o acompanhava sempre. Fez a ronda das suas terras até ao ano em que morreu.

Se vivesse no Ocidente, isto teria parecido um absurdo. Não é seguro, teria dito o médico. Se ele insistisse em andar a cavalo e depois sofresse uma queda e fosse parar às Urgências com uma fratura do fémur, o hospital não o deixaria voltar para casa. Insistiriam para que fosse para um lar da terceira idade. Mas, no mundo pré-moderno do meu avô, a maneira como ele queria viver era uma escolha sua e o papel da família era simplesmente viabilizá-la.

O meu avô acabou por morrer com quase cento e dez anos, na sequência de uma queda de um autocarro em que bateu com a cabeça.

Foi ao tribunal de uma cidade vizinha, em trabalho, o que parece uma loucura, mas era uma prioridade para ele. O autocarro começou a andar quando ele ainda ia a sair e, embora fosse acompanhado por um familiar, caiu. Muito provavelmente sofreu um hematoma subdural, isto é, uma hemorragia intracraniana. O meu tio levou-o para casa e, nos dias que se seguiram, ele foi-se apagando. Pôde viver como queria e com a família à sua volta até ao finzinho.

Durante a maior parte da História da humanidade, para as pessoas que viviam até uma idade avançada, a experiência de Sitaram Gawande era a norma. Os idosos eram tratados em sistemas multigeracionais, em que muitas vezes viviam três gerações debaixo do mesmo teto. Até quando a família nuclear substituiu a família alargada (como aconteceu na Europa do Norte, há vários séculos), os idosos continuaram sem ter de enfrentar as vicissitudes da idade sozinhos. Normalmente, os filhos saíam de casa dos pais assim que tinham idade para constituir família, mas geralmente havia um filho que ficava, com frequência a filha mais nova, se os pais vivessem até uma idade avançada. Foi o destino que coube à poeta Emily Dickinson, em Amherst, no Massachusetts, em meados do século XIX. O irmão mais velho saiu de casa, casou-se e constituiu família, mas ela e a irmã mais nova ficaram a viver com os pais até eles morrerem. O pai de Emily viveu até aos setenta e um anos, quando ela já tinha entrado na casa dos quarenta, e a mãe viveu ainda mais tempo. Ela e a irmã acabaram por passar a vida inteira no lar paterno.

Por mais distinta que a vida dos pais de Emily Dickinson na América possa parecer da vida de Sitaram Gawande na Índia, ambas assentavam em sistemas que partilhavam da vantagem de resolverem facilmente a questão do cuidado dos idosos. Não era necessário poupar dinheiro para assegurar uma vaga num lar da terceira idade, nem para pagar a entrega de refeições ao domicílio. Era ponto assente que os pais continuariam a viver na sua própria casa, com o auxílio de pelo menos um dos filhos que tinham criado. Nas sociedades contemporâneas, pelo contrário, a velhice e a doença deixaram de ser uma responsabilidade partilhada entre várias gerações e tornaram-se uma espécie de estado privado: algo vivido em grande parte a sós ou com a ajuda de médicos e instituições. Como é que isto aconteceu? Como é que passámos da vida de Sitaram Gawande para a de Alice Hobson?

Uma das respostas é que a própria velhice mudou. No passado, era pouco comum as pessoas viverem até chegarem a velhas e as que de facto sobreviviam até tão tarde cumpriam uma função especial enquanto guardiãs da tradição, do conhecimento e da história. Normalmente mantinham o seu estatuto e autoridade enquanto chefes da casa até morrerem. Em muitas sociedades, os idosos não só granjeavam respeito e obediência, mas também chefiavam rituais sagrados e detinham poder político. Era tanto o respeito dado aos idosos que as pessoas costumavam fingir que eram mais velhas do que na realidade eram e não mais novas, quando diziam a idade. As pessoas sempre mentiram sobre a idade. Os demógrafos chamam a este fenómeno «arredondamento da idade» (*age heaping*) e engendraram complexas manobras quantitativas para corrigir as mentiras dos recenseamentos. Repararam também que, no século XVIII, nos Estados Unidos e na Europa, o rumo das nossas mentiras mudou. Enquanto hoje, muitas vezes, as pessoas tiram anos à sua idade real quando os recenseadores fazem a recolha de dados, estudos sobre recenseamentos passados revelaram que, antigamente, as pessoas costumavam dizer que eram mais velhas. A dignidade da velhice era algo a que toda a gente aspirava.

Mas a idade perdeu o seu valor de coisa rara. Na América, em 1790, as pessoas com sessenta e cinco anos ou mais constituíam 2 por cento da população; hoje, constituem 14 por cento. Na Alemanha, Itália e no Japão, excedem os 20 por cento. A China é atualmente o primeiro país na terra com mais de cem milhões de pessoas idosas.

Quanto ao domínio que os idosos costumavam ter sobre o conhecimento e a sabedoria, também isso foi minado, graças às tecnologias de comunicação, a começar pela escrita em si e acabando na Internet e por aí fora. As novas tecnologias criam igualmente novas ocupações e requerem novas mestrias, o que corrói ainda mais o valor de uma longa experiência e de uma opinião apurada. Antigamente, era natural recorrermos a uma pessoa de idade para que ela nos explicasse o mundo. Hoje, consultamos o Google e, se tivermos problemas com o computador, pedimos ajuda a um adolescente.

Creio que, acima de tudo, o facto de vivermos mais tempo acarretou uma mudança na relação entre novos e velhos. Tradicionalmente, os pais eram uma fonte de estabilidade crucial, de conselhos e proteção económica para as jovens famílias que procuravam caminhos para uma vida segura. E como normalmente os proprietários de terras se agarravam às suas propriedades até morrerem, os filhos que sacrificavam tudo para cuidar dos pais sabiam que herdariam todo o património, ou pelo menos uma parte maior do que os filhos que se fossem embora. Mas, assim que os pais começaram a viver assumidamente mais tempo, surgiu tensão entre as gerações. Para os jovens, o sistema familiar tradicional tornou-se menos uma fonte de segurança e mais uma luta pelo controlo: controlo das propriedades, das finanças e inclusive das decisões mais básicas sobre como podiam viver.

E de facto, na família tradicional do meu avô Sitaram, a tensão geracional estava sempre latente. Podem imaginar como se sentiram os meus tios, quando o pai fez cem anos e eles próprios entraram na velhice, ainda à espera de herdarem as terras e ganharem independência económica. Soube de batalhas amargas que foram travadas em famílias da aldeia, entre os idosos e os filhos adultos por causa de terras e dinheiro. No último ano de vida do meu avô, houve uma discussão irada entre ele e o meu tio que vivia com ele. A causa que esteve na origem não é clara: talvez o meu tio tenha tomado uma decisão de negócios sem consultar o meu avô; talvez o meu avô tenha querido sair e ninguém se prontificou para o acompanhar; talvez ele gostasse de dormir com a janela aberta e eles com a janela fechada. Fosse qual fosse o motivo, a discussão culminou (dependendo de quem contava a história) com o Sitaram ou a sair intempestivamente de casa a meio da noite ou a ser expulso de casa. Não se sabe como, mas ele conseguiu chegar a casa de outro familiar, que ficava a quilómetros de distância, e durante dois meses recusou-se a regressar à sua quinta.

O desenvolvimento económico global alterou drasticamente as oportunidades dos jovens. A prosperidade de países inteiros depende da vontade de os jovens se libertarem das grilhetas das expectativas familiares e seguirem o seu próprio caminho: procurar emprego onde quer que seja, escolher a carreira que lhes apetecer, casar com quem quiserem. Foi o que aconteceu com o meu pai, cujo percurso o levou de Uti para Athens, no Ohio. Deixou a aldeia, primeiro, para frequentar a Universidade de Nagpur e, depois, para fazer carreira nos Estados Unidos. À medida que foi progredindo na profissão, foi mandando cada vez mais dinheiro para a família na Índia, ajudando assim a construir novas casas para o pai e os irmãos, a levar água potável e telefones à aldeia e a instalar sistemas de irrigação que asseguravam as colheiras, mesmo quando as estações das chuvas eram más. Mandou inclusive construir um instituto superior rural ali perto, ao qual deu o nome da mãe. Mas não havia como negar que ele partira e não ia regressar.

Por muito incomodado que o meu pai tenha ficado com a maneira como a América trata os idosos, a verdade é que a velhice mais tradicional do meu avô só foi possível porque os irmãos do meu pai não saíram de casa como ele. Pensamos, nostalgicamente, que queremos o tipo de velhice que o meu avô teve. Se não o temos, porém, é porque, na realidade, não é verdadeiramente isso que desejamos. O padrão histórico é claro: assim que as pessoas obtinham os meios e a oportunidade para abandonarem esse modo de vida, faziam as malas e partiam.

O pormenor fascinante é que, com o tempo, não parece que os idosos tenham tido uma pena por aí além de ver os filhos sair de casa. Os historiadores afirmam que os idosos da era industrial não sofreram economicamente e não se sentiram descontentes por ficarem sozinhos. Em vez disso, com as economias crescentes, ocorreu uma mudança no padrão que pautava o direito de propriedade. Quando os filhos saíram de casa em busca de oportunidades noutros lugares, os pais que viviam até mais tarde perceberam que podiam alugar ou inclusive vender as suas terras em vez de as legarem aos filhos. Os salários mais altos e, depois, os sistemas de pensões permitiram a cada vez mais pessoas acumular economias e propriedades e, por conseguinte, manter o controlo económico das suas vidas na velhice, libertando-as da necessidade de trabalhar até à morte ou à invalidez total. Começou a delinear-se o conceito radical de «reforma».

A esperança de vida, que em 1900 não chegava aos cinquenta anos, disparou para mais de sessenta na década de 1930, graças às melhorias verificadas na alimentação, saneamento e cuidados médicos. O tamanho das famílias caiu de uma média de sete filhos, em meados do século XIX, para apenas três filhos, após 1900. A idade média com que as mulheres tinham o último filho também diminuiu: da menopausa para trinta ou mais jovem. Como resultado, muito mais pessoas viviam o tempo suficiente para ver os filhos chegar à idade adulta. No início do século XX, uma mulher teria cinquenta anos quando o último filho atingisse a maioridade, com vinte e um anos, em vez de ser sexagenária, como no século anterior. Os pais passaram a dispor de muitos anos, uma década ou mais, antes de eles ou os filhos se terem de preocupar com a velhice.

Portanto, o que fizeram foi andar para a frente, exatamente como os filhos. Dada a oportunidade, tanto os pais como os filhos viram na separação uma forma de liberdade. Sempre que os idosos dispõem de meios financeiros, têm optado por uma coisa a que os sociólogos chamam «intimidade à distância». Enquanto na América do início do século XX, 60 por cento das pessoas com mais de sessenta e cinco anos moravam com um filho, nos anos 60 a proporção já tinha caído para 25 por cento. Em 1975, estava abaixo dos 15 por cento. O padrão é mundial. Só 10 por cento dos europeus com mais de oitenta anos vive com os filhos e quase metade vive completamente sozinha, sem um cônjuge. Na Ásia, onde a ideia de um progenitor idoso ficar a viver sozinho sempre foi tradicionalmente considerada uma vergonha – que era a opinião do meu pai –, está a ocorrer a mesma mudança radical. Na China, no Japão e na Coreia, as estatísticas nacionais mostram que a percentagem de idosos que vivem sozinhos está a subir rapidamente.

Na verdade, isto é sinal de um enorme progresso. As opções para os idosos proliferaram. Del Webb, um construtor do Arizona, popularizou o termo «comunidade de reformados» em 1960, ao inaugurar a Sun City (Cidade do Sol), um bairro em Phoenix que foi um dos primeiros a aceitar apenas reformados como moradores. Na época, a ideia foi controversa. A maior parte dos construtores imobiliários achava que os idosos queriam ter mais contacto com as outras gerações. Webb achava que não. Acreditava que as pessoas, na sua última fase da vida, não queriam viver como o meu avô, com a família a estorvar. Construiu Sun City como um lugar com uma visão alternativa de como as pessoas deviam passar aquilo a que chamou «os seus anos de lazer». Tinha um campo de golfe, uma galeria comercial e um centro recreativo, e oferecia a perspetiva de uma reforma ativa, com atividades recreativas e jantares no restaurante, na companhia de pessoas semelhantes. A visão de Webb tornou-se incrivelmente popular e na Europa, nas Américas e inclusive na Ásia, as comunidades de reformados tornaram-se uma presença normal.

Para quem não estava interessado em mudar-se para um lugar desse género – a Alice Hobson, por exemplo –, tornou-se aceitável e exequível permanecer na sua própria casa, a viver a seu bel-prazer, autonomamente. Esse facto continua a ser um motivo de regozijo. Este é indiscutivelmente o melhor período da História para se ser velho. As linhas de poder entre as gerações foram renegociadas e não como por vezes se julga: os idosos não perderam estatuto social e controlo, passaram simplesmente a partilhá-los. A modernização não despromoveu os idosos; despromoveu a família. Deu às pessoas – novas e velhas – um modo de vida com mais liberdade e controlo, incluindo a liberdade de ser menos grato às outras gerações. A veneração aos idosos pode ter desaparecido, mas não por ter sido substituída pela veneração aos jovens. Foi substituída pela veneração ao «eu» independente.

Resta um problema relativamente a este modo de vida. A nossa reverência pela independência não tem em conta a realidade da vida: mais cedo ou mais tarde, a independência torna-se impossível. Uma doença grave ou debilidade atinge-nos, inevitável como o pôr do sol. E eis que surge uma nova questão: se a independência é o nosso objetivo de vida, o que é que fazemos quando ela deixa de ser possível?

Em 1992, a Alice fez oitenta e quatro anos. Estava de excelente saúde. Tinha feito a transição para uma dentadura postiça e sido operada a cataratas nos dois olhos, mas mais nada. Não tinha passado por doenças graves nem hospitalizações. Continuava a ir ao ginásio com a amiga Polly e a fazer as compras sozinha e a cuidar da casa. O Jim e a Nan ofereceram-lhe a possibilidade de transformar a cave de casa deles num apartamento para ela. Talvez lhe facilitasse a vida, disseram. Ela nem quis pôr a hipótese. Não fazia tenções de viver de outra maneira que não sozinha.

Mas as coisas começaram a mudar. Numas férias na montanha, com a família, a Alice não apareceu para almoçar. Encontraram-na sentada no chalé errado, a perguntar-se onde se teriam metido todos. Nunca a tínhamos visto assim, tão confusa. A família ficou de olho nela, nos dias seguintes, mas não aconteceu mais nada fora do normal e, por isso, todos nós pusemos o assunto de parte.

Até que um dia, a Nan, quando foi visitar a Alice a casa dela, reparou que tinha nódoas negras nas pernas de alto a baixo. Caíra?

Não, disse Alice, a princípio, mas depois acabou por admitir que tinha caído nas escadas de madeira da cave. Foi só uma escorregadela, teimou. Podia ter acontecido a qualquer pessoa. Para a próxima, teria mais cuidado.

Passado pouco tempo, porém, caiu novamente e a essa queda seguiram-se outras. Não partiu nenhum osso, mas a família começou a ficar preocupada, por isso o Jim fez o que todas as famílias fazem, hoje em dia: levou-a ao médico.

O médico fez uns exames. Descobriu que a Alice tinha osteoporose e recomendou cálcio. Alterou a medicação dela e receitou-lhe uns medicamentos novos. Mas a verdade é que ele não sabia o que fazer. Não lhe tínhamos levado um problema solucionável. A Alice estava instável, com falhas de memória. Os problemas iam inevitavelmente agravar-se. Não seria possível preservar a independência dela por muito mais tempo. Mas ele não tinha respostas, nem um rumo, nem conselhos para dar. Nem sequer foi capaz de descrever o eventual quadro futuro.

CAPÍTULO 2

O mundo desmorona

A Medicina e a saúde pública alteraram o rumo das nossas vidas. Em toda a História, exceto em tempos mais recentes, a morte foi sempre uma possibilidade constante e comum. Não fazia diferença ter cinco anos ou cinquenta. Todos os dias eram um lançar de dados. Se desenhássemos a curva típica da saúde de uma pessoa, o resultado seria este:

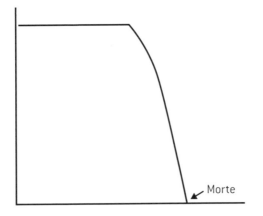

A vida e a morte avançavam lado a lado, descontraidamente e sem qualquer problema. Depois, a doença atacava e tirava-nos o tapete de debaixo dos pés, como se um alçapão se tivesse aberto no chão. Foi o que aconteceu à minha avó Gopikabai Gawande, que estava de perfeita saúde até ao dia em que foi assolada por uma crise fatal de malária, ainda nem tinha trinta anos, e ao Rich Hobson, que teve um ataque cardíaco numa viagem de negócios e morreu.

Ao longo dos anos, e graças aos progressos da Medicina, o fim tem vindo a chegar cada vez mais tarde. A introdução do saneamento e de outras medidas de saúde pública reduziu drasticamente as probabilidades de morte por doença infecciosa, especialmente em crianças de tenra idade, e os avanços médicos reduziram dramaticamente a taxa de mortalidade derivada do parto e de lesões traumáticas. Em meados do século XX, só quatro em cada cem pessoas em países industrializados morriam antes dos trinta. E, desde então, a Medicina arranjou maneiras de reduzir a taxa de mortalidade causada por ataques cardíacos, doenças respiratórias, AVC e várias outras situações que põem a vida em risco nos adultos. No fim, como é óbvio, todos nós morremos de qualquer coisa. Mas, até nisso, a Medicina conseguiu empurrar para muito mais tarde o momento fatal de uma série de doenças. Pessoas com cancros incuráveis, por exemplo, podem viver muitíssimo bem durante muito tempo após o diagnóstico. Fazem tratamento. Os sintomas são controlados. As pessoas retomam a vida normal. Não se sentem doentes. Mas a doença, embora tenha abrandado o ritmo, continua a evoluir, como uma brigada noturna que vai atacando as defesas exteriores. Por fim, acaba por se fazer sentir, aparecendo nos pulmões, ou no cérebro, ou na coluna, como aconteceu no caso de Joseph Lazaroff. A partir daí, o declínio é muitas vezes relativamente rápido, como sucedia no passado. A morte ocorre mais tarde, mas o trajeto continua a ser o mesmo. No espaço de meses ou semanas, o corpo deixa-se subjugar. É por isso que a morte, embora o diagnóstico possa existir há anos, ainda pode ser uma surpresa. A estrada que parecia tão direita e firme ainda pode desaparecer, colocando uma pessoa numa descida rápida e a pique.

O padrão do declínio mudou, porém, para muitas doenças crónicas, como enfisema, doença hepática e insuficiência cardíaca congestiva. Em vez de adiar o momento da queda a pique, os nossos tratamentos podem prolongar a descida até ela deixar de parecer um penhasco e se assemelhar a uma estrada acidentada que desce por uma montanha abaixo:

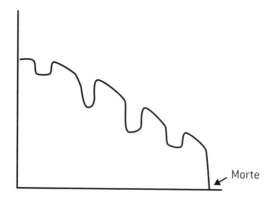

Morte

A estrada pode ter descidas vertiginosas, mas também longos troços em bom estado: podemos não conseguir repelir os estragos, mas podemos repelir a morte. Temos drogas, fluidos, cirurgia, unidades de Cuidados Intensivos para ajudar as pessoas a sobreviver. Entram no hospital com ar acabado e algumas das coisas que lhes fazemos podem deixá-las com um aspeto ainda pior. Mas, quando parece que estão nas últimas, recompõem-se. Tornamos o seu regresso a casa possível, mas mais fracas e mais incapacitadas. Nunca regressam ao ponto anterior. À medida que a doença progride e os órgãos se deterioram, uma pessoa perde a capacidade de aguentar inclusive problemas menores. Uma simples constipação pode ser fatal. O derradeiro rumo continua a ser em sentido descendente até que finalmente chega o dia em que já não há a mínima recuperação.

A trajetória que os avanços médicos tornaram possível para muitas pessoas não encaixa, no entanto, em nenhum destes dois padrões. Cada vez mais pessoas vivem uma vida longa e morrem de velhice. A velhice não é um diagnóstico. Há sempre uma causa aproximada final que é inscrita na certidão de óbito: insuficiência respiratória, paragem cardíaca. Mas, na realidade, não há uma doença que leva à morte; há apenas a desintegração crescente dos sistemas do corpo, enquanto a Medicina efetua as suas medidas de manutenção e os seus remendos. Baixamos a tensão arterial aqui, combatemos a osteoporose ali, controlamos esta doença, vigiamos aquela outra, substituímos uma articulação, válvula, êmbolos defeituosos, vemos a unidade de processamento central ceder gradualmente. A curva da vida torna-se um longo e lento murchar:

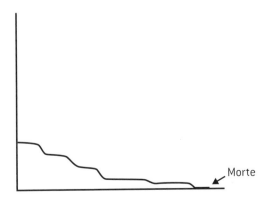

O progresso da Medicina e da saúde pública tem sido uma dádiva enorme: as pessoas têm uma vida mais longa, mais saudável e mais produtiva do que nunca. No entanto, ao percorrermos estes caminhos alterados, encaramos a vida nos troços descendentes com uma espécie de embaraço. Precisamos de ajuda, muitas vezes durante longos períodos de tempo, e consideramos isso como uma fraqueza em vez de o vermos como a nova realidade normal com que devemos contar. Estamos sempre a regurgitar histórias sobre não sei quem que, aos noventa e sete anos, ainda corre a maratona, como se casos desses não fossem milagres de sorte biológica e sim expectativas razoáveis para todos nós. Depois, quando o nosso corpo não consegue estar à altura dessa fantasia, temos a sensação de que devemos pedir desculpa por alguma coisa. Nós, profissionais de saúde, também não ajudamos, porque muitas vezes consideramos desinteressante o doente que está no troço descendente, a menos que tenha um problema qualquer discreto que possamos resolver. De certo modo, os avanços da Medicina moderna trouxeram-nos duas revoluções: sofremos uma transformação biológica ao nível do curso das nossas vidas e uma transformação cultural ao nível da maneira como pensamos esse curso.

A história do envelhecimento é a história das nossas partes constituintes. Tomemos os dentes como exemplo. A substância mais dura do corpo humano é o esmalte branco dos dentes. Com a idade, porém, desgasta-se, deixando que as camadas mais moles e escuras que estão por baixo se vejam. Ao mesmo tempo, o abastecimento de sangue às gengivas e às raízes dos dentes reduz-se e o fluxo de saliva diminui; as gengivas começam a ficar inflamadas e a retrair-se, expondo a base dos dentes, tornando-os instáveis e de aspeto mais comprido, em especial os do maxilar inferior. Os especialistas dizem que conseguem calcular a idade de uma pessoa com uma margem de erro de cinco anos a partir da observação de um só dente, se a pessoa ainda tiver dentes, claro.

Uma meticulosa higiene dentária pode ajudar a evitar a perda de dentes, mas a velhice interfere sempre. A artrite, os tremores e pequenos AVC, por exemplo, dificultam os gestos de escovar os dentes e passar o fio dental e, como os nervos se tornam menos sensíveis com a idade, as pessoas podem só perceber que têm uma cárie e problemas nas gengivas quando já é demasiado tarde. No decorrer de uma vida normal, os músculos do maxilar perdem cerca de 40 por cento da sua massa e os ossos da mandíbula perdem cerca de 20 por cento, tornando-se porosos e fracos. A capacidade de mastigação diminuiu e as pessoas começam a comer alimentos mais moles, que geralmente têm uma taxa mais elevada de hidratos de carbono fermentáveis e são mais suscetíveis de provocar cáries. Aos sessenta anos, os indivíduos de um país industrializado como os Estados Unidos já perderam, em média, um terço dos dentes. Depois dos oitenta e cinco, quase 40 por cento não tem um único dente seu.

Ao mesmo tempo que os nossos ossos e dentes se tornam mais moles, o resto do corpo torna-se mais duro. Vasos sanguíneos, articulações, os músculos e as válvulas do coração e até os pulmões ganham depósitos consideráveis de cálcio e ficam rígidos. Ao microscópio, os vasos e tecidos moles apresentam o mesmo tipo de cálcio que encontramos nos ossos. Quando abrimos um paciente idoso numa operação, a aorta e outras artérias principais parecem estaladiças ao toque. Estudos demonstraram que a perda de densidade óssea pode ser um indicador ainda melhor da morte por aterosclerose do que os níveis de colesterol. À medida que envelhecemos, é como se o cálcio se soltasse do esqueleto e se entranhasse nos tecidos.

Para manter o mesmo volume de sangue a correr nas veias mais estreitas e rígidas, o coração tem de gerar uma pressão maior. Consequentemente, mais de metade das pessoas chega aos sessenta e cinco anos com problemas de hipertensão. O coração fica com as paredes mais grossas por ter de bombear contra a pressão e menos capaz de responder a um esforço tão grande. O rendimento do coração começa, por conseguinte, a diminuir a um ritmo gradual a partir dos trinta anos. As pessoas deixam aos poucos de conseguir correr tanto ou tão depressa como antes, ou de conseguir subir um lanço de escadas sem ficarem ofegantes.

Enquanto o músculo do coração se torna mais grosso, os músculos do resto do corpo tornam-se mais finos. Por volta dos quarenta anos, começamos a perder massa muscular e força. Aos oitenta, perdemos entre um quarto e metade do nosso peso muscular.

Podemos ver todos estes processos em ação nas mãos, por exemplo: 40 por cento da massa muscular da mão está nos músculos tenares, os músculos do polegar, e se olharmos com atenção para a palma da mão de uma pessoa idosa, reparamos que na base do polegar a musculatura não é saliente mas sim achatada. Numa radiografia básica, vemos manchas de calcificação nas artérias e translucidez dos ossos, que, a partir dos cinquenta anos, perdem densidade a uma taxa de quase um por cento ao ano. A mão tem vinte e nove articulações, todas elas propensas a serem destruídas pela osteoartrite, que dá à superfície das articulações um aspeto irregular e gasto. O espaço entre as articulações diminui. Vemos osso contra osso. Uma pessoa sente inchaço à volta das articulações, redução dos movimentos do pulso, perda de força na mão e dores. A mão também tem quarenta e oito ramificações nervosas identificadas. A deterioração dos recetores mecânicos cutâneos das pontas dos dedos causa perda de sensibilidade ao toque. Perda de neurónios motores gera perda de destreza. A caligrafia degrada-se. A velocidade da mão e a noção de vibração diminuem. Utilizar um telemóvel banal, com os seus botões minúsculos e ecrã táctil, torna-se cada vez mais impraticável.

Isto é normal. Embora possamos abrandar os processos – o regime alimentar e o exercício físico podem ajudar muito –, não os podemos travar. A nossa capacidade pulmonar diminui. Os intestinos abrandam. As glândulas deixam de funcionar. Até o cérebro encolhe: aos trinta anos, o cérebro é um órgão de quilo e meio que mal cabe dentro do crânio; aos setenta, a perda de matéria cinzenta deixa quase dois centímetros e meio de espaço livre. É por isso que pessoas idosas como o meu avô têm muito mais probabilidades de sofrer uma hemorragia cerebral se levarem uma pancada na cabeça, porque, de facto, o cérebro chocalha dentro do crânio. As partes que encolhem mais cedo são geralmente os lobos frontais, que gerem o discernimento e a capacidade de planeamento, e o hipocampo, onde se organiza a memória. Consequentemente, a memória e a capacidade de recolher e pesar múltiplas ideias – ou seja, de fazer várias coisas ao mesmo tempo – atingem o auge na meia-idade e depois diminuem gradualmente. A velocidade de processamento também começa a decrescer antes dos quarenta (e é por este motivo que normalmente os matemáticos e os físicos produzem os seus melhores trabalhos na juventude). Aos oitenta e cinco anos, a memória e o discernimento estão tão diminuídos que 40 por cento das pessoas apresenta as características típicas da demência.

Porque é que envelhecemos é alvo de intenso debate. A perspetiva clássica é que o envelhecimento se deve a um desgaste normal e aleatório. A perspetiva mais recente defende que o envelhecimento é mais metódico e geneticamente programado do que se pensava. Os adeptos desta teoria argumentam que animais da mesma espécie e com o mesmo tipo de exposição ao desgaste têm ciclos de vida vincadamente diferentes. O ganso do Canadá tem uma longevidade de 23,5 anos; o ganso-imperador, de apenas 6,3 anos. Talvez os animais sejam como as plantas, com vidas que são, em grande medida, internamente governadas. Algumas espécies de bambu, por exemplo, formam um grupo cerrado que cresce e prospera durante cem anos e, depois, floresce todo ao mesmo tempo e morre.

A ideia de que os seres vivos desligam em vez de se desgastarem tem sido muito defendida nos últimos anos. Investigadores que estudam a (agora famosa) minhoca *C. elegans* (duas vezes numa década, foram atribuídos prémios Nobel a cientistas que estudaram o pequenino nematode) conseguiram, alterando um único gene, criar minhocas que vivem mais do dobro do tempo e envelhecem mais devagar. Os cientistas conseguiram, desde então, introduzir alterações de um só gene capazes de aumentar o tempo de vida das moscas da fruta, dos ratos e da levedura.

Não obstante estas descobertas, o grosso das provas contraria a ideia de que a duração da nossa vida esteja programada no nosso código genético. Não nos esqueçamos de que ao longo dos nossos cem mil anos de existência – à exceção dos últimos duzentos anos –, o tempo médio de vida dos seres humanos foi de trinta anos ou menos. (Estudos indicam que os cidadãos do Império Romano tinham uma esperança de vida média de vinte e oito anos.) O normal era morrer antes da velhice. Aliás, ao longo da maior parte da História, a morte era um risco em qualquer idade e não estava minimamente relacionada com a velhice. Como escreveu Montaigne, observando a vida do final do século XVI: «Morrer de velhice é uma morte rara, singular e extraordinária, e tão menos natural do que outras: é o último tipo de morte e o mais extremo.» Por isso, hoje, com a nossa duração média de vida a ultrapassar os oitenta anos em grande parte do mundo, somos seres singulares a viver muito para lá do seu tempo designado. Quando estudamos o envelhecimento, o que estamos a tentar perceber é, não tanto um processo natural, mas um processo não natural. Afinal, a carga genética tem, surpreendentemente, muito pouca influência na longevidade. James Vaupel, do Instituto de Investigação Demográfica Max Planck, em Rostock, na Alemanha, afirma que apenas 3 por cento da nossa longevidade, comparada com a média, está relacionada com a longevidade dos nossos pais; em contrapartida, até 90 por cento da nossa altura é explicada pela altura dos nossos pais. Até gémeos geneticamente idênticos variam muito no que toca à duração de vida: tipicamente, a diferença é de mais de quinze anos.

Se os nossos genes explicam menos do que imaginávamos, a teoria clássica do desgaste pode explicar mais do que julgávamos. Leonid Gavrilov, investigador na Universidade de Chicago, argumenta que os seres humanos falham como qualquer outro sistema complexo: aleatoriamente e gradualmente. Tal como os engenheiros já reconheceram há muito, os aparelhos simples normalmente não envelhecem. Funcionam bem até que um componente crítico falha e o aparelho morre num instante. Um brinquedo de dar corda, por exemplo, funciona sem qualquer problema até que uma engrenagem enferruja ou uma mola se parte e, então, deixa completamente de funcionar. Mas sistemas complexos – uma central elétrica, por exemplo – têm de sobreviver e funcionar apesar de terem milhares de componentes cruciais potencialmente frágeis. Os engenheiros desenham, por conseguinte, estas máquinas com múltiplas camadas de redundância: com sistemas de *backup* e sistemas de *backup* para os sistemas de *backup*. Estes sistemas de apoio podem não ser tão eficientes como os componentes de primeira linha, mas permitem que a máquina continue a trabalhar, inclusive quando os estragos se vão acumulando. Gavrilov defende que, dentro dos parâmetros definidos pelos nossos genes, é exatamente assim que os seres humanos aparentemente funcionam. Temos um rim extra, um pulmão extra, uma gónada extra, dentes extra. O ADN das nossas células é frequentemente danificado em condições rotineiras, mas as nossas células têm uma série de sistemas de reparação de ADN. Se um gene-chave ficar com danos permanentes, geralmente há cópias extra e disponíveis do gene. E se a célula inteira morrer, pode ser substituída por outras.

Dito isto, à medida que se acumulam os defeitos num sistema complexo, chega uma hora em que basta só mais um defeito para que o todo fique debilitado, resultando numa condição conhecida como fragilidade. Acontece a centrais elétricas, automóveis e a grandes empresas. E acontece-nos também: um dia, basta só mais uma articulação danificada ou mais uma artéria calcificada para dar cabo de nós. Esgotam-se os *backups*. Desgastamo-nos até já não haver mais nada para desgastar.

Isto acontece de mil e uma maneiras. O cabelo torna-se grisalho, por exemplo, simplesmente porque se esgotam as células de pigmentação que dão ao cabelo a sua cor. O ciclo de vida natural das células de pigmentação do escalpe é de apenas uns anos. Dependemos de células estaminais, existentes sob a superfície, que migram para esses pontos e as substituem. Aos poucos, porém, o reservatório de células estaminais esgota-se. Consequentemente, aos cinquenta anos, metade do cabelo de uma pessoa, em média, ficou grisalho.

No interior das células da pele, os mecanismos que eliminam os desperdícios avariam aos poucos e os resíduos acabam por formar um coágulo de pigmento castanho-amarelado conhecido como lipofuscina. São as manchas da idade que vemos na pele. Quando a lipofuscina se acumula nas glândulas sudoríparas, estas deixam de funcionar, o que ajuda a explicar porque é que na velhice ficamos tão suscetíveis a insolações e ao cansaço causado pelo calor.

Perdemos a visão por motivos diferentes. O cristalino é feito de proteínas cristalinas que são incrivelmente duráveis, mas mudam quimicamente e perdem a elasticidade com o tempo: daí a maior parte das pessoas a partir dos quarenta anos começar a perder a vista ao perto. O processo também amarelece gradualmente o cristalino. Mesmo sem cataratas (o enevoamento esbranquiçado do cristalino que ocorre com a idade, a exposição excessiva aos raios ultravioletas, o colesterol elevado, a diabetes e o tabagismo), a quantidade de luz que chega à retina de um sexagenário saudável é um terço da de um jovem de vinte anos.

Falei com Felix Silverstone, que durante vinte e quatro anos foi o chefe da Geriatria do Parker Jewish Institute, em Nova Iorque, e que publicou mais de cem artigos sobre envelhecimento. Não existe, disse-me ele, «nenhum mecanismo celular único e comum ao processo de envelhecimento». Os nossos corpos acumulam lipofuscina e danos nos radicais livres de oxigénio e mutações de ADN aleatórias e inúmeros problemas microcelulares. O processo é gradual e inexorável.

Perguntei a Silverstone se os gerontologistas discerniram algum caminho em particular e reproduzível para o envelhecimento. «Não», disse ele. «Desmoronamos, simplesmente.»

Esta não é, no mínimo, uma perspetiva agradável. As pessoas preferem obviamente evitar o tema da sua decrepitude. Há dezenas de *best-sellers* sobre o envelhecimento, mas tendem a ter títulos do estilo *Mais novos no ano que vem*, *A fonte da idade*, *Sem idade*, ou – o meu preferido – *Os anos sensuais*. Mas fecharmos os olhos à realidade tem um preço. Adiamos constantemente a decisão de lidar com os ajustes que temos de fazer enquanto sociedade. E não vemos as oportunidades que existem ao nosso dispor para mudarmos para melhor a experiência individual do envelhecimento.

Os avanços da Medicina têm prolongado as nossas vidas e o resultado tem sido aquilo a que se chama a «retangularização» da sobrevivência. Ao longo da maior parte da História da humanidade, a população de uma sociedade formava uma espécie de pirâmide: as crianças representavam a maior porção – a base – e cada geração sucessivamente mais velha representava um grupo cada vez mais pequeno. Em 1950, as crianças com menos de cinco anos constituíam 11 por cento da população dos Estados Unidos, os adultos entre quarenta e cinco e quarenta e nove anos correspondiam a 6 por cento e os indivíduos com mais de oitenta representavam 1 por cento. Atualmente, temos tantos quinquagenários como crianças de cinco anos. Daqui a trinta anos, haverá tantas pessoas octogenárias como crianças com menos de cinco anos. O mesmo padrão está a emergir em todo o mundo industrializado.

São poucas as sociedades que enfrentam a questão da nova demografia. Continuamos a agarrar-nos à ideia da reforma aos sessenta e cinco anos, ideia essa que fazia sentido quando as pessoas que tinham mais de sessenta e cinco anos constituíam uma percentagem mínima da população, mas que se torna cada vez mais insustentável quando esse grupo se aproxima dos 20 por cento. Desde a Grande Depressão, nunca as pessoas pouparam tão pouco para a velhice. Mais de metade dos muito idosos vive atualmente sem um cônjuge e nunca tivemos tão poucas crianças na sociedade e, no entanto, praticamente nem pensamos na maneira como vamos viver os nossos derradeiros anos de vida sozinhos.

Igualmente preocupante, e muito menos reconhecido, é o facto de a Medicina ser lenta a enfrentar as mesmíssimas mudanças pelas quais foi responsável, ou a aplicar o conhecimento que temos sobre como melhorar as condições da velhice. Embora a população idosa esteja a crescer rapidamente, a verdade é que o número de geriatras profissionais em exercício decaiu nos Estados Unidos cerca de 25 por cento, entre 1996 e 2010. As inscrições em especialidades como Clínica Geral caíram a pique, enquanto especialidades como Cirurgia Plástica e Radiologia atingem números recordes de candidatos. Em parte, isto prende-se com dinheiro: os salários em Geriatria e Clínica Geral encontram-se entre os mais baixos em Medicina. E por outro lado, quer o admitamos quer não, muitos médicos não gostam de cuidar dos idosos.

«Os médicos comuns não gostam de Geriatria, porque não têm as capacidades necessárias para lidar com o "Caco Velho"», explicou-me Felix Silverstone, o geriatra. «O "Caco Velho" é surdo. O "Caco Velho" é cegueta. A memória do "Caco Velho" possivelmente está debilitada. Com o "Caco Velho", temos de falar devagar, porque ele pede para repetirmos o que estamos a dizer ou a perguntar. E o "Caco Velho" não tem só uma queixa principal: o "Caco Velho" tem quinze queixas principais. Como é que podemos lidar com todas elas?! É de mais. Além disso, ele queixa-se de uma série dessas maleitas há cinquenta anos ou mais. Não vamos conseguir curar nada que uma pessoa já tenha há cinquenta anos. Tem a tensão alta. Tem diabetes. Tem artrite. Não há charme nenhum em tratar nenhuma destas coisas.»

Há, todavia, uma maneira específica de o fazer, uma metodologia profissional. Podemos não conseguir resolver estes problemas, mas podemos geri-los. E até visitar o serviço de Geriatria do meu hospital e ver o trabalho que os médicos lá fazem, eu não compreendia verdadeiramente o grau de especialização que era necessário, nem até que ponto podia ser importante para todos nós.

O serviço de Geriatria – ou, como o meu hospital lhe chama, o Centro para a Saúde do Adulto Maduro (até num serviço dedicado a pessoas com oitenta anos ou mais, os pacientes olham de lado para palavras como «geriatria» ou simplesmente «idoso») – fica no piso mesmo por baixo do meu serviço. Durante anos, passei diante daquela porta quase todos os dias e nunca me interessei minimamente pelo que se passava do lado de lá. Um dia, porém, desci as escadas pela manhã e, com a autorização dos doentes, assisti a algumas consultas do Dr. Juergen Bludau, o chefe da Geriatria.

«O que é que a traz por cá, hoje?», perguntou o médico a Jean Gavrilles, a primeira doente do dia. A senhora tinha oitenta e cinco anos, cabelo branco curto e frisado, óculos ovais, uma camisola cor de alfazema e um sorriso doce e sempre pronto. Franzina mas de aspeto robusto, entrara a passo firme, com a carteira e o casaco debaixo do braço e a filha a reboque, sem precisar de outro apoio que não o dos seus sapatos ortopédicos cor de malva. Disse que o internista tinha recomendado que ela fosse a uma consulta do serviço.

«Por causa de algum problema em especial?», perguntou o médico.

A resposta, aparentemente, era sim e não. A primeira coisa que ela mencionou foi uma dor ao fundo das costas que já tinha há meses, que irradiava pela perna abaixo e às vezes lhe dificultava o gesto de se levantar da cama ou de uma cadeira. Também sofria de artrite e mostrou-nos os dedos, que estavam inchados nos nós e inclinados para os lados com aquilo a que chamamos uma deformidade «pescoço de cisne». Tinha sido operada aos dois joelhos, uma década antes. Tinha tensão alta, «do stresse», disse ela, antes de entregar a Bludau a lista de medicamentos que tomava. Tinha glaucoma e precisava de fazer exames aos olhos de quatro em quatro meses. Antes, nunca tinha «problemas de casa de banho», mas admitiu que, ultimamente, começara a usar um penso higiénico para a incontinência. Também tinha sido operada a um cancro do cólon e, já agora, tinha um nódulo no pulmão que o relatório da Radiologia dizia que podia ser uma metástase; recomendaram-lhe que fizesse uma biopsia.

Bludau pediu-lhe para lhe contar como era a vida dela e eu lembrei-me da vida que a Alice tinha quando a conheci, em casa dos meus sogros. Gavrilles disse que vivia sozinha, na companhia do seu *Yorkshire terrier*, numa casa na zona de West Roxbury, em Boston. O marido morrera de cancro do pulmão, há vinte e três anos. Ela não conduzia. Tinha um filho que vivia na zona e que lhe tratava das compras uma vez por semana e todos os dias lhe telefonava ou a visitava, «só para saber se ainda estou viva», brincou ela. Outro filho e duas filhas viviam mais longe, mas também ajudavam. Fora isso, ela conseguia cuidar de tudo bastante bem. Encarregava-se ela própria de cozinhar e limpar a casa. Tratava dos medicamentos e das faturas. «Tenho um sistema para gerir as coisas», explicou.

Tinha frequentado o ensino secundário e, durante a Segunda Guerra Mundial, trabalhara como rebitadora no Estaleiro da Marinha de Charlestown. Também trabalhara durante uns tempos nos armazéns Jordan Marsh, na baixa de Boston. Mas isso fora há muito tempo. Agora ficava em casa, ocupada com o quintal e o cão e a família, quando eles a visitavam.

O médico interrogou-a ao pormenor sobre o seu dia-a-dia. Ela disse que costumava acordar por volta das cinco ou seis da manhã; parecia já não precisar de dormir por aí além. Levantava-se mais ou menos a custo, conforme as dores nas costas, tomava banho e vestia-se. Descia ao andar de baixo e tomava os medicamentos, dava de comer ao cão e tomava o pequeno-almoço. Bludau perguntou-lhe o que é que tinha comido nesse dia ao pequeno-almoço. Cereais e uma banana, disse ela. Detestava bananas, mas tinha ouvido dizer que lhe faziam bem aos níveis de potássio, por isso tinha medo de deixar de as comer. A seguir ao pequeno-almoço, levava o cão a dar um passeiozinho no quintal. Depois, tratava das tarefas domésticas: lavar roupa, limpar a casa e coisas afins. Ao final da manhã, fazia uma pausa para ver *O Preço Certo*. Ao almoço, comia uma sanduíche e bebia sumo de laranja. Se estivesse bom tempo, sentava-se no quintal. Adorava cuidar do jardim, mas já não era capaz de o fazer. As tardes passavam devagar. Às vezes, entretinha-se com mais tarefas. Outras vezes, dormia a sesta ou fazia telefonemas. Por fim, tratava do jantar: uma salada com uma batata assada ou um ovo mexido. À noite, via um jogo dos Red Sox ou dos Patriots ou basquetebol universitário; adorava desporto. Geralmente deitava-se por volta da meia-noite.

Bludau pediu-lhe para se sentar na marquesa. Quando viu que era um esforço para ela subir para a marquesa e que vacilava no degrau, o médico segurou-lhe no braço. Mediu-lhe a tensão, que estava normal. Examinou-lhe os olhos e os ouvidos e mandou-a abrir a boca. Escutou-lhe o coração e os pulmões eficientemente, com o estetoscópio. Só começou a abrandar quando lhe olhou para as mãos. Tinha as unhas muito bem aparadas.

«Quem é que lhe corta as unhas?», perguntou ele.

«Eu», respondeu a senhora.

Tentei imaginar de que é que serviria aquela consulta. Ela estava bem para a sua idade, mas tinha de lidar com tudo e mais alguma coisa, desde artrite avançada e incontinência até ao que poderiam ser metástases de um cancro do cólon. Fiquei com a sensação de que, numa consulta de apenas quarenta minutos, Bludau precisava de fazer uma triagem, concentrando-se ou no problema potencialmente mais perigoso para a saúde (a eventual metástase) ou no problema que mais a incomodava (as dores nas costas). Mas ele não era claramente da mesma opinião. Praticamente não fez perguntas sobre nenhuma dessas questões. Em vez disso, passou grande parte do exame físico a ver-lhe os pés.

«Tem mesmo de ser?», perguntou ela, quando ele lhe pediu para tirar os sapatos e as meias.

«Sim», respondeu ele. Quando ela se foi embora, ele explicou: «Temos sempre de examinar os pés.» Descreveu um senhor de laço que parecia em forma e todo elegante, até que os seus pés revelaram a verdade: ele não se conseguia baixar para lhes tocar e não lavava os pés há semanas, indicando negligência e um verdadeiro perigo para a sua saúde.

Gavrilles teve dificuldade em descalçar-se e, depois de a observar uns instantes, Bludau inclinou-se para a ajudar. Quando lhe tirou as meias, pegou-lhe nos pés, um de cada vez. Inspecionou-os centímetro por centímetro: a planta dos pés, os dedos, os espaços entre os dedos. Depois, ajudou-a a calçar as meias e os sapatos e informou-a, a ela e à filha, das suas conclusões.

Ela estava impressionantemente bem, disse ele. Mentalmente lúcida, e forte fisicamente. O risco para ela era perder o que tinha. O perigo mais grave que enfrentava não era o nódulo no pulmão nem as dores nas costas: era cair. Todos os anos, cerca de 350 mil americanos caem e fazem uma fratura do fémur. Desses, 40 por cento acabam num lar e 20 por cento nunca mais conseguem andar. Os três principais fatores de risco de queda são: falta de equilíbrio, tomar mais de quatro medicamentos e fraqueza muscular. Pessoas idosas sem estes fatores de risco têm 12 por cento de probabilidades de cair num ano. As que apresentam os três fatores de risco têm quase 100 por cento de probabilidades. Jean Gavrilles tinha pelo menos dois dos fatores de risco. Faltava-lhe equilíbrio: embora não precisasse de um andarilho, Bludau reparara que ela tinha um andar de pés chatos e virados para fora. Os pés estavam inchados e as unhas por cortar. Tinha feridas entre os dedos e calos grossos e redondos na planta dos pés.

Estava a tomar cinco medicamentos, todos eles seguramente úteis, mas, juntos, causavam tonturas como efeito secundário. Além disso, um dos medicamentos para a tensão arterial era um diurético e ela dava a sensação de beber poucos líquidos, correndo assim o risco de desidratação, que agravaria as tonturas. Tinha a língua seca como cortiça quando ele lha examinara.

Não apresentava uma fraqueza muscular por aí além, o que era bom. Quando ela se levantara da cadeira, disse ele, reparou que não usara os braços para se içar. Levantara-se simplesmente, o que era um indício de que conservava a sua força muscular. Pelos pormenores do dia que descrevera, porém, aparentemente não ingeria suficientes calorias para manter essa força. Bludau perguntou-lhe se o peso dela tinha mudado recentemente. Ela admitiu que emagrecera quase quatro quilos nos últimos seis meses.

O papel de qualquer médico, explicou-me Bludau mais tarde, é manter a qualidade de vida do doente, pelo que ele entendia duas coisas: preservar o máximo de liberdade possível em relação aos danos causados pela doença e conservar funções suficientes para a pessoa participar ativamente no mundo. A maior parte dos médicos trata a doença e parte do princípio de que o resto se resolverá por si só e, se não resolver – se um paciente ficar debilitado e tiver de ir para um lar –, bom, isso não é propriamente um problema *médico*, pois não?

Para um geriatra, contudo, é efetivamente um problema médico. As pessoas não podem parar o envelhecimento do seu corpo e da sua mente, mas existem maneiras de o tornar mais fácil de gerir e de evitar pelo menos alguns dos efeitos piores. Por isso, Bludau aconselhou Gavrilles a consultar um podólogo de quatro em quatro semanas, para tratar dos pés. Não podia eliminar nenhum dos medicamentos, mas substituiu o diurético por um medicamento para a tensão arterial que não causava desidratação. Recomendou-lhe que fizesse um lanche durante o dia, que tirasse de casa todos os alimentos baixos em calorias e em colesterol e convidasse a família ou amigos para lhe fazer companhia em mais refeições. «Comer sozinha não é muito estimulante», disse ele. E mandou-a voltar para uma consulta daí a três meses, para ele ter a certeza de que a estratégia estava a resultar.

Quase um ano depois, fiz uma visita a Gavrilles e à filha. Tinha feito oitenta e seis anos. Alimentava-se melhor e engordara um quilito. Ainda vivia com conforto e independência em sua própria casa. E não caíra uma única vez.

A Alice começou a sofrer quedas muito antes de eu conhecer o Juergen Bludau ou a Jean Gavrilles e ter noção de tudo o que podíamos ter feito por ela. Nem eu, nem ninguém na família percebeu que as quedas eram um ruidoso sinal de alarme ou que umas quantas mudanças simples podiam ter preservado, pelo menos durante mais algum tempo, a independência dela e a vida que queria. Os médicos também nunca perceberam isto e o quadro não parou de se agravar.

A seguir, veio, não uma queda mas um acidente de automóvel. Ao tirar o *Chevy Impala* de marcha atrás de casa, ela entrou disparada na rua, subiu o passeio e atravessou um quintal, e só conseguiu parar quando o carro embateu nuns arbustos junto da casa do vizinho. A família especulou que ela devia ter carregado no acelerador em vez de no travão. A Alice insistiu que o acelerador é que tinha ficado preso. Considerava-se uma boa condutora e detestava a ideia de alguém poder pensar que o problema era estar demasiado velha.

O declínio do corpo invade-nos sorrateiramente como uma planta trepadeira. De dia para dia, as mudanças podem ser impercetíveis. Adaptamo-nos, até que acontece alguma coisa que nos faz perceber claramente que tudo mudou. As quedas não nos alertaram; o acidente de automóvel também não. O que acabou por nos abrir os olhos foi um embuste.

Pouco depois do acidente de automóvel, a Alice contratou dois homens para tratarem das árvores e do quintal. Eles combinaram um preço aceitável com ela, mas é óbvio que a viram como uma presa fácil. Quando acabaram o trabalho, anunciaram-lhe que lhes devia quase mil dólares. Ela recusou. Era muito cuidadosa e organizada no que tocava ao dinheiro, mas eles irritaram-se e fizeram-lhe ameaças e, encurralada, ela passou-lhes um cheque. Ficou abalada, mas como também sentiu uma enorme vergonha, não contou nada a ninguém, na esperança de conseguir deitar o incidente para trás das costas. Um dia depois, os homens voltaram ao fim da tarde e exigiram mais dinheiro. Ela discutiu com eles, mas acabou por lhes passar mais um cheque. No fim, o total foi de mais de sete mil dólares. Uma vez mais, ela tencionava não dizer nada, mas os vizinhos ouviram vozes alteradas na entrada de casa da Alice e chamaram a polícia.

Os homens já se tinham ido embora quando a polícia chegou. Um agente assentou o depoimento da Alice e prometeu investigar o caso. Nem assim ela quis contar à família o que acontecera, mas sabia que estava em apuros e, passados uns tempos, acabou por contar ao meu sogro, o Jim.

Ele falou com os vizinhos que denunciaram o crime. Eles disseram que estavam preocupados com a Alice. Já não lhes parecia seguro ela continuar a viver sozinha, depois daquele incidente e o do *Impala* nos arbustos. Também tinham percebido até que ponto se tornara difícil para ela tratar de coisas tão corriqueiras como pôr o lixo na rua.

A polícia apanhou os farsantes e prendeu-os por roubo. Os homens foram condenados e receberam uma pena de prisão, o que devia ter deixado a Alice contente, mas, em vez disso, todo o processo manteve aquele episódio, e a lembrança da sua vulnerabilidade crescente, bem vivo na sua memória, quando ela teria adorado pô-lo para trás das costas.

Pouco depois de os farsantes terem sido apanhados, o Jim sugeriu que ele e a Alice fossem visitar alguns lares para a terceira idade. Era só para ficarem com uma ideia, disse ele, mas ambos sabiam qual era a verdadeira intenção.

O declínio continua a ser o nosso destino; a morte chegará um dia. Mas até falhar o último sistema de *backup* que temos dentro de nós, os cuidados médicos podem efetivamente influenciar o nosso caminho: se ele será íngreme e precipitado, ou mais gradual, permitindo a conservação, durante mais tempo, das faculdades que nos são mais importantes na vida. A maior parte de nós, médicos, não pensa nisto. Temos jeito para abordar problemas específicos e individuais: cancro do cólon, tensão arterial alta, joelhos artríticos. Deem-nos uma doença e nós podemos fazer alguma coisa para a tratar. Mas deem--nos uma mulher idosa com tensão arterial alta, joelhos artríticos e várias outras maleitas – uma mulher idosa em risco de perder o estilo de vida que aprecia – e nós mal sabemos o que fazer e, muitas vezes, só pioramos as coisas.

Há vários anos, investigadores da Universidade do Minnesota identificaram 568 homens e mulheres com mais de setenta anos que viviam independentemente, mas corriam o risco elevado de ficarem incapacitados devido a problemas de saúde crónicos, doença recente ou alterações cognitivas. Com a autorização dessas pessoas, os investigadores mandaram metade delas, aleatoriamente, consultar uma equipa de médicos e enfermeiros geriatras: uma equipa dedicada à arte e ciência de gerir a velhice. As outras foram remetidas para o seu médico habitual, que foi informado do estatuto de risco elevado. No espaço de dezoito meses, 10 por cento dos pacientes de ambos os grupos tinham morrido. Mas os pacientes que tinham sido vistos por uma equipa de Geriatria apresentavam 25 por cento menos de probabilidades de ficarem incapacitados e metade das probabilidades de sofrerem de depressão. Tinham menos 40 por cento de probabilidades de precisarem de cuidados de saúde ao domicílio.

Estes resultados eram assombrosos. Se os cientistas conseguissem inventar um aparelho – chamemos-lhe um «desenfraquecedor» automático – que não nos prolongasse a vida, mas que eliminasse as probabilidades de irmos parar a uma casa de repouso ou de sofrer-mos de depressão, pedi-lo-íamos a plenos pulmões. Estar-nos-íamos a borrifar, se os médicos tivessem de nos abrir o peito para ligar o aparelhómetro ao coração. Faríamos campanhas como as da luta contra o cancro para que toda a gente com mais de setenta e cinco anos tivesse direito a um. O Congresso faria sessões extraordinárias para saber porque é que pessoas de quarenta anos não os podiam ter também. Alunos de Medicina rivalizariam entre si para se tornarem especialistas em desenfraquecimento e Wall Street faria especulação para aumentar os preços das ações da empresa.

Em vez disso, os resultados deveram-se simplesmente à Geriatria. As equipas geriátricas não fizeram biopsias aos pulmões, nem ope-rações à coluna, nem inseriram desenfraquecedores automáticos. O que fizeram foi simplificar as medicações. Certificaram-se de que a artrite estava controlada e as unhas dos pés aparadas e que as refeições eram adequadas. Procuraram sinais preocupantes de isolamento e mandaram uma assistente social verificar se a casa do paciente era segura.

Como é que recompensamos este tipo de trabalho? Chad Boult, o geriatra que foi o investigador responsável pelo estudo da Universi-dade do Minnesota, pode dizer-nos. Uns meses depois de ter publi-cado os resultados, demonstrando até que ponto a vida das pessoas melhorava com cuidados geriátricos especializados, a universidade fechou o departamento de Geriatria.

«A universidade disse que pura e simplesmente não podia supor-tar o prejuízo financeiro», explicou Boult em Baltimore, para onde se mudara para trabalhar na Johns Hopkins Bloomberg School of Public Health. Em média, no estudo de Boult, os serviços geriátri-cos custaram ao hospital mais 1350 dólares por pessoa do que as poupanças que acarretaram e o Medicare, um programa estatal de saúde para os idosos, não cobre essas despesas. Parece haver dois pesos e duas medidas. Ninguém tem de explicar que um *pacemaker* de 25 mil dólares ou um *stent* na artéria coronária poupam dinheiro às seguradoras. Têm apenas de fazer um certo bem – eventualmente – às pessoas. Enquanto isso, os vinte e tantos membros da equipa de Geriatria da Universidade do Minnesota, com provas dadas, tiveram de arranjar novos empregos. Inúmeros centros médicos em todo o país reduziram ou encerraram as suas unidades de Geriatria. Muitos dos colegas de Boult já não anunciam a sua formação em Geriatria, com medo de receberem demasiados pacientes idosos. «Economicamente, a situação tornou-se muito difícil», disse Boult.

Mas as deprimentes condições financeiras da Geriatria constituem apenas o sintoma de uma realidade mais profunda: as pessoas não insistiram numa mudança de prioridades. Todos gostamos de novas engenhocas médicas e exigimos que quem tem o poder garanta que elas são financiadas. Queremos médicos que prometam consertar problemas. Mas geriatras? Quem é que pede geriatras alto e bom som? O que os geriatras fazem – reforçar a nossa resiliência na velhice, a nossa capacidade de aguentar o que der e vier – é difícil e desinteressantemente limitado. Requer atenção ao corpo e às suas alterações. Requer vigilância no que toca à alimentação, medicação e condições de vida. E requer que todos nós contemplemos as coisas irremediáveis da nossa vida, o declínio que inevitavelmente enfrentaremos, para podermos introduzir as pequenas alterações necessárias para lhe dar uma nova forma. Numa época em que a fantasia reinante é a de podermos ser jovens para sempre, os geriatras exigem-nos incomodamente que aceitemos que isso não é possível.

Para Felix Silverstone, gerir o envelhecimento e as suas realidades angustiantes foi o trabalho de uma vida inteira. O Felix foi o líder nacional em Geriatria durante cinco décadas, mas, quando o conheci, ele próprio já ia nos oitenta e sete anos. Sentia a sua própria mente e o seu corpo a desgastarem-se, e muitas das maleitas que passara a sua carreira a estudar já não eram, para ele, uma realidade distante.

O Felix teve sorte. Não foi obrigado a deixar de trabalhar, mesmo depois de ter tido um ataque cardíaco, na casa dos sessenta, que lhe custou metade da função cardíaca; e também não parou quando quase teve uma paragem cardíaca aos setenta e nove anos.

«Uma noite, estava sentado em casa e, de repente, comecei com palpitações», contou-me ele. «Estava a ler, simplesmente, e passados uns minutos fiquei com falta de ar. Pouco depois, comecei a sentir um peso no peito. Medi as pulsações e estavam acima das duzentas.»

O Felix era o tipo de pessoa que, a meio de uma crise de dores no peito, parava para examinar as suas próprias pulsações.

«A minha mulher e eu discutimos se devíamos ou não chamar uma ambulância. Decidimos chamar.»

Quando o Felix chegou ao hospital, os médicos tiveram de lhe dar eletrochoques para que o coração voltasse a trabalhar. Tinha tido taquicardia ventricular e implantaram-lhe um desfibrilador automático no peito. Umas semanas depois, já ele se sentia bem novamente e o médico deixou-o retomar o trabalho a tempo inteiro. Continuou a exercer Medicina depois do ataque cardíaco, de várias intervenções a hérnias, uma operação à vesícula biliar, uma artrite que quase pôs fim à avidez com que tocava piano, fraturas de compressão da coluna envelhecida que lhe roubaram sete centímetros inteiros ao seu metro e setenta de altura, e surdez.

«Mudei para um estetoscópio eletrónico», disse ele. «São uma maçada, mas são muito bons.»

Por fim, aos oitenta e dois anos, teve de se reformar. O problema não foi a sua saúde; foi a saúde de Bella, a sua mulher. Eram casados há mais de sessenta anos. O Felix conheceu a Bella quando era interno e ela nutricionista no Kings County Hospital, em Brooklyn. Criaram dois filhos em Flatbush. Quando os rapazes saíram de casa, a Bella tirou o diploma do magistério e começou a trabalhar com crianças que tinham problemas de aprendizagem. Com setenta e tantos anos, porém, uma doença retiniana diminuiu-lhe a visão e teve de parar de trabalhar. Uma década depois, estava praticamente cega. O Felix achava que já não era seguro deixá-la sozinha em casa e, em 2001, abdicou da sua carreira. Mudaram-se para Orchard Cove, uma comunidade de reformados em Canton, Massachusetts, nos arredores de Boston, onde estavam mais perto dos filhos.

«Achei que não ia sobreviver à mudança», disse o Felix. Já tinha verificado nos doentes como eram difíceis as transições da idade. Quando examinou o seu último doente e encaixotou a casa, teve a sensação de que estava à beira de morrer. «Estava a desmontar a minha vida e, ao mesmo tempo, a casa», recordou. «Foi horrível.»

Estávamos sentados numa biblioteca junto do átrio principal de Orchard Cove. Por uma janela panorâmica jorrava luz que iluminava os quadros de bom gosto pendurados nas paredes e as poltronas brancas e estofadas de estilo neoclássico. Parecia um hotel agradável, só que toda a gente que passava tinha mais de setenta e cinco anos. O Felix e a Bella viviam num espaçoso apartamento T2 com vista para a floresta. Na sala, o Felix tinha um piano de cauda e, na secretária, pilhas de revistas médicas que ele ainda assinava, «para a minha alma», explicou. O alojamento deles era para pessoas autónomas. Tinha direito a serviço de limpeza, muda de lençóis e toalhas, e jantar todas as noites. Quando precisassem, podiam pedir um *upgrade* para alojamento com assistência, que lhes daria três refeições por dia e até uma hora diária com uma assistente de cuidados pessoais.

Aquela não era uma comunidade para reformados comum, mas até numa comunidade média, a renda nunca é menos de 32 mil dólares por ano. Acrescente-se a isso a joia, que costuma ser entre 60 mil e 120 mil dólares. Entretanto, os rendimentos médios de uma pessoa de oitenta anos e mais velha são de apenas 15 mil dólares por ano. Mais de metade dos idosos que vive em lares com cuidados continuados gasta todas as suas economias e acaba por ter de pedir apoio à Segurança Social para pagar essas despesas. O americano médio passa um ano ou mais da sua velhice incapacitado e a viver numa casa de repouso (o que sai cinco vezes mais caro ao ano do que viver sozinho, com autonomia), o que era um fim que o Felix queria desesperadamente evitar.

Ele estava a tentar detetar as mudanças que sentia com objetividade, como geriatra que era. Reparou que a sua pele estava mais seca. O seu sentido do olfato estava mais fraco. A visão noturna tornara-se deficiente e ele cansava-se facilmente. Começara a perder alguns dentes. Mas tomou as medidas que pôde: usava creme para a pele não gretar; protegia-se do calor; fazia bicicleta fixa três vezes por semana; ia ao dentista duas vezes por ano.

O que mais o preocupava eram as mudanças no cérebro. «Não consigo raciocinar com a mesma clareza de antes», queixou-se. «Costumava ler o *New York Times* em meia hora; agora, demoro uma hora e meia.» E, ainda por cima, ficava na dúvida se teria compreendido tudo como antes e andava com problemas de memória. «Se pegar outra vez no jornal e vir o que li, reconheço que passei os olhos pelos artigos, mas às vezes não me lembro do texto», disse. «É uma questão de registo a curto prazo. É difícil digerir a informação e retê-la.»

Recorria a métodos que antigamente ensinava aos seus doentes. «Tento concentrar-me deliberadamente no que estou a fazer, em vez de fazer as coisas automaticamente», disse-me ele. «Não perdi o automatismo das ações, mas não posso depender dele como antes. Por exemplo, não posso pensar noutra coisa enquanto me visto, senão não tenho a certeza se me vesti dos pés à cabeça.» Reconhecia que a estratégia de tentar concentrar-se nos gestos nem sempre funcionava e, por vezes, contava-me a mesma história duas vezes na mesma conversa. As linhas de raciocínio da sua mente caíam em sulcos já muito trilhados e, por mais que ele tentasse encaminhá-las para novos rumos, às vezes elas resistiam. Os conhecimentos do Felix enquanto geriatra obrigavam-no a reconhecer o seu declínio, mas não o ajudavam a aceitá-lo.

«De vez em quando, vou-me abaixo», confessou. «Acho que tenho episódios recorrentes de depressão. Não são suficientes para me incapacitarem, mas são...» Fez uma pausa, em busca da palavra certa. «São incómodos.»

O que lhe dava alento, apesar das suas limitações, era ter um objetivo. Era o mesmo objetivo, disse, que o sustentava na Medicina: tentar ajudar, de alguma maneira, as pessoas que o rodeavam. Poucos meses depois de se mudar para Orchard Cove, começou a apoiar uma comissão para ajudar a melhorar os cuidados de saúde da comunidade. Criou um clube de leitura de revistas médicas para médicos reformados. Orientou inclusivamente uma jovem geriatra no seu primeiro estudo independente: um estudo sobre a opinião dos residentes sobre o direito de pedirem por escrito aos médicos para não fazerem reanimação.

Mais importante ainda era a responsabilidade que ele sentia pelos filhos e netos e, acima de tudo, pela Bella. A cegueira e os problemas de memória dela tinham-na tornado extremamente dependente. Sem o Felix, ela estaria numa casa de saúde. Ele ajudava-a a vestir-se e dava-lhe os medicamentos. Fazia-lhe o pequeno-almoço e o almoço. Levava-a a passear e às consultas médicas. «Ela é o meu objetivo, agora», disse ele.

A Bella nem sempre gostava da maneira como ele fazia as coisas.

«Discutimos constantemente... irritamo-nos um com o outro por causa de muitas coisas», disse o Felix. «Mas também sabemos perdoar.»

Ele não sentia que aquela responsabilidade fosse um fardo. Perante o estreitamento da sua própria vida, a sua capacidade de cuidar da Bella tornara-se a sua principal fonte de autoestima.

«Sou exclusivamente a pessoa que cuida dela», disse ele. «E fico contente por o ser.» E esse papel agudizara-lhe a noção de que devia estar atento a quaisquer alterações nas suas próprias capacidades; não poderia ajudar a Bella, se não fosse honesto consigo mesmo sobre as suas próprias limitações.

Uma noite, o Felix convidou-me para jantar. A sala de jantar formal parecia um restaurante, com lugares marcados, serviço de mesa e casaco obrigatório para os cavalheiros. Eu levava a minha bata hospitalar branca e tive de pedir um *blazer* azul-marinho emprestado ao *maître d'hôtel* para nos podermos sentar. O Felix, de fato castanho e camisa cor de pedra com o colarinho engomado, deu o braço à Bella – que envergava um vestido florido azul, pelo joelho, que ele lhe escolhera – e conduziu-a para a mesa. Ela mostrou-se bem-disposta e faladora, e tinha uma expressão jovem no olhar. Mas, assim que se sentou, nem o prato conseguia encontrar à sua frente, quanto mais a ementa. O Felix pediu por ela: sopa de arroz selvagem, uma omeleta, puré de batata e puré de couve-flor. «Sem sal», indicou ele ao empregado, porque ela tinha a tensão alta. O Felix pediu salmão e puré de batata. Eu escolhi sopa e carne de vaca grelhada.

Quando a comida veio para a mesa, o Felix disse à Bella onde estavam os diferentes alimentos no prato, segundo os ponteiros do relógio. Pôs-lhe um garfo na mão e, depois, concentrou-se na sua própria refeição.

Faziam ambos questão de mastigar devagar. Ela foi a primeira a engasgar-se, por culpa da omeleta. Ficou com os olhos a lacrimejar. Começou a tossir. O Felix levou-lhe o copo de água à boca. Ela bebeu um gole e conseguiu engolir o pedaço de omeleta.

«À medida que envelhecemos, a lordose da nossa coluna inclina-nos a cabeça para a frente», disse-me ele. «Por isso, quando olhamos em frente, é como se estivéssemos a olhar para o teto, visto de fora. Tente engolir enquanto olha para cima: de vez em quando, vai-se engasgar. É um problema comum nos idosos. Ouça.» Percebi que quase de minuto para minuto se ouvia alguém na sala a engasgar-se com a comida. O Felix virou-se para a Bella. «Tens de comer a olhar para baixo, querida», disse.

Umas garfadas depois, estava ele próprio a engasgar-se, culpa do salmão. Começou a tossir. Ficou vermelho. Por fim, lá conseguiu cuspir o pedaço. Precisou de um minuto para recuperar o fôlego.

«Não segui o meu próprio conselho», constatou.

O Felix Silverstone estava, sem sombra de dúvidas, a braços com as debilidades da velhice. Noutros tempos, teria sido um feito extraordinário viver simplesmente até aos oitenta e sete anos. Hoje, o feito extraordinário era o controlo que ele ainda conseguia manter sobre a sua vida. Quando começou a carreira na Geriatria, era quase inconcebível que uma pessoa de oitenta e sete anos, com o historial de problemas de saúde que ele tinha, pudesse viver com autonomia, cuidar da sua mulher incapacitada e continuar a contribuir para a investigação.

Em parte, ele tinha tido sorte. A memória, por exemplo, não se lhe deteriorara muito. Mas também gerira bem a sua velhice. O seu objetivo tinha sido modesto: ter uma vida tão razoável quanto lho permitissem os conhecimentos da Medicina e os limites do seu corpo. Por isso, fez economias e não se reformou cedo e, por conseguinte, tinha uma situação financeira folgada. Manteve os seus contactos sociais e evitou o isolamento. Vigiava o estado dos seus ossos, dentes e peso. E fez questão de arranjar um médico com experiência geriátrica para o ajudar a manter uma vida autónoma.

Perguntei ao Chad Boult, o professor de Geriatria, o que é que se podia fazer para garantir a existência de um número suficiente de geriatras para cuidar da crescente população idosa. «Nada», disse ele. «É demasiado tarde. Formar especialistas geriatras leva o seu tempo e já faltam demasiados médicos nessa área. Daqui a um ano, menos de trezentos médicos terminarão a sua formação em Geriatria nos Estados Unidos, o que não chega sequer para substituir os geriatras que se vão reformar, quanto mais para ir ao encontro das necessidades da próxima década. São precisos também psiquiatras, enfermeiros e assistentes sociais com formação em Geriatria, e a escassez é a mesma. A situação noutros países parece ser idêntica à que se verifica nos Estados Unidos. Em muitos casos, é pior.

Boult acredita, no entanto, que ainda vamos a tempo de recorrer a outra estratégia: ele poria os geriatras a dar formação a todos os clínicos gerais e enfermeiros sobre como cuidarem dos idosos, em vez de assumirem eles esse papel. Até isso é uma tarefa hercúlea: 97 por cento dos alunos de Medicina não fazem qualquer cadeira de Geriatria e esta estratégia exige que a nação pague a especialistas em Geriatria para lecionarem em vez de darem consulta. Mas, se houver vontade nesse sentido, Boult acredita que, no espaço de uma década, será possível criar cursos em todas as faculdades de Medicina e escolas superiores de Enfermagem e Assistência Social, e em todos os programas de especialização em Medicina Interna.

«Temos de fazer qualquer coisa», disse ele. «A vida dos idosos pode ser melhor do que é hoje.»

«Ainda consigo conduzir, sabe», anunciou-me o Felix Silverstone, depois do nosso jantar. «Sou um ótimo condutor.»

Ele tinha de ir a Stoughton, a uns quilómetros de distância, para aviar umas receitas da Bella, e eu perguntei se podia acompanhá-lo. Ele tinha um *Toyota Camry* dourado, de há dez anos, com caixa automática e 60 mil quilómetros. Estava imaculado, por dentro e por fora. Fez marcha atrás para tirar o carro do lugar estreito onde estava estacionado e saiu velozmente da garagem. Não tremia das mãos. Percorrendo as ruas de Canton ao crepúsculo, numa noite de lua nova, ele travou o carro calmamente em todos os sinais vermelhos, fez pisca quando devia e virou sempre sem qualquer sobressalto.

Confesso que me tinha preparado para um desastre. O risco de um acidente fatal de automóvel com um condutor de oitenta e cinco anos, ou de idade superior, é três vezes mais elevado do que com um condutor adolescente. Os idosos são os condutores que apresentam maior perigo nas estradas. Lembrei-me do acidente da Alice e pensei na sorte que ela teve por não estar nenhuma criança no jardim dos vizinhos. Uns meses antes, em Los Angeles, George Weller fora condenado por homicídio involuntário, depois de ter confundido o pedal do acelerador com o do travão e ter enfiado o *Buick* numa multidão no mercado de Santa Monica. Morreram dez pessoas e mais de sessenta ficaram feridas. Ele tinha oitenta e seis anos.

Mas o Felix não mostrava ter dificuldades. A dada altura, no nosso trajeto, umas obras mal assinaladas num cruzamento canalizaram a nossa faixa de automóveis quase em cheio para cima do trânsito que vinha em sentido contrário. O Felix corrigiu o curso rapidamente, metendo para a faixa adequada. Não era possível adivinhar quanto mais tempo ele ia poder contar com os seus dotes de condução. Um dia, ia chegar a hora em que teria de entregar as suas chaves do carro.

Naquele momento, porém, não estava preocupado; estava simplesmente contente por se encontrar ao volante. O trânsito da noite era fluido, quando entrámos na Route 138. O Felix acelerou um nadinha acima do limite de setenta quilómetros por hora. Tinha o vidro aberto e o cotovelo apoiado na janela. O ar estava límpido e fresco, e ouvia-se claramente o som dos pneus no asfalto.

«Está uma noite ótima, não está?», disse ele.

CAPÍTULO 3

Dependência

Não é da morte que as pessoas de muita idade me dizem que têm medo. É do que precede a morte: perder a audição, a memória, os melhores amigos, o modo de vida. Como me disse o Felix: «A velhice é uma série contínua de perdas.» Philip Roth exprimiu-o de maneira mais amarga no seu romance *Todo-o-Mundo*: «A velhice não é uma batalha. A velhice é um massacre.»

Com sorte e com zelo – comer bem, fazer exercício, manter a tensão arterial sob controlo, pedir ajuda médica quando é necessário –, as pessoas conseguem com frequência viver e gerir a sua vida durante muito tempo. Mas, por fim, as perdas acabam por se acumular a tal ponto que as exigências diárias da vida se tornam demasiado grandes para conseguirmos, física ou mentalmente, dar conta do recado sozinhos. Uma vez que cada vez menos pessoas morrem de repente, sem mais nem menos, muitos de nós passaremos períodos significativos da vida demasiado debilitados para podermos viver com autonomia.

Não gostamos de pensar nesta eventualidade. Consequentemente, a maior parte de nós não está preparada para ela. Raramente nos debruçamos sobre a questão de como iremos viver quando precisarmos de ajuda, a não ser quando já é demasiado tarde para fazermos seja o que for.

Quando o Felix chegou a esta encruzilhada, quem estava nesta situação não era ele; era a Bella. De ano para ano, cada vez tinha mais dificuldades. O Felix teve uma excelente saúde até aos noventa e tal anos. Não teve crises e manteve a rotina semanal de exercício físico. Continuou a lecionar Geriatria e a participar na comissão de saúde de Orchard Cove. Nem sequer teve de deixar de conduzir. Mas a Bella estava a apagar-se. Perdeu a visão por completo e ficou muito surda. A memória tornou-se claramente deficiente. Quando jantávamos juntos, tinha de lhe lembrar mais de uma vez que eu estava sentado à frente dela.

A Bella e o Felix sentiam a mágoa das suas perdas, mas também o prazer que ainda lhes restava. Embora porventura ela não se conseguisse lembrar de mim e de outras pessoas que não conhecia bem, a Bella gostava de companhia e de conversar e procurava oportunidades nesse sentido. Além disso, ela e o Felix ainda mantinham o seu diálogo próprio, privado, que durava há décadas e nunca estancara. Ele sentia-se extremamente útil a cuidar dela e ela, de igual modo, sentia-se importante por existir na vida dele. A presença física um do outro reconfortava-os mutuamente. Ele vestia-a, dava-lhe banho, ajudava-a a comer. Caminhavam de mãos dadas. À noite, deitavam-se nos braços um do outro e aninhavam-se, a trocar mimos, até finalmente adormecerem. Esses momentos, disse o Felix, continuavam a ser aqueles que mais acarinhavam. Ele sentia que se conheciam um ao outro e se amavam mais do que nunca, nos seus quase setenta anos de vida em comum.

Um dia, porém, passaram por uma experiência que lhes mostrou o quão frágil a sua vida se tornara. A Bella apanhou uma constipação que fez com que se lhe acumulasse líquido nos ouvidos. Um dos tímpanos perfurou e ela ficou completamente surda. Não foi preciso mais nada para cortar o fio que os unia. A perda de audição, acrescentada à cegueira e aos problemas de memória, impossibilitou o Felix de comunicar com a Bella. Tentou desenhar letras na palma da mão dela, mas ela não conseguia decifrá-las. Até as coisas mais simples – vestir-se, por exemplo – se tornaram um pesadelo e uma confusão para ela. Privada de alguns sentidos, perdeu a noção do tempo, de que hora do dia era. Ficou extremamente confusa, com momentos de delírio e agitação nervosa. O Felix já não conseguia cuidar dela. Andava exausto do stresse e da falta de sono.

Ele não sabia o que fazer, mas havia um sistema a postos para estas situações. As pessoas da residência sugeriram que a Bella fosse transferida para uma unidade com cuidados de enfermagem, num piso próprio. O Felix nem quis ouvir falar nisso. Não, disse. Ela tinha de ficar em casa, com ele.

Antes de a questão se impor, eles tiveram uma espécie de suspensão temporária da pena. Duas semanas e meia depois do início da provação, o tímpano direito da Bella sarou e, embora tivesse perdido definitivamente a audição no ouvido esquerda, a do direito voltou.

«A comunicação entre nós é mais difícil», explicou o Felix. «Mas, pelo menos, é possível.»

Perguntei-lhe o que tencionava fazer, se ela voltasse a ficar surda do ouvido direito ou se houvesse outra catástrofe daquele género, e ele disse-me que não sabia. «Tenho pavor do que pode acontecer, se eu não conseguir cuidar dela», confessou. «Tento não pensar demasiado a longo prazo. Não penso no ano que vem. É demasiado deprimente. Limito-me a pensar na semana que vem.»

É o caminho que tanta gente no mundo inteiro segue e é compreensível, mas tende a sair pela culatra. Por fim, a crise de que eles tinham pavor acabou por chegar: estavam a passear quando, de repente, a Bella caiu. O Felix não tinha a certeza do que acontecera. Caminhavam devagar. O terreno era plano. Ele ia de braço dado com ela. Mas ela desmoronou e partiu a fíbula nas duas pernas, o osso longo e fino que vai do joelho ao tornozelo, no lado exterior da perna. Os médicos das Urgências tiveram de engessá-la até acima do joelho. O que o Felix mais temia acontecera. As necessidades dela tornaram-se muito superiores à capacidade dele para lidar com a situação. A Bella foi obrigada a mudar-se para uma unidade com cuidados de enfermagem, onde teria auxiliares e enfermeiras disponíveis noite e dia para tratar dela.

Seria de pensar que tivesse sido um alívio quer para a Bella, quer para o Felix, tirando-lhes uma grande parte do peso dos cuidados físicos, mas o caso era bem mais complicado do que isso. Por um lado, os funcionários do lar eram cem por cento profissionais e encarregaram-se da maior parte das tarefas que o Felix fazia há muito, diligentemente – o banho, a higiene, o vestir e todas as outras necessidades quotidianas de uma pessoa que se tornou profundamente incapacitada –, permitindo-lhe desfrutar do tempo como quisesse, na companhia da Bella ou sozinho. Mas, apesar de todos os esforços dos funcionários, o Felix e a Bella às vezes achavam a presença deles exasperante. Alguns cuidavam da Bella mais como paciente do que como pessoa. Ela gostava de pentear o cabelo de uma certa maneira, por exemplo, mas ninguém lhe perguntou como, nem descobriu. O Felix tinha percebido qual era a melhor maneira de lhe cortar a comida para ela conseguir engolir sem dificuldade, como sentá-la de modo a ficar mais confortável, como vesti-la ao gosto dela.

Mas, por mais que ele tentasse ensinar os funcionários, muitos deles não percebiam a relevância disso. Por vezes, exasperado, ele desistia simplesmente e voltava a fazer tudo o que eles tinham feito, causando conflitos e ressentimento.

«Estávamos a tropeçar uns nos outros», disse o Felix.

Também tinha receio de que o ambiente desconhecido estivesse a deixar a Bella confusa. Passados uns dias, decidiu levar a Bella de volta para casa. Teria só de descobrir como lidar com ela.

O apartamento deles ficava a apenas um piso de distância, mas, de alguma maneira, isso mudava tudo. Era difícil perceber ao certo porquê. O Felix acabou, ainda assim, por contratar enfermeiras e auxiliares noite e dia. E as seis semanas que faltavam para tirarem os gessos foram fisicamente esgotantes para ele. No entanto, estava aliviado. Ele e a Bella sentiam que, assim, tinham mais controlo sobre a vida dela. Ela estava na sua própria casa, na sua própria cama, com ele ao seu lado. E isso foi tremendamente importante para ele. Porque, quatro dias depois de tirar os gessos, quatro dias depois de ter começado novamente a andar, ela morreu.

Tinham-se sentado para almoçar. Ela virou-se para ele e disse: «Não me sinto bem.» E desabou. Uma ambulância levou-a a toda a velocidade para o hospital mais próximo. Ele não queria estorvar os paramédicos, por isso deixou-os ir e seguiu-os de carro. Ela morreu instantes antes de ele chegar ao hospital.

Quando o vi, três meses depois, ainda estava abatido. «É como se me faltasse uma parte do meu corpo. É como se me tivessem desmembrado», disse ele, com os olhos vermelhos e a voz a falhar-lhe. Tinha um grande consolo, porém: ela não sofrera, pudera passar as últimas semanas de vida em paz, em casa, no carinho do seu amor tão grande, em vez de numa unidade de enfermagem, como paciente, perdida e desorientada.

A Alice Hobson tinha o mesmo pavor de abandonar a sua casa. Era o único lugar onde se sentia verdadeiramente bem e com controlo sobre a sua vida. Mas, depois do incidente com os homens que lhe extorquiram dinheiro, tornou-se evidente que já não era seguro viver sozinha. O meu sogro organizou umas quantas visitas a residências para a terceira idade. «Ela não se interessou pelo processo», disse o Jim, «mas resignou-se à ideia.» Ele estava decidido a encontrar um lar de que ela gostasse e onde se sentisse feliz, mas isso não aconteceu. Enquanto eu assistia ao rescaldo, comecei aos poucos a perceber o porquê: porque havia, efetivamente, motivos que nos fazem pôr em causa todo o nosso sistema de cuidados para as pessoas dependentes e debilitadas.

O Jim procurou um lar que ficasse a uma distância aceitável de carro, para a família poder visitar a Alice, e que tivesse um preço que ela pudesse comportar com as receitas da venda da sua casa. Queria igualmente uma comunidade que oferecesse uma «continuidade» de serviços – à semelhança de Orchard Cove, onde fui visitar o Felix e a Bella –, com apartamentos para pessoas autónomas e um piso com cuidados de enfermagem disponíveis noite e dia, para o caso de, um dia, ela vir a precisar. Organizou uma série de visitas a vários lares, uns mais perto, outros mais longe, com fins lucrativos e sem fins lucrativos.

O lar que a Alice acabou por escolher era um prédio de apartamentos para a terceira idade, a que chamarei Longwood House, uma instituição sem fins lucrativos ligada à Igreja Episcopal. Alguns dos amigos dela da igreja viviam lá e a casa do Jim ficava a uns meros dez minutos de distância. A comunidade era ativa e animada. Para a Alice e para a família, era de longe a mais apelativa.

«A maior parte das outras era demasiado comercial», comentou o Jim.

Ela mudou-se para lá no outono de 1992. O apartamento T1 era mais espaçoso do que eu esperava. Tinha uma cozinha equipada, espaço suficiente para uma mesa e cadeiras, e muita luz. A minha sogra, a Nan, mandou pintar a casa e chamou um decorador que a Alice já tinha usado antes, para ajudar a dispor os móveis e a pendurar os quadros.

«É importante uma pessoa mudar-se para uma casa e ver as coisas nos seus lugares: o seu próprio faqueiro na gaveta da cozinha, por exemplo», disse a Nan.

Mas, quando vi a Alice, umas semanas depois da mudança, ela parecia tudo menos feliz ou adaptada à sua nova vida. Como não era de se queixar, não fez nenhum comentário irritado, nem triste, nem amargo, mas achei-a muito introvertida, coisa que nunca tinha visto nela, antes. Continuava a ser a Alice que eu conhecia, mas os seus olhos tinham perdido o brilho.

A princípio, pensei que isso estivesse relacionado com a falta do carro e da liberdade que conduzir lhe dava. Quando ela se mudou para Longwood House, levou o seu *Chevy Impala* e tencionava continuar a conduzir. Mas, logo no primeiro dia, quando decidiu sair para ir tratar de umas coisas, achou que o carro tinha desaparecido. Chamou a polícia e deu parte do furto do veículo. Um polícia foi ao lar, tomou nota das declarações dela e prometeu investigar o caso. Pouco depois chegou o Jim e, com base num palpite, foi dar uma vista de olhos ao parque de estacionamento da loja Giant Food, que ficava ali ao lado. E ali estava o carro. Ela baralhara-se e estacionara no parque errado sem se aperceber. Morta de vergonha, desistiu de conduzir definitivamente. Num dia, ficou sem carro e sem casa.

Mas parecia haver mais qualquer coisa por detrás do seu sentimento de perda e infelicidade. Tinha uma cozinha, mas deixou de cozinhar. Tomava as refeições na sala de jantar de Longwood House, com os outros residentes, mas comia pouco, emagreceu e parecia não apreciar a companhia. Evitava atividades de grupo organizadas, inclusive aquelas que poderia ter apreciado: um grupo de costura como um a que pertencera na igreja, um clube de leitura, aulas de ginástica, visitas ao Kennedy Center. A comunidade oferecia oportunidades para as pessoas organizarem as suas próprias atividades, se não gostassem das que havia ao dispor, mas ela isolou-se. Pensámos que estava com uma depressão. O Jim e a Nan levaram-na ao médico, que lhe receitou uns medicamentos. Não serviu de nada. Algures no trajeto de onze quilómetros entre a casa de que abdicara em Greencastle Street e Longwood House, a vida dela mudara fundamentalmente da forma que ela não queria, mas contra a qual nada podia fazer.

A ideia de uma pessoa ser infeliz num lugar tão confortável como Longwood House teria parecido ridícula, em tempos. Em 1913, Mabel Nassau, uma aluna da Universidade de Colúmbia, fez um estudo de bairro sobre as condições de vida de uma centena de idosos em Greenwich Village: sessenta e cinco mulheres e trinta e cinco homens. Nessa época anterior às pensões de reforma e à segurança social, todos eram pobres. Só vinte e sete tinham meios para se sustentar, vivendo de poupanças, alugando quartos a hóspedes ou fazendo trabalhos pontuais como vender jornais, limpar casas, remendar chapéus-de-chuva. A maior parte estava demasiado doente ou debilitada para poder trabalhar.

Uma mulher, por exemplo, a quem Nassau chamou Sr.ª C., era uma viúva de sessenta e dois anos que ganhara apenas o suficiente como empregada doméstica para poder alugar um pequeno quarto nos fundos de uma casa de hóspedes, com um fogão a óleo. Havia pouco tempo, porém, a doença pusera fim à sua capacidade de trabalhar e ela sofria de inchaço grave nas pernas, por causa de varizes que a deixavam acamada. Miss S. era uma pessoa «invulgarmente doente» e tinha um irmão de setenta e dois anos com diabetes que, naquela época anterior aos tratamentos com insulina, estava a ficar rapidamente estropiado e muito magro, à medida que a doença o matava aos poucos. O Sr. M. era um irlandês de sessenta e sete anos, ex-estivador, que uma crise de paralisia deixara incapacitado. Muitos dos indivíduos tinham ficado simplesmente «fracos», pelo que Nassau parecia querer dizer que estavam demasiado senis para conseguirem cuidar de si próprios.

A menos que a família as pudesse acolher, estas pessoas praticamente não tinham opções ao seu dispor, a não ser um asilo ou hospício. Estas instituições remontam há vários séculos, na Europa e nos Estados Unidos. Para quem fosse idoso e precisasse de ajuda, mas não tivesse filhos nem uma fonte independente de riqueza para se sustentar, um asilo era o único refúgio possível. Os asilos eram lugares deprimentes e abomináveis para uma pessoa ser encarcerada, que era o termo que se usava na época e que dizia tudo. Albergavam todo o tipo de pobres – idosos, imigrantes desafortunados, jovens alcoólicos, doentes mentais – e a sua função era pôr os «reclusos» a trabalhar para se redimirem do seu suposto alcoolismo e depravação. Os supervisores geralmente tratavam com mais brandura os pobres idosos nas tarefas que lhes davam, mas eram reclusos como todos os outros. Os casais eram separados, maridos para um lado, mulheres para o outro. Faltavam cuidados básicos de higiene. A imundície e a degradação eram a regra.

Um relatório de 1912 da Comissão para as Instituições de Caridade do estado do Illinois descrevia um asilo do condado como «impróprio para acolher animais em condições minimamente decentes». Homens e mulheres viviam, sem qualquer esforço no sentido de os separar por grupos etários ou segundo as suas necessidades, em quartos de três metros por três e meio, infestados de carrapatos. «Ratos e ratazanas imperam neste espaço. [...] As moscas enxameiam a comida. [...] Não há banheiras.» Um relatório de 1909, na Virgínia, descrevia idosos que morriam sem assistência, recebiam uma alimentação e cuidados inadequados, e apanhavam tuberculose, porque não havia uma tentativa para controlar o contágio. Os fundos eram cronicamente inadequados para cuidar de pessoas incapacitadas. Num caso, lê-se no relatório, um guarda, confrontado com uma mulher que tinha tendência para se afastar perigosamente do asilo, e na ausência de pessoal suficiente para ficar de olho nela, decidiu obrigá-la a carregar uma bola de 14 quilos presa a uma corrente.

Nada causava tanto terror nos idosos como a ideia de ir parar a uma dessas instituições. Não obstante, nas décadas de 1920 e 1930, quando a Alice e o Richmond Hobson eram jovens, dois terços dos residentes de asilos eram idosos. A prosperidade da Idade de Ouro (de 1870 até à viragem do século) tornara essas condições embaraçosas. Depois, a Grande Depressão gerou um movimento de protesto a nível nacional. Pessoas idosas da classe média, que tinham trabalhado e poupado a vida toda, viram as suas economias desaparecer num ápice. Em 1935, com a Segurança Social, os Estados Unidos juntaram-se à Europa na criação de um sistema nacional de pensões. De repente, o futuro de uma viúva estava assegurado e a reforma, que antes era um privilégio exclusivo dos ricos, tornou-se um fenómeno de massas.

Com o tempo, os asilos passaram à história no mundo industrializado, mas perduram noutros lugares. Nos países em vias de desenvolvimento, tornaram-se comuns, porque o crescimento económico está a desintegrar a família alargada sem ter conseguido ainda gerar a afluência necessária para proteger os idosos da pobreza e do abandono. Na Índia, reparei que a existência de lugares desse tipo é muitas vezes negada, mas numa visita que fiz recentemente a Nova Deli, encontrei rapidamente exemplos. Pareciam saídos de um livro de Charles Dickens... ou daqueles relatórios de outros tempos.

O *ashram* Guru Vishram Vridh, por exemplo, é um lar da terceira idade gerido como uma obra de caridade, num bairro de lata na orla sul de Nova Deli, onde corriam esgotos a céu aberto pelas ruas fora e cães escanzelados remexiam as pilhas de lixo. O lar foi criado num antigo armazém, uma sala enorme com dezenas de idosos incapacitados, deitados em camas estreitas e em colchões no chão, encostados uns aos outros como uma grande folha de selos dos correios. O proprietário, G. P. Bhagat, que aparentava quarenta e tal anos, tinha um ar impecável e profissional, agarrado a um telemóvel que tocava de dois em dois minutos. Disse que tinha recebido um apelo de Deus para abrir o asilo, havia oito anos, e subsistia graças a donativos. Disse que nunca mandava ninguém embora, desde que tivesse uma cama livre. Cerca de metade dos residentes vinha de lares de reformados e hospitais, que os deixavam ali por não terem meios para pagar as contas. A outra metade era constituída por pessoas que tinham sido encontradas por voluntários ou pela polícia a viver na rua ou em parques. Todas sofriam de um misto de debilidade e pobreza.

O asilo tinha mais de uma centena de pessoas, quando o visitei. A mais nova tinha sessenta anos e a mais velha mais de um século. As que viviam no rés-do-chão tinham necessidades «moderadas». Entre elas, conheci um homem sique que rastejava desajeitadamente pelo chão, agachado, como um sapo em câmara lenta: mãos-pés, mãos-pés, mãos-pés. Disse que tinha sido dono de uma loja de eletrodomésticos numa zona boa de Nova Deli. A filha tornou-se contabilista e o filho engenheiro informático. Há dois anos, teve problemas de saúde que descreveu como dores no peito e o que me pareceu ter sido uma série de AVC. Passou dois meses e meio no hospital, paralisado. As contas acumularam-se. A família deixou de o visitar. Por fim, o hospital acabou por o deixar ali. Bhagat disse que enviou uma mensagem à família através da polícia, a dizer que o senhor gostava de voltar para casa. Os familiares disseram que não o conheciam de lado nenhum.

Ao cimo de uma escada ficava a ala do primeiro andar para pacientes com demência e outras deficiências graves. Um velhote estava parado junto de uma parede a cantar desafinadamente a plenos pulmões. Ao lado dele, encontrava-se uma mulher com olhos brancos de cataratas, a murmurar para si própria. Vários funcionários do asilo tratavam dos residentes, dando-lhes de comer e limpando-os o melhor possível. O barulho e o cheiro a urina eram avassaladores. Tentei falar com dois ou três residentes através da minha intérprete, mas eles estavam demasiado confusos para responder às minhas perguntas. Uma mulher cega e surda, deitada num colchão, gritava umas quantas palavras sem parar. Perguntei à intérprete o que é que ela estava a dizer. A intérprete abanou a cabeça – as palavras não faziam sentido – e, depois, precipitou-se escada abaixo. Foi de mais para ela. Quanto a mim, acho que nunca tinha visto uma imagem tão próxima do inferno como aquela.

«Estas pessoas estão na última etapa da sua viagem», disse Bhagat, olhando para o amontoado de corpos. «Mas não tenho meios para lhes dar o tipo de instalações de que verdadeiramente necessitam.»

No tempo de vida da Alice, os idosos do mundo industrializado fugiram à ameaça de um destino daqueles. A prosperidade permitiu que até os pobres pudessem contar com lares onde estão à sua disposição refeições adequadas, serviços de saúde profissionais, fisioterapia e bingo. Estes lares aliviaram a debilidade e a velhice para milhões de pessoas e fizeram dos cuidados e da segurança devidos uma regra, como nunca os reclusos dos asilos poderiam imaginar. E ainda assim, a maior parte das pessoas considera os atuais lares da terceira idade lugares assustadores, desoladores, inclusive abomináveis para se passar a última fase da vida. Precisamos de e desejamos algo mais.

Longwood House tinha, aparentemente, tudo a seu favor. As instalações eram modernas, com notas máximas em questão de segurança e cuidados de saúde. O apartamento da Alice permitia-lhe desfrutar dos confortos da sua antiga casa, num contexto mais seguro e fácil de gerir. Era uma situação extremamente reconfortante para os filhos dela e para a família alargada. Mas não para a Alice. Ela nunca se habituou a viver ali, nem o aceitou. Por mais que os funcionários ou a família se esforçassem para a ajudar, a verdade é que a Alice estava cada vez mais infeliz.

Interroguei-a, mas ela não conseguia identificar o que é que a fazia infeliz. A sua queixa principal é uma que tenho ouvido frequentemente da boca de pessoas que vivem em lares: «Não me sinto em casa.» Para a Alice, Longwood House era uma mera reprodução da sua casa. E ter um espaço onde nos sentimos genuinamente em casa pode ser algo de tão fundamental para nós como a água para um peixe.

Há uns anos, li uma notícia sobre um indivíduo chamado Harry Truman, de oitenta e três anos, que, em março de 1980, se recusou a abandonar a sua casa no sopé do Mount Saint Helens, perto de Olympia, em Washington, quando o vulcão começou a deitar fumo e a fazer barulho. Ex-piloto na Primeira Guerra Mundial e vendedor clandestino de álcool durante a Lei Seca, Truman tinha casa em Spirit Lake há mais de meio século. Enviuvara, cinco anos antes, e ficara sozinho com os seus dezasseis gatos, na propriedade de 22 hectares no sopé da montanha. Três anos antes, caíra do telhado de casa quando andava a limpar a neve e partira uma perna. O médico dissera-lhe que era um «grande tolo» por se ter empoleirado num telhado com a sua idade.

«Que se lixe!», gritou Truman. «Tenho oitenta anos e, aos oitenta, tenho o direito de tomar decisões e fazer o que bem me apetece.»

Como o vulcão ameaçava entrar em erupção, as autoridades mandaram evacuar toda a gente que vivia na vizinhança, mas Truman recusou-se a abandonar a casa. Durante mais de dois meses, o vulcão fumegou. As autoridades alargaram o perímetro de evacuação a 16 quilómetros em redor da montanha. Truman manteve-se teimosamente em casa. Não acreditava nos cientistas, com os seus relatórios pouco convictos e por vezes contraditórios. Tinha medo de que a sua casa fosse pilhada e vandalizada, como acontecera a outra em Spirit Lake. Além disso, aquela casa era a sua vida.

«Se a casa vai desaparecer, quero desaparecer com ela», disse. «Porque, se ficasse sem a casa, em menos de uma semana morria de desgosto.» Truman atraiu jornalistas com a sua maneira de falar franca e grosseira, discorrendo de boné verde na cabeça e um copo alto de *bourbon* com Coca-Cola na mão. A polícia local ainda ponderou detê-lo para bem dele, mas decidiu não o fazer, dada a idade do senhor e a má publicidade que isso traria às autoridades. Ofereceram-se para o evacuar sempre que surgiu a oportunidade e, de todas as vezes, ele recusou inabalavelmente. Disse a um amigo: «Se morrer amanhã, posso dizer que tive uma excelente vida. Fiz tudo o que podia fazer e fiz tudo o que queria fazer.»

A explosão ocorreu às 8h40 do dia 18 de maio de 1980, com a força de uma bomba atómica. O lago desapareceu na totalidade debaixo da torrente de lava, soterrando Truman, os gatos e a casa. No rescaldo, ele tornou-se um ícone: o velhote que tinha ficado em sua casa, corrido o risco e vivido a vida a seu bel-prazer, numa época em que essa possibilidade parecia praticamente ter desaparecido. As pessoas da vizinha Castlerock erigiram um memorial em honra dele, na entrada da povoação, onde ainda se encontra, e a história teve direito a um filme para televisão com Art Carney como protagonista.

A Alice não estava perante um vulcão, mas era como se estivesse. Abdicar da sua casa em Greencastle Street significou abdicar da vida que construíra ao longo de décadas. As coisas que tornavam Longwood House tão mais segura e fácil de gerir do que a sua casa eram precisamente as mesmas que ela tinha dificuldade em suportar. O apartamento dela podia ser considerado para «pessoas autónomas», mas implicava a imposição de mais estrutura e supervisão do que ela alguma vez tivera de encarar na vida. Auxiliares vigiavam o regime alimentar dela, enfermeiras monitorizavam-lhe a saúde. Repararam que estava a perder o equilíbrio e obrigaram-na a utilizar um andarilho. Isto era reconfortante para os filhos da Alice, mas ela não gostava de ser vigiada como uma criança, nem controlada. E a regulamentação da sua vida aumentou com o tempo. Quando os funcionários se aperceberam de que estava a falhar algumas doses da medicação, informaram-na de que, se não deixasse os medicamentos com as enfermeiras e fosse ter com elas duas vezes ao dia para os tomar sob supervisão direta, teriam de a mudar de um apartamento autónomo para a ala para pessoas dependentes. O Jim e a Nan contrataram uma auxiliar a tempo parcial, chamada Mary, para ajudar a Alice a tratar dos medicamentos, fazer-lhe companhia e protelar o dia em que ela teria de ser transferida. Ela gostava da Mary, mas tê-la dentro de casa durante horas a fio, muitas vezes sem nada para fazer, só serviu para tornar a situação ainda mais deprimente.

Para a Alice, deve ter sido como se tivesse transposto a fronteira para uma terra desconhecida de onde nunca a deixariam sair. Os guardas fronteiriços eram simpáticos e alegres. Prometeram-lhe um lugar agradável para ela morar, onde seria muito bem tratada. Mas, na realidade, ela não queria que tratassem de si; queria simplesmente fazer a sua vidinha, independente. E esses alegres guardas fronteiriços tinham-lhe tirado as chaves e o passaporte. Com a casa, foi-se também o seu controlo sobre a vida.

As pessoas viram Harry Truman como um herói. Harry Truman, de Spirit Lake, nunca teria de se sujeitar a uma Longwood House, e Alice Hobson, de Arlington, na Virgínia, também não queria ter de se sujeitar àquilo.

Como é que viemos aqui parar, a este mundo onde as únicas opções para as pessoas de muita idade parecem ser deixar-se morrer soterradas em lava de vulcão ou cederem o controlo total das suas vidas a terceiros? Para compreendermos o que aconteceu, temos de olhar para a História e ver como é que substituímos o asilo de pobres por todo o tipo de lugares que temos hoje ao nosso dispor. Curiosamente, trata-se de uma história médica. Os nossos lares da terceira idade não surgiram de um desejo de dar aos velhinhos frágeis vidas melhores do que as que eles tinham naqueles tristes asilos. Não olhámos à nossa volta e dissemos para nós próprios: «Há uma fase na vida das pessoas em que elas não conseguem fazer o seu dia-a-dia sozinhas e temos de arranjar uma maneira de as ajudar.» Não, em vez disso, dissemos: «Isto parece ser um problema médico. Vamos pôr estas pessoas no hospital. Talvez os médicos consigam resolver o assunto.» A casa de repouso moderna desenvolveu-se a partir daqui, mais ou menos por acidente.

Em meados do século XX, a Medicina estava a passar por uma transformação rápida e histórica. Antes disso, quando uma pessoa ficava gravemente doente, os médicos costumavam tratá-la na sua própria cama. A função dos hospitais era meramente de guardião. Usando as palavras do grande médico-escritor, Lewis Thomas, ao descrever o seu internato no Boston City Hospital, em 1937: «Se estar numa cama de hospital fazia alguma diferença, era essencialmente a diferença acarretada pelo calor, pelo abrigo e pela comida, e pelo cuidado solícito e simpático e as capacidades únicas das enfermeiras que disponibilizavam essas coisas. Se uma pessoa sobrevivia ou não, dependia da história natural da própria doença. A Medicina fazia pouca ou nenhuma diferença.»

A partir da Segunda Guerra Mundial, o quadro mudou radicalmente. Apareceram as sulfamidas, a penicilina e depois uma série de antibióticos para tratar infeções. Foram descobertos os medicamentos para controlar a tensão arterial e tratar desequilíbrios hormonais. Fizeram-se avanços em todas as áreas, desde cirurgia cardíaca a ventiladores artificiais e transplantes renais. Os médicos tornaram-se heróis e o hospital deixou de ser um símbolo de doença e desânimo para se transformar num espaço de esperança e cura.

As comunidades desataram a construir hospitais. Na América, em 1946, o Congresso promulgou a lei Hill-Burton, que atribuía avultadas verbas do governo para a construção de hospitais. Duas décadas depois, o programa tinha financiado mais de nove mil novas instalações médicas em todo o país. Pela primeira vez, a maior parte das pessoas tinha um hospital perto de si e isso generalizou-se em todo o mundo industrializado.

É impossível minimizar a magnitude desta transformação. Durante a maior parte da existência da nossa espécie, as pessoas estiveram fundamentalmente sozinhas com as maleitas do seu corpo. Dependiam da natureza, da sorte e da ajuda da família e da religião. A Medicina era apenas mais uma ferramenta que as pessoas experimentavam, não muito diferente de um ritual curandeiro ou de uma mezinha caseira, e pouco mais eficaz. Mas, à medida que a Medicina se tornou mais eficaz, o hospital moderno trouxe uma ideia nova consigo. Ali estava um lugar aonde as pessoas podiam ir e dizer: «Curem-me.» Eram internadas e entregavam a sua vida por inteiro aos médicos e enfermeiros: o que vestiam, o que comiam, o que lhes era ministrado e quando. Nem sempre era um processo agradável, mas, para uma gama de problemas em franca expansão, foram resultados sem precedentes. Os hospitais aprenderam a eliminar infeções, a extrair tumores cancerosos, a reconstruir ossos partidos. Conseguiam tratar hérnias e válvulas cardíacas e úlceras estomacais hemorrágicas. Os hospitais tornaram-se o sítio a que as pessoas recorrem normalmente para tratar os seus problemas de saúde, incluindo os idosos.

Entretanto, os decisores do Estado tinham partido do princípio de que a criação de um sistema de pensões acabaria com os asilos de pobres, mas o problema não desapareceu. Na América, nos anos que se seguiram à promulgação da lei da Segurança Social de 1935, o número de idosos em asilos teimava em não baixar. Vários estados tentaram encerrá-los, mas perceberam que não o podiam fazer. Descobriram que não era só por não terem dinheiro para pagar uma casa que os idosos iam parar aos asilos. Isso acontecia também porque se tinham tornado demasiado frágeis, doentes, fracos, senis ou abatidos para cuidarem de si próprios e não tinham mais ninguém a quem pedir auxílio. As pensões eram uma maneira de ajudar os idosos a serem autónomos o máximo de tempo possível na reforma. Mas as pensões não tinham apresentado um plano para lidar com a fase final e enferma da nossa vida de mortais.

À medida que foram aparecendo cada vez mais hospitais, estes tornaram-se um lugar comparativamente mais agradável para instalar os doentes. Foi finalmente isto que fez com que os asilos se esvaziassem. Um a um, ao longo da década de 1950, os asilos fecharam, a responsabilidade por aqueles que tinham sido classificados como «indigentes» idosos foi transferida para os departamentos da Segurança Social e os doentes e incapacitados foram internados em hospitais. Mas os hospitais não podiam resolver as debilidades das doenças crónicas e da velhice, e começaram a encher-se de pessoas que não tinham para onde ir. Os hospitais fizeram pressão sobre o governo para que os ajudasse e, em 1954, os legisladores disponibilizaram verbas para que se construíssem unidades à parte para albergar os doentes que precisavam de um período prolongado de «convalescença». Foi o início da casa de repouso moderna. Não foram criadas para ajudar as pessoas a enfrentar a dependência na velhice. Foram criadas para libertar camas nos hospitais e foi por isso que lhes deram o nome de casas de repouso.

Tem sido este o padrão na maneira como a sociedade moderna lida com a velhice. Os sistemas que criámos foram quase sempre concebidos para resolver outro problema qualquer. Como disse um estudioso, descrever a história das casas de repouso da perspetiva dos idosos «é como descrever a descoberta do Oeste americano da perspetiva das mulas; estiveram lá, sem dúvida, e os acontecimentos da época foram indubitavelmente cruciais para as mulas, mas quase ninguém se importou com elas na altura».

O salto seguinte no crescimento das casas de repouso na América foi igualmente involuntário. Quando o Medicare foi aprovado em 1965, a lei especificava que pagaria apenas os cuidados em centros que cumprissem as normas básicas de saúde e segurança. Um número significativo de hospitais, especialmente no sul, não ia ao encontro dessas normas. Os decisores do Estado temeram uma reação extremamente negativa da parte dos doentes idosos cobertos pelo Medicare que fossem recusados pelo seu hospital local. Por isso, o Departamento de Seguros de Saúde inventou o conceito de «cumprimento substancial»: se o hospital estivesse «quase» à altura das normas e disposto a fazer melhorias, seria aprovado. A categoria foi uma invenção sem qualquer fundamento legal, mas resolveu um problema sem causar grandes males: praticamente todos os hospitais introduziram, de facto, melhorias nos seus serviços. Mas a decisão do Departamento abriu uma porta às casas de repouso, das quais muito poucas cumpriam sequer os requisitos mínimos federais, tais como terem uma enfermeira presente *in loco* ou um sistema de prevenção de incêndios. Milhares de casas de repouso, declarando que encaixavam na cláusula de «cumprimento substancial», foram aprovadas e o número de casas de repouso subiu em flecha – em 1970, tinham sido construídas cerca de treze mil –, a par com o número de queixas de negligência e maus tratos. Nesse ano, em Marietta, no Ohio, o condado a seguir ao da minha terra natal, um incêndio numa casa de repouso encurralou e matou trinta e dois residentes. Em Baltimore, um surto de salmonela numa casa de repouso ceifou trinta e seis vidas.

Com o tempo, as regras tornaram-se mais severas. Os problemas de saúde e segurança foram finalmente abordados. As casas de repouso já não são verdadeiras ratoeiras em caso de incêndio, mas o problema central persiste. Estes espaços onde metade de nós passará normalmente um ano ou mais das nossas vidas nunca foram, à partida, verdadeiramente feitos para nós.

Numa manhã no final de 1993, a Alice deu uma queda quando estava sozinha no apartamento. Só foi encontrada muitas horas depois, quando a Nan, que estava intrigada por não conseguir falar com ela ao telefone, mandou o Jim averiguar o que se passava. Ele encontrou a Alice caída ao lado do sofá da sala, praticamente inconsciente. No hospital, os médicos ministraram-lhe fluidos intravenosos e fizeram uma série de exames e radiografias. Não descobriram fraturas nem traumatismos cranianos, parecia estar tudo bem. Mas também não encontraram uma explicação para a queda, a não ser fragilidade generalizada.

Quando regressou a Longwood House, a Alice foi incentivada a mudar-se para o piso de cuidados continuados. Ela opôs-se veementemente. Não queria ir. Os funcionários cederam e passaram a verificar com mais frequência se ela estava bem. A Mary aumentou o número de horas que passava junto dela. Passado pouco tempo, porém, o Jim recebeu uma chamada a dizer que a Alice tinha caído outra vez. Foi uma queda grave, disseram. Levaram-na para o hospital de ambulância. Quando o Jim lá chegou, já ela estava no bloco operatório. As radiografias mostraram que tinha uma fratura: o cimo do fémur partira como uma haste de erva. Os cirurgiões ortopédicos repararam a fratura com um par de compridos parafusos de metal.

Desta vez, ela voltou para Longwood House numa cadeira de rodas, a precisar de ajuda para praticamente todas as atividades do dia-a-dia: ir à casa de banho, tomar banho, vestir-se. A Alice não teve alternativa, a não ser mudar-se para a unidade de cuidados continuados. A esperança, disseram-lhe, era que, com fisioterapia, ela reaprendesse a andar e pudesse voltar para o seu apartamento. Mas isso nunca aconteceu. Daí em diante, ficou confinada à cadeira de rodas e à rigidez da vida na casa de repouso. Perdeu toda a sua privacidade e controlo. Passava a maior parte do tempo vestida com o pijama do hospital. Acordava quando a mandavam acordar, tomava banho e vestia-se quando a mandavam tomar banho e vestir-se, comia quando a mandavam comer. Vivia com quem lhe dissessem que tinha de viver. Houve uma sucessão de colegas de quarto, nenhum deles escolhido com a ajuda da opinião dela e todos com dificuldades cognitivas. Alguns eram calados. Um não a deixava dormir à noite. Ela sentia-se encarcerada, como se tivesse sido presa por ser velha.

No seu livro _Asylums,_ o sociólogo Erving Goffman reparou na semelhança que existia entre prisões e casas de repouso, há meio século. Eram, juntamente com campos de treino militar, orfanatos e hospícios, «instituições totais»: lugares basicamente desligados da sociedade em sentido lato. «Uma prática comum na sociedade moderna é o indivíduo dormir, divertir-se e trabalhar em espaços diferentes, com diferentes co-participantes, sob diferentes autoridades e sem um plano racional que abranja tudo», escreveu ele. As instituições totais, ao contrário, eliminam as barreiras que separam as esferas da vida de formas específicas, que ele enumerou:

> Primeiro, todos os aspetos da vida decorrem no mesmo espaço e sob a mesma autoridade central. Segundo, cada fase das atividades diárias do residente é levada a cabo na companhia de um grande número de pessoas, que são, todas elas, tratadas como se fossem iguais e a quem se pede que façam a mesma coisa juntas. Terceiro, as fases de cada atividade obedecem a horários rígidos, sucedendo-se as atividades umas às outras a horas previamente estipuladas e sendo a sequência imposta pelas hierarquias de um sistema com regras explícitas e um corpo de funcionários. Por fim, as atividades impostas são reunidas num só programa propositadamente delineado para preencher os objetivos oficiais da instituição.

Numa casa de repouso, o objetivo oficial da instituição é cuidar, mas a ideia de cuidar que se desenvolveu não tinha qualquer semelhança com aquilo a que a Alice chamaria viver. E ela não era a única pessoa com esta opinião. Uma vez, conheci uma senhora de oitenta e nove anos que, por iniciativa própria, foi viver para uma casa de repouso em Boston. Geralmente são os filhos que pressionam os pais para fazerem esse tipo de mudança, mas, neste caso, foi ela que o quis. Sofria de insuficiência cardíaca congestiva e artrite em estado avançado e, depois de uma série de quedas, sentiu que não tinha remédio a não ser abandonar o seu prédio em Delray Beach, na Florida. «Caí duas vezes numa semana e, portanto, disse à minha filha que o meu lugar já não era em casa», contou ela.

Escolheu ela própria a instituição: tinha uma excelente classificação e funcionários simpáticos, e a filha vivia ali perto. Quando a conheci, a senhora tinha-se mudado para lá no mês anterior. Disse-me que estava contente por viver num lugar seguro: se uma casa de repouso competente serve para alguma coisa é precisamente para oferecer segurança aos seus residentes. Mas a senhora sentia-se terrivelmente infeliz.

O problema é que esperava mais da vida do que apenas segurança. «Eu sei que não posso fazer as coisas que fazia antes», disse ela, «mas tenho a sensação de que estou num hospital e não numa casa.»

É uma realidade quase universal. As prioridades das casas de repouso são coisas como evitar chagas e vigiar o peso dos residentes: objetivos médicos importantes, sem dúvida, mas são meios e não fins. A senhora tinha deixado um apartamento arejado, que ela própria decorara, em troca de um pequeno quarto bege, tipo quarto de hospital, que dividia com uma desconhecida. Os seus pertences foram reduzidos ao pouco que cabia no armário e na prateleira que lhe deram. Coisas básicas, como a hora a que se deitava, acordava, vestia e comia, estavam sujeitas ao horário rígido da vida institucional. Não podia ter os seus próprios móveis nem beber um *cocktail* antes do jantar, porque não era seguro.

Ela achava que podia fazer muito mais coisas na vida. «Quero ser útil, desempenhar um papel importante», disse ela. Antigamente, fazia as suas próprias joias e era voluntária na biblioteca. Agora, as suas principais atividades eram o bingo, filmes em DVD e outras formas de entretenimento passivo em grupo. Do que mais tinha saudades era das suas amizades, privacidade e de os seus dias terem um objetivo. As casas de repouso evoluíram muito desde os tempos em que eram uns antros de negligência e risco de incêndio, mas parece que sucumbimos à crença de que, depois de perdermos a nossa autonomia física, não nos é possível levar uma vida válida e livre.

Os próprios idosos, todavia, não sucumbiram por completo. Muitos resistem. Em todas as casas de repouso e centros com assistência à autonomia, grassa a polémica sobre as prioridades e valores que supostamente devem reger as vidas das pessoas. Algumas, como a Alice, resistem sobretudo através da não-cooperação, recusando-se a participar nas atividades programadas ou a tomar os medicamentos. São aquelas a quem chamamos «ariscas». É uma palavra que usamos muito para os idosos. Fora do contexto de um lar da terceira idade, geralmente usamos o adjetivo com um certo tom de admiração. Gostamos da maneira tenaz e por vezes embirrenta como os Harry Trumans deste mundo se afirmam. Mas dentro de um lar, quando dizemos que alguém é arisco, dizemo-lo de uma maneira muito menos elogiosa. Os funcionários das casas de repouso gostam de e aprovam residentes que sejam «lutadores» e mostrem ter «dignidade e autoestima», mas só se essas características não interferirem com as prioridades dos funcionários. Quando o fazem, as pessoas passam a ser apelidadas de «ariscas».

Basta falar com os funcionários dos lares para ouvir relatos de discussões diárias. Uma mulher pede para a ajudarem a ir à casa de banho «de cinco em cinco minutos». Por isso, impõem-lhe um horário e levam-na à casa de banho de duas em duas horas, quando lhes dá jeito em função das suas rondas. Mas ela não cumpre o horário e molha a cama dez minutos depois de uma ida à casa de banho. Por isso, põem-lhe uma fralda. Outro residente recusa-se a usar o andarilho e faz passeios sozinho e sem autorização. Um terceiro fuma e bebe às escondidas.

A comida é a Guerra dos Cem Anos. Uma mulher com Parkinson em estado avançado está constantemente a quebrar a regra que lhe impõe uma dieta de sopas e purés e a roubar comida aos outros residentes, comida essa que pode fazer com que se engasgue e asfixie. Um homem com Alzheimer armazena doces no quarto, violando as regras da casa. Um diabético é apanhado a comer bolachas e sobremesas à socapa, fazendo disparar os níveis de açúcar no sangue. Quem diria que nos podemos rebelar com o simples gesto de comer uma bolacha?

Nos sítios horríveis, quando a guerra pelo controlo atinge um determinado patamar, os residentes são amarrados à cama ou presos a uma cadeira de rodas ou subjugados com drogas psicotrópicas. Nos sítios agradáveis, um funcionário diz uma piada, faz uma repreensão afetuosa e confisca os *brownies* clandestinos. Em quase nenhum, os funcionários conversam com os residentes para tentar perceber o que será para eles uma vida satisfatória, dadas as circunstâncias, e muito menos para os ajudar a criar um ambiente onde essa vida seja possível.

Esta é a consequência de uma sociedade que encara a etapa final do ciclo de vida humana tentando não pensar nela. Acabamos por criar instituições que abordam uma série de objetivos da sociedade – desde libertar camas de hospital a tirar fardos pesados dos ombros das famílias e lidar com a pobreza entre os idosos –, mas nunca o objetivo que importa para as pessoas que nelas vivem: como levar uma vida satisfatória, quando estamos fracos e frágeis e já não conseguimos cuidar de nós próprios.

Um dia, quando o Jim visitou a Alice, ela sussurrou-lhe qualquer coisa ao ouvido. Estávamos no inverno de 1994, umas semanas depois de ela ter fraturado o fémur e sido internada na unidade de cuidados continuados, quando já vivia há dois anos em Longwood House. Ele tirara-a do quarto, numa cadeira de rodas, para darem um passeio pelas instalações. Encontraram um sítio acolhedor no átrio e pararam uns instantes. Eram ambos pessoas caladas e bastou-lhes estarem ali sentados, em silêncio, a ver as pessoas ir e vir. Foi nesse momento que ela se inclinou para ele, na cadeira de rodas. Sussurrou duas palavrinhas apenas.

«Estou pronta», disse.

Ele fitou-a. Ela fitou-o. E ele percebeu. Ela estava pronta para morrer.

«Está bem, mãe», disse o Jim.

Isto entristeceu-o. Não sabia muito bem o que fazer. Mas, passado pouco tempo, os dois preencheram uma ordem de não reanimação, que ficou registada na casa de repouso. Se o coração ou a respiração dela parassem, não tentariam resgatá-la da morte. Não lhe fariam massagem cardíaca, nem lhe dariam eletrochoques, nem a entubariam. Deixá-la-iam morrer.

Passaram-se meses. Ela esperou e aguentou. Numa noite de abril teve dores abdominais. Falou nisso por alto a uma enfermeira e depois decidiu não dizer mais nada. Mais tarde, vomitou sangue, mas não chamou ninguém. Não carregou no botão da campainha nem avisou a colega de quarto. Ficou na cama, em silêncio. No dia seguinte de manhã, quando as auxiliares foram acordar os residentes do piso dela, viram que tinha falecido.

CAPÍTULO 4

Assistência

Seria de pensar que as pessoas se tivessem revoltado. Seria de pensar que tivéssemos deitado fogo aos lares. Não o fizemos, no entanto, porque temos dificuldade em acreditar que é possível arranjar uma solução diferente para quando estivermos tão debilitados e frágeis que deixaremos de conseguir cuidar de nós próprios sem ajuda. Tem-nos faltado a imaginação para isso.

Regra geral, a família continua a ser a alternativa primária. As nossas hipóteses de evitarmos um lar estão diretamente relacionadas com o número de filhos que temos e, segundo os poucos estudos que existem, ter pelo menos uma filha parece ser crucial para a quantidade de ajuda que receberemos. Mas esta nossa maior longevidade coincidiu com o facto de as famílias dependerem cada vez mais de dois salários para subsistirem, com consequências que são dolorosas e infelizes para toda a gente.

Lou Sanders tinha oitenta e oito anos quando ele e a filha, Shelley, se viram confrontados com uma decisão difícil sobre o futuro. Até aí, ele aguentara-se bem. Nunca pedira muito da vida, a não ser uns quantos prazeres modestos e a companhia da família e amigos. Filho de imigrantes judeus de língua russa, oriundos da Ucrânia, crescera em Dorchester, um bairro de classe operária em Boston. Na Segunda Guerra Mundial, esteve na Força Aérea no Pacífico do Sul e, quando regressou, casou-se e instalou-se em Lawrence, uma povoação industrial nos arredores de Boston. Ele e a mulher, Ruth, tiveram um filho e uma filha, e ele meteu-se no ramo dos eletrodomésticos com um cunhado. O Lou pôde comprar uma casa com três quartos para a família, num bairro bom, e mandar os filhos para a universidade. Ele e a Ruth tiveram a sua quota parte de dificuldades na vida. O filho, por exemplo, teve problemas graves com drogas, álcool e dinheiro, e foi diagnosticado com bipolaridade. Quando tinha quarenta e tantos anos, suicidou-se. E o ramo dos eletrodomésticos, que prosperara durante anos, caiu a pique com o aparecimento das grandes cadeias de lojas. Aos cinquenta anos, o Lou deu por si a ter de recomeçar na vida. Não obstante, apesar da idade, da falta de experiência e falta de estudos superiores, deram-lhe uma nova oportunidade como técnico numa loja chamada Raytheon, onde acabou por fazer o resto da sua carreira. Reformou-se aos sessenta e sete anos, tendo trabalhado os dois anos adicionais para receber mais 3 por cento na sua pensão da Raytheon.

Entretanto, a Ruth teve problemas de saúde. Fumadora inveterada, descobriram-lhe um cancro no pulmão, sobreviveu a ele e continuou a fumar (o que o Lou não conseguia perceber). Três anos depois de o Lou se ter reformado, ela teve um AVC do qual nunca mais recuperou por completo. Tornou-se cada vez mais dependente dele, para a transportar de um lado para o outro, fazer compras, gerir a casa, enfim, para tudo. Depois, apareceu-lhe um caroço debaixo do braço e uma biopsia revelou que se tratava de uma metástase. Ela morreu em outubro de 1994, com setenta e três anos. Aos setenta e seis, o Lou ficou viúvo.

A Shelly ficou preocupada com ele. Não sabia como é que ele resistiria sem a Ruth. Mas tratar da Ruth obrigou-o a aprender a cuidar de si próprio e, embora ele chorasse a morte dela, descobriu aos poucos que não se importava de estar sozinho. Na década seguinte, levou uma vida feliz e preenchida. Tinha uma rotina simples. Levantava-se cedo, fazia o pequeno-almoço e lia o jornal. Dava um passeio, fazia as compras do dia no supermercado e ia para casa fazer o almoço. Mais tarde, ia à biblioteca da zona. Era bonita, luminosa e sossegada, e ele passava umas horas a ler as suas revistas e jornais preferidos ou mergulhado num policial. No regresso a casa, lia um livro que tivesse requisitado ou via um filme ou ouvia música. Umas duas ou três noites por semana, jogava às cartas com um dos vizinhos do prédio.

«O meu pai criou amizades muito interessantes», comentou a Shelley. «Conseguia travar amizade com qualquer pessoa.»

Um dos novos companheiros do Lou era o empregado iraniano de um clube de vídeo onde o Lou costumava ir. Chamava-se Bob e tinha vinte e poucos anos. O Lou empoleirava-se num banco alto que o Bob instalava ao balcão para ele e, durante horas, os dois – o jovem iraniano e o velho judeu – faziam companhia um ao outro. Tornaram-se tão bons amigos que, uma vez, até foram a Las Vegas juntos. O Lou adorava frequentar casinos e fazia viagens com uma série de amigos.

Depois, em 2003, aos oitenta e cinco anos, sofreu um ataque cardíaco. Teve sorte. Uma ambulância levou-o para o hospital e os médicos conseguiram colocar-lhe, a tempo, um cateter na artéria coronária obstruída. Depois de duas semanas num centro de reabilitação cardíaca, foi como se nada tivesse acontecido. Passados três anos, porém, ele deu a sua primeira queda, esse precursor de inesgotáveis problemas. A Shelley reparou que ele andava com um tremor nas mãos e um neurologista diagnosticou-lhe Parkinson. Os medicamentos controlaram os sintomas, mas ele começou a ter também problemas de memória. A Shelley reparou que, quando ele contava uma história longa, às vezes perdia o fio à meada. Outras vezes, mostrava-se confuso sobre uma coisa que tinha acabado de dizer. A maior parte das vezes parecia bem, até mesmo excecionalmente bem para um homem de oitenta e oito anos. Ainda conduzia. Ainda derrotava toda a gente nas cartas. Ainda tratava da casa e geria as finanças sozinho. Mas, depois, deu outra queda grave e assustou-se. De repente, sentiu o peso de todas as mudanças que se tinham vindo a acumular. Disse à Shelley que tinha medo de cair um dia, bater com a cabeça e morrer. Não era morrer que receava, disse, mas sim a eventualidade de morrer sozinho.

Ela perguntou-lhe o que ele achava de irem ver lares da terceira idade. Ele nem quis ouvir falar nisso. Tinha amigos que viviam nesse tipo de centros e já vira como eram.

«Estão cheios de velhos», disse. Não era assim que queria viver. Obrigou a Shelley a prometer que nunca o instalaria num lar.

Mas a verdade é que ele já não podia viver sozinho. A única solução que lhe restava era mudar-se para casa da filha e respetiva família e foi isso que a Shelley decidiu.

Perguntei à Shelley e ao marido, o Tom, o que achavam disso. «É bom», disseram ambos. «Eu não me sentia bem com a ideia de ele continuar a viver sozinho», explicou a Shelley e o Tom concordou. O Lou tinha tido um ataque cardíaco. Estava a caminho dos noventa anos. Era o mínimo que podiam fazer por ele. E confessaram que, às vezes, pensavam que, no fundo, provavelmente não teriam muito mais tempo com ele.

O Tom e a Shelley viviam confortavelmente numa casa modesta de estilo colonial, em North Reading, um subúrbio de Boston, mas sem muito ar disso. A Shelley trabalhava como assistente pessoal. O Tom acabara de passar um ano e meio desempregado, depois de ter sido despedido. Agora, trabalhava para uma agência de viagens por um salário mais baixo do que o anterior. Com dois adolescentes em casa, não havia espaço, à primeira vista, para o Lou. Mas a Shelley e o Tom transformaram a sala num quarto, instalando uma cama, uma poltrona, o guarda-roupa do Lou e uma televisão de ecrã plano. O resto dos móveis foi vendido ou guardado numa arrecadação.

A coabitação exigiu ajustes. Rapidamente toda a gente percebeu porque é que as gerações preferem viver separadas. Pais e filhos inverteram os papéis e o Lou não gostou de não ser dono e senhor do seu espaço. Também deu por si a sentir-se mais sozinho do que esperava. Naquele *cul-de-sac* suburbano, não tinha companhia durante longos momentos do dia, nem um sítio aonde ir a pé, nem biblioteca, nem clube de vídeo, nem supermercado.

A Shelley tentou convencê-lo a participar num programa diurno para cidadãos idosos. Levou-o a um pequeno-almoço que organizaram. Ele não gostou nem um pouco. Ela soube que faziam viagens de vez em quando a Foxwoods, um casino a duas horas de Boston. Não era o preferido dele, mas concordou em ir. Ela ficou toda contente e esperava que ele fizesse amigos.

A Shelley disse-me: «Tive a sensação de que me estava a despedir de um filho à porta da camioneta», e provavelmente foi por essa mesma razão que o Lou não gostou da experiência. «Lembro-me de dizer: "Olá a todos. Este é o Lou. É a primeira vez que faz um passeio destes, por isso espero que todos o tratem bem".» Quando ele voltou, ela perguntou-lhe se tinha feito amizades. Não, disse ele. Limitou-se a jogar sozinho.

Aos poucos, porém, ele arranjou maneiras de se adaptar. A Shelley e o Tom tinham uma *Shar Pei* chinesa chamada *Beijing* e o Lou e a cadela tornaram-se fiéis companheiros. Ela dormia na cama dele à noite e sentava-se com ele, enquanto o Lou lia ou via televisão. Ele levava-a a passear. Se ela estivesse deitada na cadeira dele, ele ia à cozinha buscar outra para não a incomodar.

O Lou também arranjou companheiros humanos. Começou a cumprimentar o carteiro todos os dias e tornaram-se amigos. O carteiro jogava às cartas e começou a ir lá a casa todas as segundas-feiras para jogar na sua hora de almoço. A Shelley também contratara um rapaz chamado Dave para fazer um pouco de companhia ao Lou. Era o tipo de companhia pré-programada que está inevitavelmente condenada a falhar, mas – quem diria! – eles entenderam-se bem. O Lou também jogava às cartas com o Dave e o rapaz ia lá a casa duas ou três tardes por semana para estar com ele.

O Lou adaptou-se e partiu do princípio de que era assim que passaria o resto dos seus dias. Mas, enquanto ele conseguiu ajustar-se, a Shelley achou a situação cada vez mais insuportável. Tinha de trabalhar e cuidar da casa, e andava preocupada com os filhos, que estavam com dificuldades no liceu. E, como se isso não bastasse, tinha de tratar do pai, que era querido, mas assustadoramente frágil e dependente. Era um fardo enorme. As quedas, por exemplo, sucediam-se umas às outras. Ele estava no quarto ou na casa de banho ou a levantar-se da mesa da cozinha e, de repente, caía de quatro no chão como uma árvore derrubada. Num ano, foi levado de ambulância quatro vezes para as Urgências. Os médicos suspenderam a medicação para a doença de Parkinson, pensando que poderia ser a culpada pelas quedas. Mas isso serviu apenas para piorar os tremores e deixou-o ainda mais desequilibrado. Por fim, diagnosticaram-lhe hipotensão ortostática: uma maleita da velhice em que o corpo perde a capacidade de manter uma tensão arterial adequada à função cerebral durante mudanças de posição, como levantar-se. A única coisa que os médicos puderam fazer foi avisar a Shelley para estar ainda mais atenta a ele.

Ela descobriu que, à noite, o Lou tinha pesadelos. Sonhava com a guerra. Nunca combatera corpo a corpo, mas, nos seus sonhos, um inimigo atacava-o com uma espada, apunhalava-o ou decepava-lhe o braço. Eram pesadelos vívidos e aterradores. Ele agitava-se e gritava e batia na parede ao seu lado. A família ouvia-o de uma ponta à outra da casa: «Nããããão!» «O quê?» «Seu filho da mãe!»

«Nunca o tínhamos ouvido falar naqueles termos», disse a Shelley. Foram muitas as vezes em que ele não deixou a família dormir à noite.

O fardo da Shelley tornou-se cada vez mais pesado. Aos noventa anos, o Lou já não tinha o equilíbrio e a destreza necessários para tomar banho sozinho. A conselho de um programa de apoio aos idosos, a Shelley mandou instalar barras na casa de banho, uma sanita alta e uma cadeira de duche, mas isso só não chegava, portanto contratou uma auxiliar de saúde para a ajudar em casa com os banhos e outras tarefas. Mas o Lou não queria tomar banho durante o dia, quando a auxiliar podia ajudar. Queria tomar banho à noite, o que exigia a ajuda da Shelley. Por isso, todos os dias, ela teve de acrescentar mais essa tarefa à sua lista.

Passou-se o mesmo com a troca de roupa quando ele fazia chichi nas calças. Ele tinha problemas de próstata e, embora o médico lhe tivesse receitado medicamentos, continuava com problemas de pingos e fugas e a não conseguir chegar a tempo à casa de banho. A Shelley tentou convencê-lo a usar roupa interior descartável, mas ele recusou-se. «São fraldas», disse.

Os fardos eram grandes e pequenos. Ele não gostava da comida que ela fazia para o resto da família. Não se queixava, porém, limitava-se a não comer, por isso, ela teve de começar a fazer refeições à parte para ele. Ele ouvia mal e punha a televisão no quarto em altos berros. Eles fechavam-lhe a porta, mas ele não gostava, porque assim a cadela não podia entrar e sair à vontade. A Shelley estava capaz de o esganar. Por fim, arranjou uns auscultadores sem fio. O Lou detestava-os, mas ela obrigou-o a usá-los. «Salvaram a vida!», disse a Shelley. Não percebi se era a vida dela que os auscultadores tinham salvado ou a dele.

Cuidar de uma pessoa idosa e debilitada na nossa época medicalizada é um misto avassalador de tecnologia e proteção. O Lou estava a fazer uma série de medicações, que tinham de ser seguidas, organizadas e compradas sempre que as caixas chegavam ao fim. Tinha de ir às consultas de um pequeno pelotão de especialistas – por vezes, quase todas as semanas –, que lhe estavam constantemente a marcar análises, radiografias e consultas noutros especialistas. Ele dispunha de um sistema eletrónico de alerta em caso de queda, que era preciso testar todos os meses. E a Shelley praticamente não tinha quem a ajudasse. Na realidade, os fardos atuais de quem cuida de doentes e idosos aumentaram em relação ao que eram há um século. A Shelley transformara-se em porteira/*chauffeur*/gestora de horários/técnica de medicação e tecnologia, além de cozinheira/empregada doméstica/auxiliar, já para nem falar do emprego que tinha para ganhar a vida.

Auxiliares de saúde que cancelavam as visitas em cima da hora e mudanças de horários nas consultas médicas deram cabo do desempenho dela no trabalho e tudo dava cabo das emoções dela em casa. Só para poder passar uma noite fora com a família, em viagem, teve de contratar uma pessoa para ficar com o Lou e, mesmo assim, surgiu uma crise que lhe arruinou os planos. Uma vez, foi de férias para as Caraíbas com o marido e os filhos, mas teve de regressar ao fim de apenas três dias, porque o Lou precisava dela.

Sentiu que estava a perder a sanidade mental. Queria ser uma boa filha. Queria que o pai estivesse seguro e queria que ele fosse feliz. Mas também queria ter uma vida que conseguisse gerir. Uma noite, perguntou ao marido se deveriam procurar um lar para o pai. Sentiu vergonha de si própria só pelo facto de dar expressão a esse pensamento. Seria quebrar a promessa que fizera ao pai.

O Tom não foi uma grande ajuda. «Tu dás conta do recado», disse. «Ele também já não vai durar muito mais tempo.»

Duraria, sim. «Fui insensível às queixas dela», disse-me o Tom, em retrospetiva, passados três anos. A Shelley estava por um fio.

Ela tinha um primo que geria uma organização de cuidados para idosos. Ele recomendou que uma enfermeira fosse a casa da Shelley avaliar o Lou e conversar com ele, para a Shelley não ter de fazer de má da fita. A enfermeira disse ao Lou que, tendo em conta as suas necessidades crescentes, ele precisava de mais ajuda do que era possível receber em casa. Não devia passar tanto tempo sozinho durante o dia, explicou ela.

Ele olhou para a Shelley com ar de súplica e ela percebeu o que ele estava a pensar. Não podia ela deixar simplesmente de trabalhar e ficar com ele? A pergunta foi como um punhal espetado no peito. A Shelley desfez-se em lágrimas e disse-lhe que não lhe podia dar os cuidados de que ele necessitava... nem emocionalmente, nem financeiramente. Com relutância, ele aceitou que ela o levasse a visitar lares. Parecia que, assim que a velhice levava à debilidade, era impossível arranjar uma solução que deixasse toda a gente feliz.

O lugar que decidiram visitar não era uma casa de repouso mas, sim, um centro com assistência à autonomia. Atualmente, os centros com assistência são considerados uma espécie de intermediário entre a vida com autonomia e a vida num lar. Mas quando Keren Brown Wilson, uma das criadoras do conceito, construiu o seu primeiro centro para idosos com assistência à autonomia, no Oregon, na década de 1980, a sua intenção era criar um espaço que eliminasse por completo a necessidade de haver lares. Quis construir uma alternativa e não um centro intermediário. Wilson acreditava que podia construir um lugar onde as pessoas como o Lou Sanders podiam viver com liberdade e autonomia, por mais limitadas que se tornassem fisicamente. Achava que só porque uma pessoa é velha e frágil, não tem de se submeter à vida num asilo. Na sua mente, tinha uma visão de como conseguir dar às pessoas uma vida melhor. E essa visão tinha sido moldada pelas mesmas experiências – de dependência relutante e responsabilidade atormentada – com que o Lou e a Shelley estavam a braços.

Filha intelectual de um mineiro e de uma lavadeira da Virgínia Ocidental, nenhum dos quais tinha feito mais do que o oitavo ano, Wilson foi uma radical improvável. Quando andava no ensino básico, o pai morreu. Depois, quando tinha dezanove anos, a mãe, Jessie, sofreu um AVC devastador. Jessie tinha apenas cinquenta e cinco anos. O AVC deixou-a permanentemente paralisada de um lado do corpo. Já não conseguia andar ou estar de pé. Não conseguia levantar o braço. O rosto descaiu de um lado. A fala entaramelou-se. Embora a sua inteligência e perceção não tenham sido afetadas, ela não conseguia lavar-se, cozinhar, ir à casa de banho sozinha nem tratar da roupa, quanto mais fazer um trabalho remunerado. Precisava de ajuda. Mas Wilson era uma mera estudante universitária. Não tinha rendimentos, vivia num apartamento minúsculo que partilhava com uma colega e não podia tratar da mãe. Tinha irmãos, mas as condições deles não eram melhores do que as suas. Não havia alternativa para a Jessie, a não ser um lar. Wilson arranjou um perto da universidade onde estudava. Parecia um lugar seguro e acolhedor. Mas Jessie não parava de pedir à filha que a levasse para casa.

«Tira-me daqui», pedia ela, vezes sem conta.

Wilson interessou-se pelas políticas sociais para os idosos. Quando se licenciou, arranjou emprego nos serviços de assistência social a idosos do estado de Washington. À medida que os anos foram passando, Jessie mudou de lar várias vezes, para ficar perto ora de um, ora de outro filho. Não gostou de absolutamente nenhum dos lares. Entretanto, Wilson casou-se e o marido, sociólogo, incentivou-a a continuar os estudos. Ela foi aceite como aluna de doutoramento em Gerontologia, na Portland State University, no Oregon. Quando disse à mãe que ia estudar a ciência do envelhecimento, Jessie fez-lhe uma pergunta que Wilson diz que lhe mudou a vida: «Porque é que não fazes qualquer coisa para ajudar as pessoas como eu?»

«A visão dela era simples», escreveu Wilson, mais tarde.

Ela queria um espaço pequeno com uma cozinha modesta e uma casa de banho. Teria as suas coisas preferidas, incluindo o gato, os seus projetos inacabados, o *Vicks VapoRub*, uma cafeteira e cigarros. Haveria pessoas para a ajudar com as tarefas que não conseguia fazer sozinha. Nesse espaço imaginário, ela poderia trancar a porta, controlar a temperatura ambiental e ter os seus próprios móveis. Ninguém a obrigaria a levantar-se, desligaria a televisão quando estivessem a dar as suas telenovelas preferidas ou lhe estragaria a roupa. Também ninguém deitaria fora a sua «coleção» de jornais velhos e revistas e tesouros em segunda mão, por constituírem um perigo para a segurança. Teria privacidade sempre que lhe apetecesse e ninguém a obrigaria a vestir-se, tomar medicamentos ou participar em atividades que não quisesse. Voltaria a ser a Jessie, uma pessoa que vivia num apartamento, em vez de ser uma doente numa cama.

Wilson não soube o que fazer, quando a mãe lhe disse estas coisas. Os desejos da mãe pareceram-lhe simultaneamente razoáveis e – segundo as regras dos lugares onde vivera – impossíveis. Wilson tinha pena dos funcionários do lar, que trabalhavam arduamente para cuidarem da sua mãe e estavam simplesmente a fazer aquilo que se esperava deles, e sentia-se culpada por não poder, ela própria, ajudar mais. Enquanto fazia o doutoramento, a pergunta incómoda da mãe atormentou-a. Quanto mais estudava e investigava, mais se convencia de que os lares nunca aceitariam os moldes com que Jessie sonhava. As instituições foram concebidas ao pormenor para controlarem os seus residentes. O facto de este modelo ter sido projetado supostamente para a saúde e segurança dos residentes – para bem deles – fazia com que fossem lugares ainda menos esclarecidos e avessos à mudança. Wilson decidiu delinear por escrito uma alternativa que permitisse aos idosos debilitados manterem o máximo de controlo possível sobre os cuidados que recebiam, em vez de serem obrigados a deixar que esses cuidados os controlassem a eles.

A palavra-chave na mente dela era *casa*. A nossa casa é o único lugar onde as nossas prioridades imperam. Em nossa casa, *nós* decidimos como passamos o tempo, como partilhamos o espaço e como organizamos as nossas coisas. Fora de casa, não. Era esta perda de liberdade que pessoas como o Lou Sanders e a mãe de Wilson, Jessie, temiam.

Wilson e o marido sentaram-se à mesa da sala de jantar e começaram a delinear as características de um novo tipo de lar para idosos, um espaço como o que a mãe dela descrevera. Depois, tentaram arranjar alguém que o construísse e testasse para ver se resultava. Abordaram várias comunidades de reformados e construtores. Ninguém estava interessado. As ideias pareciam inviáveis e absurdas. Por isso, o casal decidiu construir o lar sem apoios.

Eram dois universitários que nunca tinham tentado nada desse género, mas aprenderam passo a passo. Trabalharam com um arquiteto para lhe explicar o projeto ao pormenor. Foram a banco atrás de banco pedir um empréstimo. Como isso não resultou, arranjaram um investidor privado que os apoiou, mas que exigiu que abdicassem de serem os sócios maioritários e aceitassem dar o seu aval pessoal em caso de fracasso. Eles assinaram o acordo. Depois, o estado do Oregon ameaçou não lhes conceder a licença de residência para idosos, porque o projeto estipulava que lá viveriam pessoas inválidas. Wilson correu todos os gabinetes estatais durante vários dias, até conseguir que abrissem uma exceção naquele caso. Por inacreditável que pareça, ela e o marido superaram todos os obstáculos. E, em 1983, a sua nova «residência com assistência» para os idosos – chamada Park Place – foi inaugurada em Portland.

Quando abriu, já Park Place se tinha tornado muito mais do que um mero projeto-piloto universitário. Era um grande empreendimento imobiliário, com 112 alojamentos, que foram ocupados quase de imediato. O conceito tinha tanto de apelativo como de radical.

Embora alguns dos residentes sofressem de invalidez profunda, nenhum deles era rotulado de «doente». Eram simplesmente moradores e eram tratados como tal. Tinham apartamentos privados com casa de banho com banheira, cozinha e uma porta da rua que se podia trancar (um pormenor que muitas pessoas tinham dificuldade em imaginar). Podiam ter animais de estimação e escolher a sua própria alcatifa e móveis. Controlavam a temperatura do apartamento, a comida e quem é que podia entrar no espaço deles e quando. Eram simplesmente pessoas a viverem em apartamentos, insistia Wilson, vezes sem conta. Mas, sendo idosos com incapacidades crescentes, tinham igualmente direito ao tipo de ajuda de que o meu avô dispusera, rodeado pela família. Tinham ajuda para lidar com o básico: alimentação, higiene pessoal, medicação. Havia uma enfermeira *in situ* e os residentes tinham uma campainha para chamar ajuda urgente a qualquer hora do dia e da noite. Havia também ajuda para manterem uma qualidade de vida como deve ser: ter companhia, preservar os seus contactos no mundo exterior, continuar com as atividades que mais apreciavam.

Os serviços eram, em quase todos os sentidos, iguais aos serviços disponibilizados pelos lares da terceira idade. Mas, ali, os auxiliares tinham a noção de que estavam a entrar em casa de uma pessoa e isso mudava por completo as relações de poder. Os residentes detinham o controlo sobre os horários, as regras, os riscos que queriam ou não correr. Se lhes apetecesse ficar a noite toda acordados e dormir durante o dia, se quisessem que um cavalheiro ou uma senhora dormissem no seu apartamento, se não quisessem tomar determinado medicamento que os deixava atordoados, se quisessem comer *pizza* e *M&M* apesar de terem dificuldade em engolir e lhes faltassem os dentes e os médicos dissessem que só deviam comer papas e purés... pois bem, eram livres de o fazer. E se a mente tivesse esmorecido ao ponto de já não conseguirem tomar decisões racionais, então a família – ou quem quer que eles tivessem designado – podia ajudar a negociar os termos dos riscos e escolhas que eram aceitáveis. No âmbito da «residência com assistência», como o conceito de Wilson ficou conhecido, o objetivo era nunca ninguém se sentir internado numa instituição.

O conceito foi imediatamente atacado. Muitos defensores de longa data da proteção dos idosos viram o projeto como fundamentalmente perigoso. Como é que os funcionários podiam manter as pessoas em segurança por detrás de portas trancadas? Como é que pessoas com incapacidades físicas e problemas de memória podiam ter autorização para lidar com fogões, facas de cozinha, álcool e afins? Quem é que se ia certificar de que os animais de estimação que elas escolhiam estavam seguros? Como é que se ia garantir que as alcatifas se mantinham limpas e livres de cheiros de urina e bactérias? Como é que os funcionários saberiam se a saúde de um residente se tinha alterado?

Eram perguntas legítimas. Uma pessoa que se recusa a cuidar da casa regularmente, fuma e come doces que podem causar uma crise diabética passível de uma ida ao hospital é uma pessoa vítima de negligência ou o arquétipo da liberdade? A linha que separa uma coisa da outra não é clara e as respostas que Wilson oferecia não eram simples. Ela e os seus funcionários assumiam a responsabilidade de arranjarem maneiras de garantir a segurança dos residentes. Ao mesmo tempo, a filosofia dela era criar um espaço onde os residentes mantivessem a autonomia e a privacidade das pessoas que vivem nas suas próprias casas: incluindo o direito de recusar regras estritas impostas por motivos de segurança ou conveniência institucional.

O Estado seguiu a experiência de perto. Quando o grupo se expandiu para um segundo local em Portland – este com 142 alojamentos e capacidade para idosos pobres dependentes da ajuda do governo –, o Estado exigiu que Wilson e o marido vigiassem a saúde, capacidades cognitivas, funções físicas e satisfação dos residentes. Em 1988, os resultados foram tornados públicos. Revelaram que os residentes não tinham, na realidade, trocado a sua saúde pela liberdade. A sua satisfação em relação às suas vidas aumentou e, ao mesmo tempo, o estado de saúde manteve-se. As suas funções físicas e cognitivas melhoraram inclusivamente. A incidência de depressão grave diminuiu. E o custo das pessoas que dependiam da ajuda do Estado era 20 por cento mais baixo do que teria sido num lar da terceira idade. O programa demonstrou ser um sucesso incontestável.

No centro do trabalho de Wilson estava uma tentativa de resolver um enigma enganadoramente simples: o que é que torna a vida gratificante quando uma pessoa está velha, frágil e incapaz de cuidar de si própria? Em 1943, o psicólogo Abraham Maslow publicou o seu artigo «A Theory of the Human Motivation» (Uma teoria da motivação humana), que foi extremamente influente e ficou famoso por descrever as pessoas como tendo uma hierarquia de necessidades, que é muitas vezes descrita como uma pirâmide. Na base estão as nossas necessidades básicas: o essencial para a sobrevivência fisiológica (comida, água e ar) e para a segurança (a lei e a ordem, a estabilidade). Um patamar acima está a necessidade de amor e de nos sentirmos integrados. Acima disso, está o nosso desejo de crescimento: a oportunidade de atingirmos objetivos pessoais, de dominarmos o conhecimento e aptidões, e de sermos reconhecidos e recompensados pelas nossas conquistas. Por fim, no topo, está o desejo daquilo a que Maslow chamou «autoatualização»: a realização pessoal através da busca de ideais morais e criatividade como fins em si próprios.

Maslow argumentava que a segurança e a sobrevivência continuam a ser os nossos objetivos primários e fundamentais na vida, e não o são menos quando as nossas capacidades e opções se tornam limitadas. Assim sendo, o facto de a política e a preocupação públicas com os lares da terceira idade se centrarem na saúde e na segurança é apenas o reconhecimento e manifestação desses objetivos. Parte-se do princípio de que são as grandes prioridades de toda a gente.

A realidade é, todavia, mais complexa. As pessoas dão rapidamente mostras de uma vontade de sacrificar a sua segurança e sobrevivência em nome de algo que vai além delas, tal como a família, o país ou a justiça. Independentemente da idade.

Além disso, as nossas motivações na vida, em vez de se manterem constantes, mudam muitíssimo ao longo do tempo e de maneiras que não encaixam verdadeiramente na hierarquia clássica de Maslow. Na juventude, as pessoas procuram uma vida de crescimento e autorrealização, tal como Maslow sugeriu. Crescer passa por nos abrirmos para o exterior. Procuramos novas experiências, ligações sociais mais latas e formas de deixarmos a nossa marca no mundo. Quando as pessoas chegam à última parte da idade adulta, porém, as suas prioridades mudam claramente. A maior parte reduz a quantidade de tempo e o esforço que gastam em busca de realização e relações sociais. Restringem a sua interação. Tendo escolha, os jovens preferem conhecer novas pessoas em vez de desfrutarem da companhia de um irmão, por exemplo; as pessoas de idade preferem o contrário. Estudos demonstram que à medida que as pessoas envelhecem, interagem com cada vez menos gente e concentram-se mais em estar com a família e com os amigos de longa data. Concentram-se em estar e não em fazer e no presente mais do que no futuro.

Compreender esta mudança é essencial para compreender a velhice. Uma série de teorias tem tentado explicar o porquê dessa mudança. Algumas defendem que reflete a sabedoria que advém de uma longa experiência de vida. Outras sugerem que é o resultado cognitivo de mudanças no tecido do cérebro envelhecido. Outras ainda argumentam que a mudança de comportamento é imposta aos idosos e não reflete realmente o que eles querem no fundo do coração. Restringem a sua interação, porque as limitações do declínio físico e cognitivo os impede de conquistar os objetivos que tinham antigamente ou porque o mundo os trava única e simplesmente por serem velhos. Em vez de lutarem, adaptam-se. Ou, usando uma expressão mais triste, desistem.

São poucos os investigadores nas últimas décadas que têm feito um trabalho tão criativo ou importante, na análise destes argumentos, como Laura Carstensen, psicóloga em Stanford. Num dos seus estudos mais influentes, ela e a sua equipa registaram as experiências emocionais de quase duzentas pessoas ao longo de vários anos. Os sujeitos abrangiam uma grande variedade de idades e meios socioculturais. (Iam dos dezoito aos noventa e quatro anos de idade, quando foram incluídos no estudo.) No início do estudo e, depois, de cinco em cinco anos, os investigadores pediram aos sujeitos para andarem com um *pager* vinte e quatro horas por dia durante uma semana. Ao longo dessa semana, recebiam trinta e cinco *pagers* a horas completamente diferentes a pedir para selecionarem, a partir de uma lista, todas as emoções que estavam a sentir naquele preciso momento.

Se a hierarquia de Maslow estivesse certa, então o estreitamento da vida seria contrário às maiores fontes de realização das pessoas e seria de esperar que elas se tornassem mais infelizes com a idade. Mas a investigação de Carstensen mostrou exatamente o oposto. Os resultados foram inequívocos. Em vez de se tornarem mais infelizes, as pessoas davam mostras de ter mais emoções positivas à medida que envelheciam. Tornavam-se menos propensas à ansiedade, depressão e raiva. Passavam por provações, sem dúvida, e mais momentos de emotividade, isto é, de emoções positivas e negativas à mistura umas com as outras. Mas, no geral, com o passar do tempo, consideravam a vida uma experiência mais gratificante, do ponto de vista emocional, e mais estável, inclusive quando a velhice lhes restringia o modo de vida.

Os resultados levantavam mais uma questão. Se mudamos, com a idade, e começamos a apreciar mais os prazeres e relações de todos os dias e menos o processo de conquistar, ter e obter, e se achamos isto mais gratificante, então porque é que demoramos tanto tempo a fazê-lo? Porque é que esperamos até sermos velhos? A perspetiva comum é que estas lições levam tempo a ser aprendidas. Viver é uma espécie de aptidão que se aprende. A calma e a sabedoria da velhice alcançam-se com o tempo.

Carstensen preferia uma explicação diferente. E se a mudança de necessidades e desejos não tiver nada que ver com a velhice por si só? E se tiver apenas que ver com uma questão de perspetiva: a nossa noção pessoal de que o nosso tempo neste mundo é finito? Esta ideia foi considerada nos círculos científicos como um pouco estranha, mas Carstensen tinha os seus próprios motivos para pensar que a perspetiva pessoal de cada um pode ser fundamentalmente importante: uma experiência no limiar da morte que mudou radicalmente o ponto de vista dela sobre a sua própria vida.

Corria o ano de 1974. Carstensen tinha vinte e um anos, um bebé em casa e um casamento já em fase de divórcio. Só tinha feito o liceu e levava uma vida que ninguém – muito menos ela – teria imaginado que desembocaria, um dia, numa carreira científica de renome. Mas, uma noite, deixou o bebé com os pais e saiu com amigos para se divertir e ir a um concerto dos Hot Tuna. No fim do espetáculo, enfiaram-se todos numa carrinha *VW* e, numa autoestrada algures à saída de Rochester, em Nova Iorque, o condutor, bêbado, atirou a carrinha por uma ribanceira abaixo.

Carstensen sobreviveu por um triz. Sofreu um traumatismo craniano grave, hemorragias internas e partiu vários ossos. Passou meses no hospital. «Foi uma cena de *cartoon*, deitada de barriga para cima, com a perna enfaixada e pendurada no ar», disse-me ela. «Tive muito tempo para pensar, passadas as primeiras três semanas, em que estive por um fio e inconsciente metade do tempo.

»Recuperei o suficiente para perceber que quase tinha perdido a vida e passei a ver de maneira completamente diferente o que era importante para mim. O que contava eram as outras pessoas na minha vida. Eu tinha vinte e um anos. Antes, as únicas coisas em que eu pensava eram: o que é que eu ia fazer a seguir na vida? Como é que me podia tornar uma pessoa de sucesso? Será que ia encontrar a alma gémea? Muitas perguntas deste estilo, que acho que são típicas de qualquer jovem de vinte e um anos.

«De repente, foi como se eu tivesse metido o travão a fundo. Quando analisei o que era importante para mim, percebi que eram coisas muito diferentes.»

Carstensen não percebeu de imediato até que ponto a sua nova perspetiva era semelhante à das pessoas de idade. Mas as outras quatro doentes na sua enfermaria eram mulheres idosas – com as pernas penduradas no ar depois de terem feito fraturas do fémur – e Carstensen sentiu afinidade com elas.

«Ali estava eu, deitada, rodeada de velhinhas», disse ela. «Tive oportunidade de as conhecer, de ver o que lhes estava a acontecer.» Reparou que as tratavam de uma maneira completamente diferente da forma como a tratavam a si. «Os médicos e fisioterapeutas vinham ver-me e trabalhavam comigo o dia inteiro, mas limitavam-se a fazer um aceno para a Sadie, a senhora que estava na cama ao lado da minha, quando iam a sair da enfermaria, e a dizer: "Continue que está no bom caminho, querida!" A mensagem era: a vida desta jovem tem potencial. A delas, não.»

«Foi esta experiência que me levou a estudar o envelhecimento», explicou Carstensen. Mas, na época, não teve a noção disso. «Naquela fase da minha vida, eu não estava minimamente numa trajetória para me tornar professora universitária em Stanford.» O pai dela, todavia, percebeu até que ponto ela estava entediada, no hospital, e aproveitou a oportunidade para a inscrever num curso numa faculdade local. Assistiu a todas as aulas, gravou-as e levou-lhe as cassetes. Ela acabou por tirar o seu primeiro curso universitário numa cama de hospital, numa enfermaria da Ortopedia.

Já agora, qual foi a primeira cadeira que fez? Introdução à Psicologia. Ali deitada na enfermaria, sentiu que estava a viver os fenómenos que andava a estudar. Desde o início, percebeu onde é que os especialistas estavam certos e onde é que se enganavam.

Quinze anos depois, quando já era professora universitária, a experiência levou-a a formular uma hipótese: a maneira como procuramos passar o tempo poderá depender da quantidade de tempo que achamos ter. Quando somos jovens e saudáveis, estamos convencidos de que vamos viver para sempre. Não nos preocupamos com a perda de qualquer uma das nossas capacidades. As pessoas dizem-nos «tens o mundo aos teus pés», «o céu é o limite» e por aí fora. E estamos dispostos a adiar a gratificação: a investir anos, por exemplo, na aquisição de aptidões e recursos para um futuro melhor. Tentamos mergulhar em correntes cada vez maiores de conhecimento e informação. Alargamos a nossa rede de amigos e relações, em vez de desfrutarmos da companhia da nossa mãe. Quando os horizontes são medidos em décadas, que é como se fosse uma eternidade para os seres humanos, o que mais desejamos é aquilo que vinha no topo da pirâmide de Maslow: realização pessoal, criatividade e outras características da «autoatualização». Mas à medida que os nossos horizontes se contraem – quando vemos o futuro à nossa frente como finito e incerto –, concentramo-nos no aqui e agora, nos prazeres de todos os dias e nas pessoas que nos são mais próximas.

Carstensen deu à sua hipótese o nome impenetrável de «teoria da seletividade socioemocional». A maneira mais simples de o dizer é que a perspetiva é importante. Ela levou a cabo uma série de experiências para testar a ideia. Numa, ela e a sua equipa estudaram um grupo de homens adultos com idades compreendidas entre os vinte e três e os sessenta e seis anos. Alguns dos homens eram saudáveis, mas alguns estavam infetados com o vírus do HIV e em fase terminal, com sida. Os sujeitos receberam um conjunto de fichas com descrições de pessoas que poderiam conhecer com diferente graus de proximidade emocional e que iam de familiares ao autor de um livro que tinham lido, e pediu-se-lhes que organizassem as fichas de acordo com o que sentiam perante a ideia de passarem meia hora com elas. Regra geral, quanto mais jovens eram os sujeitos, menos valor davam ao tempo passado com pessoas que lhes eram emocionalmente próximas e mais valorizavam o tempo com pessoas que fossem potenciais fontes de informação ou novas amizades. No entanto, entre os doentes, as diferenças de idades desapareciam. As preferências de um jovem com sida eram as mesmas que as de um idoso.

Carstensen tentou encontrar falhas na sua teoria. Noutra experiência, ela e a sua equipa estudaram um grupo de pessoas saudáveis com idades entre os oito e os noventa e três anos. Quando lhes perguntaram como gostariam de passar meia hora do seu tempo, as diferenças de idades foram muito claras nas respostas. Mas quando lhes pediram simplesmente para imaginar que estavam prestes a mudar-se para longe, as diferenças de idades voltaram a desaparecer. Os jovens fizeram as mesmas escolhas que os velhos. A seguir, os investigadores pediram-lhes para imaginarem que a Medicina tinha descoberto uma maneira de lhes dar mais vinte anos de vida. Uma vez mais, as diferenças de idades desapareceram, mas, desta vez, os velhos fizeram as mesmas escolhas que os jovens.

As diferenças culturais também não eram significativas. Os resultados numa população de Hong Kong eram idênticos aos de uma americana. A perspetiva era a única coisa que importava. Um ano depois de a equipa ter terminado o estudo em Hong Kong, chegou a notícia de que o controlo político do país ia passar para a China. As pessoas foram assoladas por uma ansiedade terrível sobre o que lhes ia acontecer, a elas e às suas famílias, sob o domínio chinês. Os investigadores viram aqui uma oportunidade e repetiram o inquérito. Claro está que constataram que as pessoas tinham restringido a sua rede de contactos sociais ao ponto de as diferenças de objetivos entre novos e velhos terem desaparecido. Um ano depois da transferência de poder, quando as incertezas já tinham esmorecido, a equipa repetiu o inquérito. As diferenças de idades reapareceram. Fizeram o estudo novamente depois dos ataques do 11 de Setembro nos Estados Unidos e durante a epidemia de gripe aviária que se espalhou por Hong Kong na primavera de 2003, matando trezentas pessoas no espaço de semanas. Em cada caso, os resultados foram consistentes. Quando, para usar a expressão dos investigadores, «a fragilidade da vida vem à tona», os objetivos e motivos das pessoas na sua vida do dia-a-dia mudam por completo. É a perspetiva, e não a idade, que realmente importa.

Tolstoi reconheceu isto. À medida que a saúde de Ivan Ilitch se debilita e ele percebe que o seu tempo é limitado, a sua ambição e vaidade desaparecem. Ele quer simplesmente conforto e companheirismo, mas quase ninguém compreende isso: nem a família, nem os amigos, nem a fiada de médicos conceituados a quem a sua mulher paga para o examinarem.

Tolstoi apercebeu-se do abismo em termos de perspetiva entre quem tem de lidar com a fragilidade da vida e quem não tem. Captou a angústia especial de se ter de suportar esse conhecimento sozinho. Mas viu igualmente mais qualquer coisa: mesmo quando a noção da mortalidade reorganiza os nossos desejos, esses desejos não são impossíveis de satisfazer. Embora nenhum dos familiares, amigos ou médicos de Ivan Ilitch compreenda as suas necessidades, o criado Gerasim percebe. Gerasim vê que Ilitch é um homem em sofrimento, assustado e sozinho, e tem pena dele, ciente de que, um dia, ele próprio terá o mesmo destino do seu senhor. Enquanto os outros evitam Ivan Ilitch, Gerasim conversa com ele. Quando Gerasim descobre que a única posição que alivia as dores de Ilitch é com as pernas escanzeladas em cima dos ombros dele, senta-se assim a noite inteira para que Ilitch fique confortável. Não se importa com o seu papel, nem sequer quando tem de carregar Ilitch para a sanita e limpá-lo no fim. Oferece os seus cuidados sem segundas intenções e sem embustes, e não impõe quaisquer objetivos para além dos que Ivan Ilitch deseja. Isto faz toda a diferença na vida em declínio de Ilitch:

> Gerasim fazia tudo com fluidez, boa vontade, simplicidade e com uma boa disposição que comovia Ivan Ilitch. Saúde, força e vitalidade noutras pessoas eram-lhe ofensivas, mas a força e a vitalidade de Gerasim não lhe feriam os sentimentos; reconfortavam-no.

Este serviço simples, mas profundo – compreender a necessidade que um homem moribundo tinha dos confortos do dia-a-dia, de companhia, de ajuda para alcançar os seus objetivos modestos – é precisamente aquilo que ainda falta de maneira tão gritante, passado mais de um século. Era isto que a Alice Hobson precisava, mas não conseguiu encontrar. E foi isto que a filha do Lou Sanders, ao longo de quatro anos cada vez mais cansativos, descobriu que já não era capaz de dar sozinha. Mas, com o conceito de residência com assistência, Keren Brown Wilson conseguiu integrar essa ajuda vital num lar.

A ideia espalhou-se espantosamente depressa. Por volta de 1990, com base nos êxitos de Wilson, o estado do Oregon lançou uma iniciativa para promover a construção de mais lares como os dela. Wilson trabalhou com o marido no sentido de reproduzirem o seu modelo e ajudarem outros empreendedores a fazer o mesmo. Encontraram um mercado à medida. As pessoas mostraram estar dispostas a pagar somas consideráveis para não acabarem os seus dias numa casa de repouso e vários estados aceitarem cobrir os custos dos idosos pobres.

Pouco depois, Wilson recorreu a Wall Street para arranjar capital para construir mais residências. A sua empresa, Assisted Living Concepts, foi cotada na Bolsa. Apareceram outras com nomes como Sunrise, Atria, Sterling e Karrington, e as residências com assistência tornaram-se a forma de alojamento para idosos em mais rápida expansão no país. Em 2000, já Wilson tinha transformado os seus menos de cem funcionários em mais de três mil. Geria 184 residências em dezoito estados. Em 2010, o número de pessoas em residências com assistência à autonomia aproximava-se do número em casas de repouso.

Mas, pelo caminho, aconteceu uma coisa inquietante. O conceito de residência com assistência tornou-se tão popular que os empreiteiros começaram a espetar o nome em praticamente toda e qualquer obra. A ideia sofreu uma mutação e de alternativa radical às casas de repouso transformou-se numa profusão de versões diluídas, com menos serviços. Wilson apresentou as suas preocupações ao Congresso e falou pelo país fora sobre a sua inquietação crescente perante a maneira como a ideia estava a evoluir.

«Como havia um desejo generalizado de adotar a designação, de repente "residência com assistência à autonomia" era uma ala redecorada de uma casa de repouso, ou uma pensão com dezasseis camas a tentar atrair clientes particulares», queixou-se ela. Por mais que tentasse preservar a sua filosofia de base, eram muito poucas as pessoas que partilhavam desse seu zelo.

A residência com assistência tornou-se, com frequência, um mero ponto de passagem entre uma vida com autonomia e uma casa de repouso. Tornou-se parte da ideia, agora generalizada, de uma «continuidade de cuidados», que parece uma coisa perfeitamente positiva e lógica, mas perpetua condições que tratam os idosos como se fossem crianças da pré-primária. A preocupação com a segurança e com os processos em tribunal limitava cada vez mais o que as pessoas podiam ter nos seus apartamentos com assistência, impunha as atividades em que elas deviam participar e definia condições cada vez mais severas que, se não fossem cumpridas, faziam com que um residente recebesse «alta» e fosse transferido para um lar. A linguagem da Medicina, com as suas prioridades na segurança e sobrevivência, estava novamente a tomar as rédeas do poder. Wilson fez ver, furiosa, que até às crianças permitimos que corram mais riscos do que aos idosos. Pelo menos as crianças têm direito a baloiços e estruturas para treparem e se pendurarem.

Um inquérito efetuado a mil e quinhentas residências com assistência, publicado em 2003, constatou que apenas 11 por cento ofereciam simultaneamente privacidade e serviços suficientes para que as pessoas debilitadas pudessem permanecer como residentes. A ideia de residência com assistência como alternativa às casas de repouso tinha praticamente morrido. Até a direção da empresa da própria Wilson – tendo reparado que muitas outras empresas estavam a seguir um rumo mais fácil e menos dispendioso – começou a pôr em causa os padrões e a filosofia dela. Wilson queria construir edifícios mais pequenos, em povoações mais pequenas, onde as pessoas de idade não tinham alternativa aos lares, e queria alojamento para idosos com baixos rendimentos dependentes do Medicaid. Mas a opção mais lucrativa era edifícios maiores, em cidades maiores, sem clientes de baixos rendimentos nem serviços avançados. Ela criara a residência com assistência para ajudar pessoas como a mãe, Jessie, a viverem uma vida melhor e mostrara que o conceito podia ser lucrativo. Mas a direção da empresa e Wall Street queriam seguir o caminho do lucro. A guerra dela assumiu proporções tais que, em 2000, abandonou o cargo de CEO e vendeu todas as suas ações da empresa que ela própria criara.

Passou mais de uma década, desde então. Keren Wilson tornou-se uma mulher de meia-idade. Quando falei com ela, há pouco tempo, achei que o seu sorriso de dentes tortos, ombros descaídos, óculos para ler e cabelo branco a faziam parecer mais uma avó intelectual do que a empresária revolucionária que fundou uma indústria mundial. Eterna gerontologista, ela entusiasma-se quando a conversa se desvia para perguntas do foro da investigação e fala de uma maneira precisa. Faz lembrar, no entanto, o tipo de pessoa que está constantemente a braços com problemas grandes e aparentemente impossíveis. A empresa fez dela e do marido um casal abastado e, com a sua fortuna, criaram a Fundação Jessie F. Richardson, o nome da mãe, para dar continuidade ao trabalho de transformar os cuidados para os idosos.

Wilson passa grande parte do seu tempo nos condados mineiros da Virgínia Ocidental, onde nasceu, em povoações como Boone, Mingo e McDowell. A Virgínia Ocidental tem uma das populações mais idosas e pobres do país. Como acontece em quase todo o mundo, é um lugar onde os jovens se veem obrigados a partir em busca de melhores oportunidades e os idosos ficam para trás. Aí, nos espaços onde cresceu, Wilson ainda está a tentar descobrir como é que as pessoas comuns podem envelhecer sem terem de escolher entre o abandono e a institucionalização. Continua a ser uma das questões mais incómodas que enfrentamos.

«Gostava que soubesse que adoro o conceito de residência com assistência», disse ela, e repetiu: «*Adoro* o conceito de residência com assistência.» O conceito tinha criado a certeza e a expectativa de que podia haver uma coisa melhor do que uma casa de repouso, explicou ela, e ainda assim era. Nenhuma criação de sucesso evolui exatamente como o seu criador queria. É como um filho: nem sempre cresce da maneira como queríamos. Mas Wilson continua a encontrar espaços onde a sua intenção original se mantém viva.

«Adoro quando o conceito de residência com assistência funciona», disse ela.

O problema é que, na maior parte dos centros, não funciona.

Para o Lou Sanders, não funcionou. A Shelley teve a sorte de arranjar uma residência com assistência perto de casa que o aceitou, apesar dos seus parcos recursos financeiros. Ele já quase não tinha economias e a maior parte dos outros centros exigia o pagamento de uma entrada de centenas de milhares de dólares. O lar que ela arranjou para o Lou recebia subsídios do Estado que o tornavam comportável. Tinha um agradável alpendre, paredes pintadas de fresco, um átrio com muita luz, uma biblioteca bonita e apartamentos relativamente espaçosos. Parecia convidativo e profissional. A Shelley gostou desde a primeira visita, mas o Lou ofereceu resistência. Olhou à sua volta e não viu uma única pessoa sem um andarilho.

«Vou ser a única pessoa sem andarilho», disse ele. «Isto não é para mim.» Voltaram para casa.

Pouco depois, todavia, ele deu mais uma queda. Caiu desamparado num parque de estacionamento e bateu com força com a cabeça no asfalto. Ficou uns instantes inconsciente. Internaram-no no hospital para observação. Depois disso, aceitou que as coisas tinham mudado. Deixou a Shelley pô-lo na lista de espera da residência com assistência. Surgiu uma vaga pouco antes do seu nonagésimo segundo aniversário. Se não aceitasse o lugar, disseram-lhe, voltaria para o fim da lista. Ele viu-se obrigado a ceder.

Depois da mudança, ele não ficou com raiva da Shelley, mas provavelmente ela teria achado mais fácil lidar com a raiva. Ele entrou em depressão, e que pode um filho fazer perante isso?

A Shelley sentiu que uma parte do problema era simplesmente a dificuldade em lidar com a mudança. Com aquela idade, o Lou não aceitava bem a mudança. Mas teve a sensação de que havia mais qualquer coisa para lá disso. O Lou parecia perdido. Não conhecia uma única alma e quase não havia homens à vista. Ele olhava em redor, a pensar: o que é que um tipo como eu faz aqui, preso num lugar como este, com as suas oficinas de missangas, tardes de decoração de quadros e a sua biblioteca atulhada de livros da Danielle Steel? Onde estava a sua família, ou o seu amigo carteiro, ou *Beijing*, a sua adorada cadela? Ele não se encaixava. A Shelley perguntou à responsável pelas atividades se podia organizar algumas que fossem mais adequadas para o sexo masculino, por exemplo, um clube de leitura. Pff, como se isso servisse para alguma coisa!, foi a resposta.

O que mais incomodou a Shelley foi a falta de curiosidade dos funcionários em relação ao que era importante para o Lou na vida e àquilo de que fora obrigado a abdicar. Nem sequer reconheciam a sua ignorância nesse campo. Podiam chamar ao serviço que ofereciam «residência com assistência», mas ninguém parecia achar que fazia parte do seu trabalho dar assistência ao Lou: arranjar uma maneira de o ajudar a preservar as relações e alegrias que mais lhe eram importantes na vida. A atitude deles parecia ser fruto da incompreensão e não propriamente da crueldade, mas, como Tolstoi teria dito, na realidade, que diferença é que isso faz?

O Lou e a Shelley arranjaram uma solução de compromisso. Ela levava-o para casa de domingo até terça-feira, para ele estar com a família. Assim, ele tinha algo que lhe dava alento todas as semanas e ela sentia-se melhor consigo própria. Pelo menos, durante dois dias por semana ele desfrutava da vida de que gostava.

Perguntei a Wilson porque é que o conceito de residência com assistência ficava tantas vezes aquém do prometido. Ela enumerou várias razões. Primeira: ajudar verdadeiramente as pessoas na vida «é mais difícil de fazer na prática do que na teoria» e é difícil conseguir que os funcionários dos centros compreendam o que isso realmente implica. Ela deu o exemplo de ajudar uma pessoa a vestir-se. Idealmente, deixamos as pessoas fazerem o que podem, preservando assim as suas capacidades e noção de independência. Mas, disse ela: «Vestir uma pessoa é mais fácil do que deixá-la vestir-se sozinha. Demora menos tempo. Dá menos maçada.» Portanto, a menos que incentivar as capacidades das pessoas se torne uma prioridade, os funcionários acabam sempre por vestir os residentes como se fossem bonecas de trapos. Aos poucos, é assim que tudo começa a desmoronar. As tarefas acabam por se tornar mais importantes do que as pessoas.

Para complicar as coisas, não temos uma boa bitola para medir o sucesso de um centro em termos da assistência que presta às pessoas. Em contrapartida, temos classificações muito precisas para a saúde e a segurança. Posto isto, é fácil adivinhar o que chama a atenção das pessoas que gerem centros para idosos: se o pai emagrece, se se esquece de tomar a medicação ou dá uma queda, e não se se sente sozinho.

O mais frustrante e importante de tudo, disse Wilson, é que as residências com assistência não são propriamente construídas em prol dos idosos e sim dos seus filhos. São geralmente os filhos que decidem onde é que os idosos vão morar e isso vê-se na maneira como estes centros anunciam os seus serviços. Tentam criar aquilo a que os técnicos de *marketing* chamam «a imagem»: a entrada bonita como a de um hotel, por exemplo, que chamou a atenção da Shelley.

Apregoam a sala de computadores, o ginásio e as idas a concertos e museus, coisas que estão muito mais em sintonia com aquilo que uma pessoa de meia-idade quer para um progenitor do que o progenitor deseja para si próprio. Acima de tudo, vendem a ideia de serem centros seguros. Raramente vendem a ideia de serem lugares onde o mais importante é a maneira como uma pessoa quer viver acima de tudo. Porque, muitas vezes, é precisamente a rabugice e a obstinação dos idosos sobre o que querem na vida que levam os filhos a propor aos pais uma visita a estes centros. Neste aspeto, as residências com assistência tornaram-se iguais aos lares da terceira idade.

Wilson contou que uma colega lhe disse, uma vez: «Queremos autonomia para nós próprios e segurança para as pessoas que amamos.» Este continua a ser o principal problema e paradoxo dos debilitados. «Muitas das coisas que queremos para as pessoas que amamos são coisas às quais nos oporíamos veementemente, porque violariam a nossa noção de identidade.»

Ela atribui uma parte da culpa aos idosos. «As pessoas de idade são, até certo ponto, responsáveis por isto, porque delegam nos filhos a tomada de decisões. Por um lado, é uma ideia preconcebida sobre a velhice e a fragilidade, mas, por outro, é também uma maneira de os mais velhos criarem laços com os filhos, como se lhes dissessem: "Bom, agora és tu que mandas".»

Mas, disse ela: «São raros os filhos capazes de pensar: "Será que a mãe quereria ou gostaria de viver neste centro, será disto que ela precisa?" A maior parte das vezes, veem as coisas do seu próprio ponto de vista.» O filho interroga-se: «Será que *eu* me sentiria confortável em deixar a mãe neste centro?»

O Lou ainda não estava na residência com assistência há um ano, quando o centro se tornou inadequado para ele. No início, ele tentara tirar o melhor partido da residência. Descobriu o único homem judeu além dele que lá vivia, um indivíduo chamado George, e entenderam-se bem. Jogavam às cartas e todos os sábados iam à sinagoga, um ritual que o Lou se esforçara a vida inteira por evitar. Várias senhoras interessaram-se por ele, o que ele ignorava, em geral. Mas nem sempre. Uma noite, organizou uma festinha no seu apartamento, na qual participaram duas das suas admiradoras, e abriu uma garrafa de conhaque que lhe tinham oferecido.

«Depois, o meu pai desmaiou e bateu com a cabeça no chão e foi parar às Urgências», contou a Shelley. Ele brincava com isso, quando teve alta. «Vejam só», lembrava-se ela de o ter ouvido dizer. «Convido as senhoras para minha casa e, depois, basta uma bebidita e desmaio.»

Com os três dias que passava em casa da Shelley todas as semanas e os pedaços de vida que conseguia reconstituir no resto da semana – apesar do desinteresse da residência –, o Lou estava a dar-se bem. Demorara meses a chegar a esse ponto, mas, aos noventa e dois anos, reconstruíra gradualmente uma vida quotidiana que lhe agradava.

O seu corpo, todavia, recusou-se a cooperar. A hipotensão ortostática agravou-se e ele começou a desmaiar com mais frequência e não só quando tomava um conhaque. Podia acontecer de dia ou de noite, enquanto andava ou se levantava da cama. Houve várias idas ao hospital e visitas ao médico para tirar radiografias. As coisas chegaram a um ponto em que o Lou já não conseguia atravessar o comprido corredor e meter-se no elevador para ir almoçar e jantar ao refeitório. Todavia, continuou a recusar-se a usar um andarilho. Era uma questão de orgulho. A Shelley teve de lhe rechear o frigorífico com comida preparada que ele pudesse aquecer no micro-ondas.

Deu por si a preocupar-se novamente com ele a toda a hora. Ele não andava a comer como devia. A memória estava cada vez pior. E apesar das visitas regulares de auxiliares de saúde, de dia e de noite, o Lou passava a maior parte do tempo sentado no quarto, sozinho. Ela sentia que ele não estava a ser suficientemente vigiado para o estado de fragilidade em que se encontrava. Teria de o mudar para outro lugar qualquer, com cuidados vinte e quatro sobre vinte e quatro horas.

Visitou uma casa de repouso ali perto. «Por acaso até era uma das mais agradáveis», disse. «Era limpa.» Mas era uma casa de repouso. «As pessoas estavam afundadas nas suas cadeiras de rodas, todas alinhadas ao longo dos corredores. Achei horrível.» Era o tipo de lugar, disse ela, que o pai mais temia. «Ele não queria ver a sua vida reduzida a uma cama, cómoda, televisor minúsculo e metade de um quarto com uma cortina a separá-lo de outra pessoa.»

Mas, continuou ela, ao sair do lar, pensou: «Tenho de fazer isto.» Por horrível que parecesse, ela teria de o instalar ali.

Porquê?, perguntei.

«Para mim, a segurança era crucial. Vinha antes de tudo o resto. Eu tinha de pensar na segurança dele», disse ela. Keren Wilson tinha razão sobre a maneira como as coisas se processam. Por amor e devoção, a Shelley sentia que não tinha alternativa, a não ser interná-lo num lugar que ele detestava.

Pressionei-a. Porquê? Ele tinha-se adaptado ao centro onde estava. Tinha reconstruído os pedaços de uma vida: um amigo, uma rotina, algumas coisas que ainda gostava de fazer. Era verdade que não estava tão seguro como numa casa de repouso. Continuava com medo de dar uma queda e de ninguém o encontrar a tempo de o salvar. Mas estava mais feliz. E dadas as suas opções, ele escolheria o lugar que o fazia mais feliz. Então, porquê escolher outra coisa?

Ela não soube o que responder. Tinha dificuldade em imaginar outra solução. Ele precisava de alguém que tomasse conta dele. Não estava em segurança. Devia ela realmente deixá-lo no centro, naquelas condições?

Portanto, é assim que as coisas se desenrolam. Na ausência daquilo com que pessoas como o meu avô podiam contar – uma grande família alargada sempre ao dispor para que ele pudesse fazer as suas próprias escolhas –, resta aos nossos idosos uma existência institucional, controlada e supervisionada, uma resposta medicamente concebida para lidar com problemas sem resolução, uma vida concebida para ser segura, mas vazia, destituída de tudo aquilo que eles valorizam.

CAPÍTULO 5

Uma vida melhor

Em 1991, na pequenina povoação de New Berlin, no norte do estado de Nova Iorque, um jovem médico chamado Bill Thomas levou a cabo uma experiência, sem saber muito bem o que estava a fazer. Tinha trinta e um anos, terminara o internato em Clínica Geral há menos de dois anos e acabara de aceitar um novo emprego como diretor clínico da Casa de Repouso Chase Memorial, um lar com oitenta residentes idosos profundamente incapacitados. Cerca de metade tinha incapacidades físicas; quatro em cada cinco sofria de Alzheimer ou de outras formas de incapacidade cognitiva.

Até aí, Thomas trabalhara nas Urgências de um hospital vizinho, que era praticamente o oposto de um lar. As pessoas chegavam às Urgências com problemas discretos e reparáveis: uma perna partida, por exemplo, ou uma amora entalada no nariz. Se um paciente tinha problemas maiores e mais de fundo – se, por exemplo, a perna partida tivesse sido causada por demência –, o trabalho dele era ignorar essas questões de fundo ou mandar a pessoa para um sítio especializado que lidasse com elas, como uma casa de repouso. Thomas encarou esse seu novo cargo de diretor clínico como uma oportunidade para fazer algo de diferente.

Os funcionários de Chase Memorial não viam nada de especialmente problemático no lar, mas Thomas, com o seu olhar de recém--chegado, viu desespero em todos os quartos. O lar deprimiu-o e ele quis resolver isso. A princípio, tentou fazê-lo da maneira que, sendo médico, melhor conhecia. Vendo os residentes tão destituídos de ânimo e energia, pensou que talvez estivessem sob o efeito de alguma maleita insuspeita ou de uma combinação inadequada de medicamentos. Decidiu, por conseguinte, fazer exames físicos aos residentes, pedir análises e alterar as medicações. Mas, depois de várias semanas de investigações e alterações, pouco conseguira além de agravar as faturas médicas e dar com as enfermeiras em doidas. A diretora das enfermeiras falou com ele e pediu-lhe para não se intrometer mais.

«Eu estava a confundir cuidados com tratamento», disse-me.

Todavia, não desistiu. Começou a pensar que o ingrediente que faltava no lar era a própria vida e decidiu fazer uma experiência para injetar vida naquele espaço. A ideia que lhe veio à mente tinha tanto de louca e ingénua como de brilhante. O facto de ter conseguido convencer os residentes e os funcionários a alinharem foi um pequeno milagre.

Mas, para compreender a ideia – incluindo como surgiu e como é que ele a pôs em prática –, é preciso compreender umas quantas coisas sobre Bill Thomas. A primeira coisa é que, em criança, Thomas ganhou todos os concursos de vendas da escola. Os professores mandavam as crianças vender velas ou revistas ou chocolates porta a porta, em prol dos escuteiros ou de uma equipa de desporto, e ele levava invariavelmente para casa o prémio de melhor vendedor. Também ganhou umas eleições para presidente da associação de estudantes do liceu. Foi eleito capitão da equipa de atletismo. Quando queria, conseguia vender tudo e mais alguma coisa, incluindo a si próprio.

Ao mesmo tempo, era um péssimo aluno. Tinha umas notas terríveis e discussões constantes com os professores por não fazer os trabalhos que eles mandavam. Não é que não os conseguisse fazer. Thomas era um leitor voraz e um autodidata, o tipo de rapaz disposto a aprender trigonometria sozinho para poder construir um barco (e assim fez). O problema é que não lhe interessava minimamente o trabalho que os professores exigiam dele e não hesitava em o dizer na cara deles. Se fosse hoje, seria diagnosticado com transtorno de oposição e desafio. Na década de 1970, levou simplesmente com o rótulo de problemático.

As duas facetas da personalidade dele – o vendedor e o chato contestatário – pareciam estar relacionadas na origem. Perguntei a Thomas qual era a sua técnica especial de vendas em miúdo. Ele disse que não tinha nenhum método. «Estava simplesmente pronto para levar com um não. É isso que nos permite ser um bom vendedor. Temos de estar prontos para levar com um não.» Era uma característica que lhe permitia persistir até conseguir o que queria e evitar tudo o que não queria.

Durante muito tempo, porém, ele não sabia o que queria. Crescera no condado ao lado de New Berlin, num vale nos arredores da povoação de Nichols. O pai era operário fabril e a mãe telefonista. Nenhum tinha frequentado a universidade, nem esperavam que Bill Thomas o fizesse. Quando acabou o liceu, estava na calha para entrar num programa de formação sindicalista. Mas uma conversa casual com o irmão mais velho de um amigo, que tinha vindo a casa nas férias da faculdade e lhe falou na cerveja, nas miúdas e na boa vida, fê-lo repensar o futuro.

Inscreveu-se no SUNY Cortland, um instituto superior estatal da região. Aí, houve qualquer coisa que o motivou inesperadamente. Talvez tenha sido o facto de um dos professores do liceu se ter despedido dele dizendo que, antes do Natal, já Thomas estaria de volta a trabalhar numa bomba de gasolina. Fosse o que fosse, ele foi muito mais longe do que alguém alguma vez pensara, fazendo as cadeiras todas, assegurando uma média de 90 por cento e sendo novamente eleito presidente da associação de estudantes. Entrara para o instituto a pensar tornar-se eventualmente professor de ginástica, mas nas aulas de Biologia começou a achar que talvez Medicina fosse o curso para si. Acabou por ser o primeiro aluno de Cortland a entrar para a Faculdade de Medicina de Harvard.

Adorou Harvard. Podia ter entrado na universidade de pé atrás: o miúdo da classe operária que queria provar que era o oposto daqueles snobes, com as suas educações em colégios particulares e contas bancárias de meninos ricos. Mas não o fez. Para ele, a faculdade foi uma revelação. Adorou estar com pessoas que nutriam uma paixão tão grande pela ciência, pela medicina, por tudo.

«Uma das minhas coisas preferidas na faculdade era o facto de jantar com um grupo, todas as noites, na cafetaria do hospital Beth Israel», contou-me. «Passávamos duas horas e meia a discutir casos... era muito intenso e muito bom.»

Também adorava estar num sítio onde as pessoas acreditavam que ele seria capaz de grandes feitos. Professores nobelizados iam à faculdade dar aulas, inclusive aos sábados de manhã, porque esperavam que ele e os colegas aspirassem a ser os melhores.

Nunca sentiu necessidade, todavia, de conquistar a aprovação de ninguém. Os professores tentaram recrutá-lo para os seus programas de especialização, lecionados em hospitais conceituados, ou para os seus laboratórios de investigação. Em vez disso, ele optou por fazer um internato em Clínica Geral em Rochester, Nova Iorque. Não era propriamente aquilo a que Harvard chamaria aspirar a grandes feitos.

Regressar a casa no norte do estado de Nova Iorque fora o objetivo dele desde o início. «Sou um provinciano», disse-me ele. Na realidade, os seus quatro anos em Harvard foram os únicos em que viveu fora da região. Nas férias, costumava ir de bicicleta de Boston até Nichols e vice-versa, um trajeto de 530 quilómetros em cada sentido. Ele gostava da sua autossuficiência, de montar a tenda em pomares e campos à beira da estrada, ao acaso, e arranjar comida onde calhasse. A Clínica Geral atraía-o pelo mesmo motivo: podia ser independente, exercer sozinho.

A meio do internato, quando já tinha poupado algum dinheiro, comprou um terreno agrícola perto de New Berlin, pelo qual costumava passar nos seus trajetos de bicicleta, sonhando em adquiri-lo, um dia. Quando terminou o internato, já o trabalho da terra se tornara a sua verdadeira paixão. Abriu um consultório, mas rapidamente optou por ir trabalhar para as Urgências, porque os horários eram previsíveis, por turnos, o que lhe permitia dedicar o resto do tempo à quinta. Estava empenhado na quinta e em ser completamente autossuficiente. Construiu uma casa com as suas próprias mãos e com a ajuda de amigos. Cultivava a maior parte dos alimentos que consumia. Usava o vento e a energia solar para gerar eletricidade. Vivia completamente desligado da rede pública, ao sabor do clima e das estações. Por fim, ele e Jude, uma enfermeira com quem se casou, alargaram a quinta a mais de 160 hectares. Tinham gado, cavalos de tiro, galinhas, uma cave para armazenar legumes, uma serração e uma refinaria de açúcar, já para não falar em cinco filhos.

«Eu sentia que estava realmente a viver a vida mais autêntica e verdadeira que podia», explicou Thomas.

Nessa fase, ele era mais agricultor do que médico. Usava uma barba à lenhador e era mais propenso a usar um fato-macaco por baixo da bata branca do que uma gravata. Mas os horários das Urgências eram esgotantes. «Basicamente, fartei-me de fazer tantas noites», disse.

Por isso, aceitou o emprego no lar de idosos. Era um emprego diurno. Os horários eram regulares. Não podia ser difícil, pois não?

Desde o primeiro dia de trabalho, Thomas sentiu a diferença gritante entre a vida de abundância, inebriante e próspera, que levava na quinta, e a vida institucionalizada e fechada, desprovida de alegria, que se lhe deparava sempre que ia trabalhar. O que via incomodava-o. As enfermeiras disseram que acabaria por se habituar, mas ele não conseguia e, na realidade, não queria ser cúmplice do que via. Tiveram de passar alguns anos para que conseguisse exprimir plenamente o porquê, mas sentia no seu âmago que as condições de vida na Casa de Repouso Chase Memorial contradiziam fundamentalmente o seu ideal de autossuficiência.

Thomas acreditava que uma vida boa era uma vida com o máximo de independência possível. Mas era precisamente isso que era negado às pessoas na casa de repouso. Ele travou conhecimento com os residentes do lar. Tinham sido professores, comerciantes, donas de casa e trabalhadores fabris, exatamente como as pessoas que ele conhecera na sua terra. Estava convencido de que era possível dar-lhes uma vida melhor. Por isso, agindo em grande parte com base na intuição, decidiu injetar vida no lar da mesma maneira que fizera em sua casa: levando literalmente vida para dentro do lar. Se introduzisse plantas, animais e crianças nas vidas dos residentes – enchendo o lar – o que é que aconteceria?

Foi ter com a direção de Chase Memorial. Propôs que patrocinassem a sua ideia, candidatando-se a uma pequena bolsa do estado de Nova Iorque que estava disponível para projetos inovadores. Roger Halbert, o administrador que contratou Thomas, gostou da ideia na teoria e estava disposto a experimentar uma coisa nova. Há vinte anos que fazia de tudo para que Chase Memorial tivesse uma excelente reputação e, aos poucos, conseguira alargar a gama de atividades oferecidas aos residentes. A nova ideia de Thomas parecia estar em sintonia com as melhorias introduzidas no passado. Por isso, a equipa de chefia sentou-se para preencher a sua candidatura à bolsa para projetos inovadores. Thomas, contudo, parecia ter algo em mente mais vasto do que Halbert imaginava.

Thomas explicou o raciocínio por detrás da sua proposta. O objetivo, disse ele, era atacar aquilo que designava por as Três Pragas da vida num lar: o tédio, a solidão e a impotência. Para atacar as Três Pragas precisavam de injetar vida naquele espaço. Colocariam plantas em todos os quartos. No sítio do relvado, cultivariam legumes e flores. E trariam animais.

Até aí, a ideia parecia ótima. Às vezes, um animal podia ser problemático, por questões de saúde e segurança, mas a regulamentação das casas de repouso em Nova Iorque permitia um cão ou um gato. Halbert disse a Thomas que já tinham experimentado levar um cão duas ou três vezes para o lar e não tinha resultado. Os animais não tinham o comportamento adequado e houve dificuldades em arranjar quem tratasse deles. Mas estava disposto a tentar outra vez.

Por isso, Thomas sugeriu:

«Vamos experimentar dois cães.»

«A regulamentação não o permite», respondeu Halbert.

«Mas escreva», ripostou Thomas.

Fez-se silêncio. Até um passo tão pequeno como aquele ia contra os valores que estavam na base não só das regras dos lares, mas também daquilo que os lares consideravam ser a sua razão de existir: a saúde e segurança dos idosos. Halbert teve dificuldade em aceitar a ideia. Quando falei com ele, há relativamente pouco tempo, ainda se lembrava muito bem desse episódio.

Lois Greising, a chefe do pessoal de enfermagem, estava sentada na sala, juntamente com o diretor de atividades e a assistente social. [...] Parece que os estou a ver aos três, ali sentados, a olharem uns para os outros, revirando os olhos, a dizer: «Isto promete.»

«Está bem, eu escrevo», respondi, mas comecei a pensar: «Não estou tão crente nisto como tu, mas tudo bem, vou escrever dois cães.»

Ele continuou:

«Então, e gatos?»

«O que é que têm os gatos?», perguntei. «Já escrevemos dois cães.»

«Algumas pessoas não gostam de cães. Preferem gatos», disse ele.

«Quer cães E gatos?», perguntei.

«Vamos escrever isso, para suscitarmos o debate.»

«Está bem», cedi. «Eu aponto um gato.»

«Não, não, não. Temos dois pisos. Que tal dois gatos em cada piso?»

«Quer propor ao departamento de saúde dois cães e quatro gatos?», perguntei.

«Sim, aponte.»

«Está bem, eu aponto», respondi. «Acho que estamos a ir longe de mais. Eles não vão aceitar isto.»

«Só mais uma coisa», insistiu ele. «E pássaros?»

Expliquei-lhe que a regulamentação diz claramente: «Não são autorizados pássaros em lares de idosos.»

«Sim, mas e pássaros?», teimou ele.

«O que é que *têm* os pássaros?», retorqui.

«Imaginem só... olhem pela janela. Imaginem que estamos em janeiro ou fevereiro. Temos um metro de neve lá fora. Que sons ouvem dentro do lar?»

«Bom», disse eu, «ouvimos alguns residentes a gemer. Provavelmente ouvimos alguns risos. Ouvimos televisão em diferentes zonas, talvez um pouco mais do que gostaríamos. Ouvimos um anúncio qualquer pelo sistema de altifalante.»

«Que outros sons ouvem?»

«Ouvimos funcionários a falarem uns com os outros e com os residentes», respondi.

«Sim, mas que sons é que são sons de vida... de vida positiva?», perguntou ele.

«Está a falar do canto dos pássaros.»

«Sim!»

«Quantos pássaros tem em mente para criar esse som do canto dos pássaros?»

«Vamos pôr cem», disse ele.

«CEM PÁSSAROS? AQUI DENTRO?», retorqui. «Só pode ter enlouquecido! Já alguma vez viveu numa casa com dois cães, quatro gatos e cem pássaros?»

«Não», disse ele, «mas não acha que valia a pena tentar?»

Ora, aí estava a diferença crucial entre o Dr. Thomas e eu.

Os outros três que estavam sentados na sala por essa altura já tinham os olhos a querer saltar das órbitas, e diziam: «Oh, meu Deus, nós queremos mesmo avançar com isto??»

«Dr. Thomas», disse eu, «estou a favor desse projeto. Quero pensar fora da caixa. Mas não sei se quero que o lar pareça um jardim zoológico ou cheire a jardim zoológico.» E acrescentei: «Não consigo imaginar isto a ir para a frente».

«Pode continuar a ouvir-me?», disse ele.

«Tem de me provar», respondi, «que este projeto tem mérito.»

Era só isso que Thomas precisava de ouvir. Halbert não dissera que não. Ao longo de várias reuniões subsequentes, Thomas venceu-o, a ele e ao resto da equipa, pelo cansaço. Lembrou-lhes as Três Pragas, que as pessoas estavam a morrer de tédio, solidão e impotência nos lares e que eles queriam encontrar a cura para essas maleitas. Não valeria a pena tentar tudo e mais alguma coisa?

Entregaram a candidatura. Não tinha hipótese, pensou Halbert. Mas Thomas levou uma equipa à capital do estado para pressionar os funcionários em pessoa. E ganharam a bolsa e todas as licenças necessárias para avançar com o projeto.

«Quando recebemos a notícia», recordou Halbert, «eu disse: "Oh, meu Deus, agora temos mesmo de andar com isto para a frente".»

A tarefa de fazer com que o projeto funcionasse coube a Lois Greising, a chefe do pessoal de enfermagem. Tinha sessenta e tal anos e trabalhava há anos em casas de repouso. A hipótese de experimentar uma nova maneira de melhorar as vidas dos idosos era-lhe extremamente apelativa. Disse-me que teve a sensação de que se tratava de «uma grande experiência» e, portanto, decidiu que o seu papel era servir de intermediário entre o otimismo por vezes excessivo de Thomas e os medos e inércia dos funcionários.

A tarefa era tudo, menos pequena. Todos os centros têm uma cultura profundamente enraizada no que toca à maneira de fazer as coisas. «A cultura é a soma de hábitos partilhados e expectativas», disse-me Thomas. Na perspetiva dele, os hábitos e as expectativas tinham feito das rotinas institucionais e da segurança prioridades maiores do que viver uma boa vida e, consequentemente, o lar não tinha conseguido integrar sequer um cão no dia-a-dia dos residentes. Ele queria introduzir no lar suficientes animais, plantas e crianças para que se tornassem uma parte regular da vida de cada um dos residentes. As rotinas a que os funcionários se tinham acomodado seriam inevitavelmente perturbadas, mas não era esse também um dos objetivos do projeto?

«Uma das coisas que caracteriza a cultura é a inércia profunda», disse. «É por isso que é cultura. Funciona, porque dura. A cultura estrangula a inovação logo à nascença.»

Para combater a inércia, ele decidiu que deviam enfrentar a resistência diretamente: «Atingi-la com força», disse Thomas. Chamou-lhe o Big Bang. Não levariam um cão ou um gato ou um pássaro para o lar e depois esperariam para ver como todos reagiam. Não, levariam todos os animais mais ou menos ao mesmo tempo.

Nesse outono, instalaram no lar um galgo chamado *Target*, um cãozinho chamado *Ginger*, os quatro gatos e os pássaros. Deitaram fora todas as plantas artificiais e colocaram plantas verdadeiras em todos os quartos. Os funcionários levavam os filhos para o lar depois da escola, para brincarem; amigos e familiares montaram um jardim nas traseiras do lar e um recreio para as crianças. Foi uma terapia de choque.

Um exemplo da escala da operação: encomendaram cem periquitos para serem entregues no mesmo dia. Tinham pensado como é que se levavam cem periquitos para dentro de um lar? Não, não tinham. Quando o camião chegou com os pássaros, as gaiolas ainda não tinham sido entregues. O motorista libertou-os no salão de beleza do rés-do-chão, fechou a porta e foi-se embora. As gaiolas chegaram mais tarde, nesse mesmo dia, mas desmontadas, em caixas.

Foi o «pandemónio total», disse Thomas. A recordação desse dia ainda o faz sorrir. É o tipo de pessoa que sorri nessas circunstâncias.

Ele, Jude, a sua mulher, Greising, a chefe das enfermeiras, e um punhado de pessoas passaram horas a montar as gaiolas, a correr atrás dos periquitos por entre uma nuvem de penas no salão de beleza e a levar os pássaros para os quartos dos residentes. Os idosos reuniram-se do lado de fora das janelas do salão, a ver.

«Riam a bandeiras despregadas», contou Thomas.

Hoje, espanta-se com a incompetência da equipa. «Não tínhamos a mínima noção do que estávamos a fazer. A... mínima... noção... do que estávamos a fazer.» E era precisamente aí que estava a graça. Mostraram-se tão declaradamente incompetentes que quase toda a gente baixou a guarda e pura e simplesmente arregaçou as mangas para ajudar, incluindo os residentes. Quem podia, ajudou a forrar as gaiolas com papel de jornal, instalou os cães e os gatos, recrutou as crianças para darem uma mãozinha. Foi uma espécie de caos maravilhoso, ou, para usar as palavras diplomáticas de Greising, «um ambiente de animação exacerbada».

Tiveram de resolver uma série de problemas à pressa: como alimentar os animais, por exemplo. Decidiram estipular «rondas de ração» diárias. A Jude arranjou um velho carrinho de medicamentos de um antigo hospital psiquiátrico que já não estava a funcionar e transformou-a num «pássaro-móvel». O pássaro-móvel era carregado com alpista, biscoitos para cão e comida de gato, e um funcionário empurrava-o de quarto em quarto para mudar os papéis de jornal das gaiolas e dar de comer aos animais. Havia qualquer coisa de maravilhosamente subversivo em usar um carrinho de medicação que em tempos distribuíra toneladas de torazina para entregar biscoitos para cão.

Aconteceram todo o tipo de crises e todas elas podiam ter posto fim à experiência. Uma noite, às três da manhã, Thomas recebeu um telefonema de uma enfermeira, o que não era invulgar, sendo ele o diretor clínico. Mas a enfermeira não queria falar com ele. Queria falar com Jude. Ele passou-lhe o telefone.

«O cão fez cocó no chão», disse a enfermeira a Jude. «Vem cá limpar?» No que tocava à enfermeira, aquela tarefa não era digna do seu estatuto. Não estudou enfermagem para andar a limpar cocó de cão.

Jude recusou-se. «As coisas complicaram-se», disse Thomas. Na manhã seguinte, quando chegou ao lar, viu que a enfermeira tinha colocado uma cadeira por cima do cocó, para ninguém o pisar, e ido embora.

Alguns funcionários achavam que se devia contratar pessoal especializado para tratar dos animais, pois não era um trabalho para enfermeiras e ninguém lhes pagava mais para o fazer. Aliás, praticamente não eram aumentadas há dois ou três anos por causa dos cortes orçamentais do governo. E no entanto, esse mesmo governo gastava dinheiro num monte de animais e plantas? Outros defendiam que, tal como acontece em casa de qualquer pessoa, os animais deviam ser uma responsabilidade partilhada por todos. Quando se tem animais, há sempre acidentes e quem quer que estivesse presente na hora devia fazer o que fosse preciso, quer fosse o diretor clínico do centro, quer uma auxiliar. Era uma guerra motivada por perspetivas radicalmente diferentes sobre o mundo: estavam a gerir uma instituição ou a oferecer uma casa, um lar, às pessoas?

Greising tentou incentivar esta segunda perspetiva. Ajudou os funcionários a equilibrar as responsabilidades. Aos poucos, as pessoas começaram a aceitar que encher Chase Memorial de vida era uma tarefa que cabia a toda a gente. E fizeram-no, não por causa de quaisquer argumentos racionais, mas porque, passado pouco tempo, os efeitos nos residentes se tornaram impossíveis de ignorar: os idosos começaram a acordar e a ganhar vida.

«Pessoas que nós achávamos que não conseguiam falar começaram a falar», disse Thomas. «Pessoas que até aí se tinham mostrado completamente metidas para dentro e sem se mexerem, começaram a ir ao posto das enfermeiras dizer: "Eu levo o cão a passear".» Todos os periquitos foram adotados pelos residentes e receberam nomes. Os olhos das pessoas voltaram a brilhar. Num livro que escreveu sobre a experiência, Thomas cita trechos dos diários dos funcionários e estes descreviam que os animais se tinham tornado insubstituíveis nas vidas diárias dos residentes, inclusive nos que sofriam de demência em estado avançado:

O Gus gosta mesmo dos pássaros. Ouve-os cantar e pergunta se lhes pode dar um bocadinho de café para beberem.

Os residentes estão a facilitar-me imenso o trabalho; muitos deles fazem-me um relatório diário sobre os seus pássaros (por ex., «canta o dia todo», «não come», «parece mais arrebitado»).

A M.C. fez a ronda dos pássaros comigo, hoje. Geralmente ela senta-se junto da porta da arrecadação, a ver-me ir e vir, por isso hoje de manhã perguntei-lhe se me queria acompanhar. Ela aceitou, toda entusiasmada, por isso lá fomos nós. Enquanto eu dava de comer e beber aos pássaros, a M.C. segurou no recipiente da comida para me ajudar. Expliquei-lhe cada passo e quando borrifei os pássaros com umas gotinhas de água, ela riu que nem uma perdida.

Os habitantes da Casa de Repouso Chase Memorial incluíam agora cem periquitos, quatro cães, dois gatos, mais uma colónia de coelhos e um bando de galinhas poedeiras. Havia também centenas de plantas de interior e um próspero jardim de legumes e flores. O lar tinha uma creche para os filhos dos funcionários e um novo programa de ATL.

Uma equipa de investigadores estudou os efeitos deste programa ao longo de dois anos, comparando as medidas aplicadas aos residentes de Chase Memorial com as que eram aplicadas aos residentes de um lar vizinho. Constataram que o número de receitas requeridas por residente na Chase Memorial baixou para metade das que eram necessárias no lar que servia de referência. Diminuíram em especial as drogas psicotrópicas para a agitação, como o *Haldol*. As despesas com medicamentos caíram para 38 por cento em relação às do outro centro. As mortes baixaram 15 por cento.

O estudo não foi capaz de explicar as razões de isto acontecer, mas Thomas achava que conseguia. «Estou convencido de que a diferença nas taxas de mortalidade se deve simplesmente à necessidade humana básica de se ter uma razão para viver.» E outros estudos foram consistentes com esta conclusão. No início da década de 1970, as psicólogas Judith Rodin e Ellen Langer levaram a cabo uma experiência em que pediram a uma casa de repouso no Connecticut para dar uma planta a cada residente. Metade foi incumbida da tarefa de regar a planta e assistiu a uma palestra sobre os benefícios de assumir responsabilidades na vida. A outra metade não precisava de regar a planta, porque alguém o faria, e assistiu a uma palestra que explicava que os funcionários eram responsáveis pelo seu bem-estar. Passado um ano e meio, o grupo incentivado a assumir mais responsabilidade – inclusive por uma coisa tão pequena como uma planta – mostrou-se mais ativo e alerta e pareceu viver mais tempo.

No seu livro, Thomas conta a história de um homem a quem chamou Sr. L. Três meses antes de se ter instalado no lar, a mulher com quem esteve casado mais de sessenta anos morreu. Ele desinteressou-se pela comida e os filhos tiveram de o ajudar cada vez mais no seu quotidiano. Um dia, atirou com o carro para uma valeta e a polícia pôs a hipótese de ter sido uma tentativa de suicídio. Depois de o Sr. L. ter tido alta do hospital, a família internou-o em Chase Memorial.

Thomas lembrava-se do dia em que o conhecera. «Perguntei-me como é que aquele homem tinha sobrevivido. Os acontecimentos daqueles últimos três meses tinham destruído o seu mundo. Perdeu a mulher, a casa, a liberdade e, porventura o pior de tudo, a noção de que a sua existência tinha algum significado. Perdeu a alegria de viver.»

No lar, apesar de estar a tomar antidepressivos e dos esforços dos funcionários para o motivar, ele entrou numa espiral descendente. Desistiu de andar. Confinou-se à cama. Recusou-se a comer. Por volta dessa altura, porém, começou o novo projeto e ofereceram-lhe dois periquitos.

«Ele aceitou com a indiferença de alguém que sabe que já não vai durar muito», disse Thomas. Mas começou a mudar. «As mudanças foram subtis, a princípio. O Sr. L. posicionava-se na cama de maneira a poder observar as atividades dos seus novos companheiros.» Começou a aconselhar os funcionários que iam ao seu quarto cuidar dos pássaros sobre o que eles gostavam e como estavam. Os pássaros fizeram-no sair de dentro de si próprio. Para Thomas, foi a prova perfeita da sua teoria sobre as mais-valias dos animais e das plantas. Em vez de tédio, oferecem espontaneidade. Em vez de solidão, oferecem companheirismo. Em vez de impotência, oferecem uma oportunidade de tomar conta de outro ser.

«[O Sr. L.] voltou a comer, a vestir-se e a sair do quarto», contou Thomas. «Os cães precisavam de passear todas as tardes e ele fez-nos saber que era a pessoa indicada para essa tarefa.» Passados três meses, ele saiu do lar e voltou para sua casa. Thomas estava convencido de que o projeto lhe tinha salvado a vida.

Se sim ou se não, não interessa. A descoberta mais importante da experiência de Thomas não foi a constatação de que ter um motivo para viver podia reduzir a taxa de mortalidade nos idosos incapacitados. A descoberta mais importante foi que era possível dar-lhes motivos para viver e ponto final. Até residentes com demência grave, que tinham perdido a capacidade de perceber muito do que se passava, podiam levar uma vida com mais significado, prazer e satisfação. É muito mais difícil quantificar o prazer de viver de uma pessoa do que o número de medicamentos de que depende ou o número de anos que vive. Mas haverá alguma coisa mais importante do que isso?

Em 1908, um filósofo de Harvard chamado Josiah Royce escreveu um livro intitulado *The Philosophy of Loyalty* (A filosofia da lealdade). Royce não estava preocupado com as dificuldades do envelhecimento, mas estava preocupado com um enigma que é fundamental para qualquer pessoa que contemple a sua mortalidade. Royce queria perceber porque é que o simples facto de existirmos – de termos um teto, comida, segurança e de estarmos vivos – nos parece tão vazio e insignificante. De que mais precisamos nós para sentirmos que vale a pena viver?

A resposta, pensava ele, é que todos buscamos uma causa que seja maior do que nós. Isto era, para ele, uma necessidade humana intrínseca. A causa podia ser grande (família, país, valores morais) ou pequena (um projeto de construção, cuidar de um animal de estimação). O importante era que, ao atribuirmos valor à causa e ao considerarmos que ela merece sacrifícios, damos sentido à nossa vida.

Royce chamou a esta dedicação a uma causa maior do que nós lealdade e considerava-a o oposto do individualismo. O individualista coloca os seus próprios interesses acima de tudo, considerando a sua dor, prazer e existência como as suas maiores preocupações. Para um individualista, a lealdade a uma causa que não tenha nada que ver com o interesse próprio é uma noção estranha. Quando essa lealdade leva ao autossacrifício, pode até tornar-se assustadora: uma tendência irracional e errada que deixa as pessoas propensas a serem exploradas por tiranos. Nada pode ser mais importante do que o interesse próprio e como, quando morremos, deixamos de existir, o sacrifício não faz sentido.

Royce não tinha qualquer compaixão pela perspetiva individualista. «Sempre houve egoístas entre nós», escreveu ele. «Mas o direito divino a ser egoísta nunca foi tão astutamente defendido.» Na realidade, argumentou ele, os seres humanos *precisam* de lealdade. Não gera necessariamente felicidade e pode inclusivamente ser dolorosa, mas todos precisamos de nos dedicar a algo maior do que nós próprios para que as nossas vidas sejam suportáveis. Sem isso, resta-nos apenas os nossos desejos para nos guiar e eles são fugazes, caprichosos e insaciáveis. Em última instância, só nos causam tormento. «Por natureza, sou uma espécie de ponto de encontro de inúmeras correntes de tendência ancestral. De momento para momento [...] sou uma coleção de impulsos», escreveu Royce. «Não conseguimos ver a luz interior. Experimentemos a exterior.»

E experimentamos. Basta pensar que nos preocupamos profundamente com o que acontece no mundo depois de morrermos. Se o interesse próprio fosse a fonte principal de sentido na vida, então ninguém se importaria se, uma hora depois de morrer, todas as pessoas que conhece fossem eliminadas da face da terra. E, no entanto, isso inquietaria muitíssimo a maior parte das pessoas. Sentimos que um acontecimento desses tiraria todo o sentido à nossa vida.

A única forma de a morte não ser completamente sem sentido é vermo-nos a nós próprios como fazendo parte de algo maior: uma família, uma comunidade, uma sociedade. Se não o fizermos, a mortalidade não passa de um horror. Mas, se o fizermos, deixa de o ser. A lealdade, disse Royce, «resolve o paradoxo da nossa existência banal, mostrando-nos, fora de nós, a causa que deve ser servida e, dentro de nós, a vontade que tem prazer em se entregar a esse serviço e que, ao fazê-lo, em vez de se sentir frustrada, se exprime e se torna mais rica». Mais recentemente, os psicólogos começaram a usar o termo «transcendência» para uma variante desta ideia. Acima do nível da autoatualização na hierarquia de necessidades de Maslow, sugerem que existe nas pessoas um desejo transcendente de ver e ajudar outros seres humanos a atingirem o seu potencial.

À medida que o nosso tempo se começa a esgotar, todos procuramos reconforto em pequenos prazeres: companheirismo, rotinas diárias, o sabor de boa comida, o calor do sol no rosto. Passamos a interessar-nos menos pelas recompensas de conquistar e acumular e mais pelas recompensas de simplesmente ser, estar. Mas, embora nos sintamos eventualmente menos ambiciosos, começamos a preocupar-nos com o nosso legado. E temos uma necessidade profunda de identificar objetivos fora de nós próprios que nos deem a sensação de que a vida tem sentido e de que vale a pena viver.

Com os animais, as crianças e as plantas que Bill Thomas introduziu na casa de repouso Chase Memorial, um projeto a que chamou a Alternativa Paradisíaca, ele ofereceu aos residentes uma pequena oportunidade de expressarem a lealdade: uma oportunidade limitada, mas real, para se agarrarem a qualquer coisa para lá da mera existência. E eles aproveitaram-na vorazmente.

«O que um jovem médico que leva um monte de animais, crianças e plantas para dentro de um lar estéril e institucional vê é magia a acontecer diante dos seus olhos», disse-me Thomas. «Vê as pessoas ganhar vida. Vê-as começar a interagir com o mundo, vê-as começar a amar e a interessar-se e a rir. É extraordinário.»

O problema da Medicina e das instituições a que deu origem para cuidar dos doentes e dos velhos não é terem uma perspetiva incorreta sobre as coisas que tornam a vida importante. O problema é que praticamente não têm uma perspetiva. O foco da Medicina é estreito. Os profissionais médicos concentram-se em reparar a saúde e não em dar sustento à alma. No entanto – e é este o doloroso paradoxo –, decidimos que devem ser eles a definir em grande parte como vivemos na nossa etapa final. Há já mais de meio século que tratamos as provações da doença, do envelhecimento e da mortalidade como preocupações médicas. Tem sido uma experiência de engenharia social colocar os nossos destinos nas mãos de pessoas mais valorizadas pela sua proeza técnica do que pela sua compreensão das necessidades humanas.

Essa experiência falhou. Se fosse só segurança e proteção aquilo que procuramos na vida, talvez pudéssemos tirar conclusões diferentes. Mas como procuramos uma vida com sentido e valor e, no entanto, nos negam constantemente as condições que tornariam isso possível, não há outra maneira de encararmos o que a sociedade moderna fez.

Bill Thomas quis mudar o conceito de casa de repouso. Keren Wilson quis acabar com ele por completo e, no seu lugar, criar residências com assistência à autonomia. Mas estavam ambos a correr atrás da mesma ideia: ajudar pessoas em estado de dependência a preservar o valor da vida. O primeiro passo de Thomas foi dar às pessoas um ser vivo para elas cuidarem; o de Wilson foi dar-lhes uma porta que pudessem trancar e uma cozinha própria. Os projetos complementavam-se e transformaram a maneira de pensar das pessoas que cuidavam de idosos. A questão já não era se seria possível dar uma vida melhor às pessoas que a deterioração física tinha tornado dependentes: era evidente que sim. A questão agora era saber quais eram os ingredientes essenciais. Profissionais em instituições espalhadas pelo mundo inteiro começaram a tentar descobrir as respostas. Em 2010, quando a Shelley, a filha do Lou Sanders, decidiu procurar um lar para o pai, não fazia a mínima ideia de todo este debate. A grande maioria de lugares que havia para pessoas como ele continuava a lembrar uma deprimente penitenciária. E, no entanto, tinham surgido de uma ponta a outra do país e da cidade novos centros e projetos destinados a transformar as condições de vida dependente.

Nos subúrbios de Boston, a vinte minutos de carro de minha casa, havia uma nova comunidade para reformados chamada NewBridge on the Charles. Foi construída segundo o modelo da continuidade de cuidados: tem apartamentos para pessoas autónomas, alojamentos com assistência e uma ala que funciona como casa de repouso. Mas a casa de repouso que vi, numa visita relativamente recente, não era nada parecida com as que eu conhecia. Em vez de alojar sessenta pessoas por piso, em quartos partilhados ao longo de intermináveis corredores hospitalares, NewBridge estava dividida em pequenas unidades que não albergavam mais de dezasseis pessoas. Cada unidade era designada «casa» e devia funcionar como tal. Todos os quartos eram individuais e construídos em redor de uma zona de vida comum com uma sala de jantar, cozinha e uma sala de atividades, como uma casa normal.

As casas eram a uma escala humana, que era a intenção primordial. Estudos demonstraram que em unidades com menos de vinte pessoas costuma haver menos ansiedade e depressão, mais convívio social e amizades, uma sensação maior de segurança e mais interação com os funcionários, inclusive em casos de residentes que sofrem de demência. Mas o conceito não se resumia ao tamanho. As casas eram construídas especificamente para evitar a sensação de clínica. O espaço aberto permitia aos residentes verem o que os outros estavam a fazer, incentivando-os a participar. A existência de uma cozinha central significava que, se uma pessoa tivesse vontade de comer qualquer coisa, podia simplesmente fazê-lo. Só de estar parado a observar as pessoas, vi que a ação se derramava para lá de fronteiras, exatamente como acontece em qualquer casa de família. Dois homens jogavam às cartas na sala de jantar. Uma enfermeira preenchia uma papelada na cozinha em vez de se ter retirado para a sala das enfermeiras.

O conceito não se ficava pela arquitetura. Os funcionários que conheci pareciam ter uma série de ideias e expectativas sobre o seu trabalho que era diferente da que eu tinha encontrado em outros lares. Andar, por exemplo, não era tratado como um comportamento patológico, como se tornou imediatamente óbvio quando conheci uma bisavó de noventa e nove anos chamada Rhoda Makover. Tal como o Lou Sanders, ela tinha problemas de tensão arterial, além de ciática, que causavam quedas frequentes. Pior ainda, estava quase cega por causa da degeneração da retina relacionada com a idade.

«Se o visse outra vez, não o reconheceria. Vejo tudo cinzento», disse-me Makover. «Mas está a sorrir, isso eu consigo ver.»

A mente dela permanecia rápida e lúcida, mas a cegueira e a tendência para cair eram uma péssima combinação. Tornou-se impossível para ela viver sem ajuda vinte e quatro sobre vinte e quatro horas. Num lar normal, ela teria sido confinada a uma cadeira de rodas, para sua própria segurança. Ali, porém, ela andava. Era um risco, claro. No entanto, os funcionários percebiam o quão importante era a mobilidade, não só para a saúde dela (numa cadeira de rodas, as suas forças físicas ter-se-iam rapidamente degradado), mas sobretudo para o seu bem-estar.

«Oh, graças a Deus posso ir sozinha à casa de banho», disse-me Makover. «Deve achar que não tem importância nenhuma. É jovem. Quando for mais velho vai perceber, mas a melhor coisa na vida é poder ir à casa de banho sozinho.»

Disse-me que em fevereiro ia fazer cem anos.

«Isso é extraordinário», disse eu.

«Velho é o que isso é», ripostou ela.

Contei-lhe que o meu avô viveu quase até aos cento e dez anos.

«Deus nos livre», disse ela.

Até há poucos anos, ela tinha tido a sua própria casa. «Era tão feliz lá. Vivia. Vivia como as pessoas devem viver: tinha amigos, entretinha-me com jogos. Um deles pegava no carro e partíamos. Eu *vivia*.» Depois, surgiram a ciática, as quedas e a perda de visão. Ela mudou-se para um lar, um que não aquele, e a experiência foi horrível. Perdeu quase tudo o que era seu – os móveis, as suas recordações – e deu por si num quarto partilhado, com um horário rígido e um crucifixo por cima da cama, «o que, sendo eu judia, não me agradou nada».

Esteve lá um ano, até que se mudou para NewBridge, e «não há comparação possível, *nenhuma*», disse ela. Aquilo era o oposto do asilo de Goffman. Os seres humanos, estavam os pioneiros a descobrir, precisam de privacidade e, ao mesmo tempo, de comunidade, de ritmos e padrões diários flexíveis, e da possibilidade de criarem relações afetuosas com as pessoas à sua volta. «Aqui é como se vivesse em minha própria casa», disse Makover.

Ao virar da esquina, conheci Anne Braveman, de setenta e nove anos, e Rita Kahn, de oitenta e seis, que me disseram que tinham ido ao cinema, na semana anterior. Não foi uma saída de grupo oficial, organizada de antemão. Foram simplesmente duas amigas que decidiram que lhes apetecia ir ver *The King's Speech* numa quinta-feira à noite. Braveman usou um bonito colar turquesa e Kahn aplicou um bocadinho de *blush* e sombra de olhos azul e vestiu uma roupa nova. Uma auxiliar teve de ir com elas. Braveman estava paralisada da cintura para baixo por causa de esclerose múltipla e deslocava-se numa cadeira de rodas motorizada; Kahn era propensa a quedas e precisava de um andarilho. Tiveram de pagar a tarifa de quinze dólares para que um veículo com capacidade para transportar cadeiras de rodas as levasse. Mas a ida foi possível. A seguir, estavam com vontade de ver *O Sexo e a Cidade* em DVD.

«Já leu *As Cinquentas Sombras de Grey*?», perguntou-me Kahn, com ar malicioso.

Admiti, humildemente, que não.

«Nunca tinha ouvido falar em correntes e essa coisa toda», disse ela, espantada. E eu?, queria ela saber.

Não era o tipo de pergunta a que eu tivesse vontade de responder.

NewBridge deixava os residentes terem animais de estimação, mas não os introduzia por iniciativa própria no centro, como fizera o projeto Alternativa Paradisíaca de Bill Thomas, e por isso os animais não constituíam uma parte significativa da vida naquele lar. Mas as crianças, sim. NewBridge partilhava o terreno com um colégio privado para alunos que iam da pré-primária até ao oitavo ano, e as duas instituições tinham-se tornado profundamente interligadas. Os residentes que não precisavam de assistência por aí além trabalhavam como explicadores e bibliotecários na escola. Quando as turmas estudaram a Segunda Guerra Mundial, receberam veteranos que lhes fizeram relatos em primeira mão do que eles andavam a estudar nos manuais da escola. Os alunos também frequentavam NewBridge diariamente. Os mais novos organizavam eventos mensais com os residentes: exposições de arte, festas em dias feriados e espetáculos musicais. Alunos do quinto e do sexto anos faziam as aulas de ginástica com os residentes. As crianças do ensino básico aprendiam a lidar com pessoas que sofriam de demência e participavam num programa de camaradagem com os residentes do lar. Não era invulgar as crianças e os residentes criarem relações muito próximas. Um rapaz que fez amizade com um residente que sofria de Alzheimer em estado avançado até disse umas palavras no funeral do senhor.

«Os miúdos são uns amores», comentou a Rita Kahn. A relação dela com as crianças era uma das duas coisas mais gratificantes dos seus dias, explicou-me. A outra era as aulas a que assistia.

«As aulas, as aulas! Adoro as aulas!» Ela assistia a umas aulas sobre a atualidade dadas por um dos residentes que vivia nos apartamentos para pessoas com autonomia. Quando soube que o presidente Obama ainda não tinha visitado Israel na qualidade de presidente, enviou-lhe um *e-mail*. «Senti que tinha mesmo de dizer ao homem para se deixar de coisas e se pôr a caminho do estado de Israel.»

Seria de pensar que um centro como aquele fosse exorbitante, mas nenhuma daquelas pessoas era rica. A Rita Kahn tinha trabalhado nos serviços administrativos de um hospital e o marido tinha sido orientador vocacional num liceu. Anne Braveman tinha sido enfermeira no Massachusetts General Hospital e o marido trabalhara no sector dos materiais de escritório. A Rhoda Makover foi contabilista e o marido vendedor de vestuário. Financeiramente, estas pessoas não estavam em situação muito diferente do Lou Sanders. Aliás, 70 por cento dos residentes do lar NewBridge tinham gastado todas as suas economias e pedido ajuda ao Estado para poderem pagar a sua estada.

NewBridge tinha conseguido angariar suficiente apoio filantró-pico através dos seus laços estreitos com a comunidade judia e isso tinha sido vital para se manter à tona. Mas, a menos de uma hora de carro dali, perto do sítio onde vivia a Shelley com o marido, ficava um centro que não tinha os mesmos recursos que NewBridge e, no entanto, arranjava maneiras de ser igualmente transformador. O Peter Sanborn Place foi construído em 1983 como edifício de apartamentos subsidiados, com setenta e três unidades para idosos autónomos e de baixos rendimentos da comunidade local. A inten-ção inicial de Jacquie Carson, que era a diretora desde 1996, não foi oferecer cuidados como numa casa de repouso. Mas, à medida que os residentes foram envelhecendo, sentiu que tinha de arranjar uma maneira de os alojar a título permanente, se eles assim o quisessem. E, de facto, queriam.

A princípio, precisavam simplesmente de ajuda em casa. Carson contratou auxiliares, através de uma agência local, para os ajudar a tratar da roupa, das compras, da limpeza e coisas afins. Depois, alguns residentes começaram a ficar mais debilitados e ela chamou fisioterapeutas que lhes deram bengalas e andarilhos e lhes ensina-ram exercícios para fortalecer a musculatura. Alguns residentes pre-cisavam de cateteres, de cuidados para escaras e outros tratamentos médicos, por isso ela organizou a visita de enfermeiras. Quando as agências de serviços ao domicílio começaram a dizer-lhe que preci-sava de transferir os residentes para lares, ela manteve-se irredutível. Montou a sua própria agência e contratou pessoal especializado para fazer os tratamentos adequadamente, ajudando as pessoas em tudo, desde as refeições às consultas médicas.

Depois, um residente foi diagnosticado com Alzheimer. «Cuidei dele durante dois anos», disse Carson, «mas à medida que o seu estado se foi agravando, percebi que não estávamos prontos para lidar com isso.» Ele precisava de alguém que o vigiasse dia e noite e o aju-dasse a ir à casa de banho. Ela começou a achar que tinha atingido o limite do que podia fazer e que teria de o mandar para uma casa de repouso. Mas os filhos dele estavam ligados a uma instituição de beneficência, o Cure Alzheimer's Fund, que angariou fundos para que Sanborn Place pudesse contratar pela primeira vez um funcio-nário para fazer o turno da noite.

Cerca de uma década depois, só treze dos seus setenta e tal residentes continuavam autónomos. Vinte e cinco precisavam de ajuda com as refeições, com as compras e por aí fora. Outros trinta e cinco precisavam de ajuda com os cuidados de higiene, por vezes vinte e quatro horas por dia. Mas Sanborn Place evitou tornar-se uma casa de repouso oficial ou sequer uma residência com assistência à autonomia. Continuou a ser apenas um edifício de apartamentos para pessoas com poucos rendimentos, embora tenha uma diretora que está empenhada em fazer com que as pessoas possam continuar a viver nas suas próprias casas, à sua maneira, até ao fim, aconteça o que acontecer.

Conheci uma das residentes, a Ruth Barrett, que me deu a noção de até que ponto uma pessoa pode estar incapacitada e ainda assim continuar a viver em sua própria casa. Tinha oitenta e cinco anos e estava ali no prédio há onze anos. Precisava de oxigénio, por causa de insuficiência cardíaca congestiva e de doença pulmonar crónica, e não andava há quatro anos, devido a complicações causadas por artrite e diabetes grave.

«Eu ando», protestou Barrett da sua cadeira de rodas motorizada.

Carson soltou uma gargalhada.

«Não anda nada, Ruthie.»

«Não ando *muito*», ripostou Barrett.

Algumas pessoas ficam um pauzinho de virar tripas com a idade. Outras tornam-se uns troncos maciços. Barrett era um tronco. Carson explicou que ela precisava de ajuda vinte e quatro sobre vinte e quatro horas e de uma grua hidráulica para a levantar em segurança da cadeira de rodas e a pôr na cama ou na sanita. A memória também esmorecera.

«A minha memória é *muito boa*», teimou Barrett, debruçando-se para mim. Indelicadamente, perguntei-lhe que idade tinha. «Cinquenta e cinco», disse ela, o que era quase a resposta certa, se lhe acrescentássemos três décadas. Lembrava-se do passado (pelo menos, do passado distante) razoavelmente bem. Não acabara o liceu. Casou-se, teve um filho e divorciou-se. Trabalhou como empregada de mesa num restaurante durante anos, para sobreviver. Foi casada três vezes. Mencionou um dos maridos e eu pedi-lhe para me falar dele.

«Digamos que nunca se matou a trabalhar», disse ela.

Os desejos dela eram modestos. Tirava prazer da sua rotina: tomar um pequeno-almoço demorado, ouvir música na rádio, ter uma conversa com amigas no átrio ou com a filha ao telefone, fazer uma sesta à tarde. Três ou quatro noites por semana, as pessoas reuniam-se para ver filmes em DVD na biblioteca e ela ia quase sempre. Adorava ir almoçar fora à sexta-feira, embora os funcionários tivessem de lhe pôr três fraldas e limpá-la no regresso. Ela pedia sempre uma margarita – com gelo e sem sal –, apesar de estar proibida de o fazer, por ser diabética.

«Vivem como viveriam se estivessem no seu bairro», disse Carson em relação aos seus residentes. «Continuam a ter o direito de fazer más escolhas, se assim quiserem.»

Conseguir isso requeria muito mais dureza do que eu imaginara. Carson tinha muitas vezes de lutar contra o sistema médico. Uma mera ida às Urgências podia desfazer todo o trabalho que ela e a sua equipa tinham feito. Já era suficientemente mau o facto de, no hospital, os seus residentes poderem estar sujeitos a erros básicos de medicação, ou deixados nas macas durante horas (o que lhes abria fissuras na pele e causava escaras por causa da pressão nos colchões finos), ou ser vistos por médicos que nunca telefonavam para Sanborn Place a pedir informações. Como se isso não bastasse, muitas vezes os residentes eram mandados para centros de reabilitação onde eles e as suas famílias recebiam a notícia de que nunca mais poderiam voltar à sua vida em Sanborn. Carson foi criando relações pessoais com os serviços de ambulância e hospitais que perceberam que Sanborn Place esperava ser consultado no que tocava aos cuidados que os seus residentes recebiam e tinha capacidade para os acolher novamente em segurança.

Até os médicos de Clínica Geral que observavam os residentes precisavam de ser esclarecidos. Carson contou-me uma conversa que tivera nesse dia com o médico de uma senhora de noventa e três anos que tinha Alzheimer.

«Ela não está em segurança», disse-lhe o médico. «Devia estar numa casa de repouso.»

«Porquê?», perguntou Carson. «Temos capas impermeáveis nas camas. Temos alarmes. Temos sistema de localização GPS.» A senhora era bem tratada. Tinha amigos e encontrava-se num ambiente familiar. Carson queria só que ele lhe prescrevesse fisioterapia e mais nada.

«Ela não precisa de fisioterapia. Não se vai lembrar dos exercícios», disse ele.

«Vai, sim!», teimou ela.

«Ela devia estar numa casa de repouso.»

«Só me apeteceu dizer-lhe que se devia reformar», contou Carson. Em vez disso, anunciou à paciente: «Vamos mudar de médico, porque aquele está demasiado velho para aprender.» À família da senhora, disse: «Se vou ter de gastar energia, que não seja com aquele indivíduo.»

Pedi a Carson para me explicar qual era a sua filosofia para conseguir que os residentes continuassem a viver a sua própria vida, fosse qual fosse o seu estado de saúde. Ela disse que a sua filosofia era: «Vamos arranjar uma solução.»

«Vamos contornar todos os obstáculos que houver para contornar.» Ela falava como um general a planear um cerco. «Faço todos os possíveis e impossíveis»

Os obstáculos são grandes e pequenos, e ela ainda estava a tentar perceber como lidar com muitos deles. Não tinha pensado, por exemplo, que alguns residentes objetassem a que ela ajudasse outros residentes a ficarem nas suas casas, mas aconteceu. Contou que alguns lhe diziam: «Fulana assim assim já não devia viver aqui. No ano passado, ela sabia jogar bingo. Agora, nem sequer sabe por onde anda.»

Não valia a pena discutir com eles, por isso Carson andava a experimentar uma nova estratégia. «Digo-lhes: "Muito bem, vamos arranjar um lugar para ela viver. Mas o senhor vem comigo, porque no próximo ano pode estar como ela".» Até ver, isso parecia ser o suficiente para encerrar o assunto.

Outro exemplo: muitos dos residentes tinham animais de estimação e, apesar das dificuldades crescentes para tratarem deles, queriam mantê-los. Por isso, ela mandou os funcionários esvaziarem regularmente as caixas dos gatos. Mas os funcionários bateram o pé em relação aos cães, porque exigiam mais atenção do que os gatos. Recentemente, porém, Carson arranjara maneira de a sua equipa poder ajudar com cãezinhos pequenos e começaram a deixar os residentes ficar com os animais. Os cães grandes continuavam a ser um problema por resolver. «Uma pessoa tem de poder tomar conta do seu cão», disse ela. «Não é muito boa ideia ser o cão a mandar em casa...»

Dar sentido às vidas das pessoas na velhice é algo de novo. Requer, por conseguinte, mais imaginação e engenho do que torná-las simplesmente seguras. As soluções de rotina ainda não estão bem definidas, por isso Carson e outras pessoas como ela estão a tentar delineá-las, caso a caso. À porta da biblioteca do rés-do-chão, Ruth Beckett estava a conversar com um grupo de amigas. Era uma senhora minúscula de noventa anos – mais pauzinho de virar tripas do que tronco maciço – que ficara viúva há anos. Continuara a viver sozinha em casa, até que uma queda grave a pusera numa cama de hospital e depois num lar.

«O meu problema é o equilíbrio», disse ela, «e não há médicos para o equilíbrio.»

Perguntei-lhe como é que tinha ido parar a Sanborn Place. Foi então que me falou do filho, Wayne. O Wayne era um gémeo que nascera sem oxigénio suficiente. Ficou com paralisia cerebral – tinha espasmos quando andava – e um atraso mental. Em adulto, conseguia gerir aspetos básicos da vida, mas precisava de um certo grau de estrutura e supervisão. Quando ele tinha trinta e tal anos, Sanborn Place abriu precisamente como um espaço que oferecia esse tipo de enquadramento e ele foi o primeiro residente. Ao longo das últimas três décadas, a Ruth visitara-o quase todos os dias, grande parte do dia. Mas quando a queda a fez ir viver para uma casa de repouso, ela deixou de poder visitá-lo e ele não tinha capacidades cognitivas suficientes para a visitar a ela. Ficaram completamente separados. Parecia um caso sem solução. Desesperada, ela pensou que nunca mais poderiam estar juntos. Carson, porém, teve uma ideia genial e arranjou maneira de os acolher a ambos. Agora viviam em apartamentos quase lado a lado.

A uns metros de onde eu estava a conversar com a Ruth, encontrava-se o Wayne, sentado numa poltrona de orelhas, a bebericar um refrigerante e a ver as pessoas passar, com o andarilho pousado ao seu lado. Estavam novamente juntos, enquanto família, porque finalmente alguém percebera que para a Ruth não havia nada mais importante do que isso, nem sequer a sua própria vida.

Não fiquei surpreendido quando soube que havia duzentos candidatos em lista de espera para o Peter Sanborn Place. Jacquie Carson tinha esperança de ampliar o centro para acomodar essas pessoas. Estava, uma vez mais, a tentar contornar todos os obstáculos: a falta de subsídios, as burocracias do governo. «Vai demorar algum tempo», disse-me ela. Até lá, criou equipas móveis que vão ao domicílio das pessoas. Carson continua a querer ajudar toda a gente a viver no seu próprio espaço.

Há pessoas no mundo que mudam o nosso imaginário. Encontramo-las nos lugares mais inesperados. E neste momento, no meio aparentemente adormecido e mundano das residências para idosos, elas estão a aparecer em todos os cantos. Só na zona leste do Massachusetts encontrei tantos centros que dificilmente conseguiria visitá-los todos. Passei duas manhãs com os fundadores e membros da Beacon Hill Villages, uma espécie de cooperativa comunitária em funcionamento em vários bairros de Boston, dedicada a organizar serviços a preços acessíveis – tudo, desde canalizador até lavandaria – para ajudar os idosos a continuarem a viver nas suas casas. Falei com pessoas que geriam residências com assistência à autonomia que, apesar de todos os obstáculos, faziam questão de aplicar as ideias fundamentais que Keren Wilson semeara. São as pessoas mais determinadas, imaginativas e inspiradoras que já conheci na vida. Deprime-me imaginar como podiam ter sido diferentes os últimos anos de vida da Alice Hobson, se ela tivesse conhecido uma destas pessoas; se ela tivesse podido contar com um NewBridge, uma Alternativa Paradisíaca, um Peter Sanborn Place ou outro projeto semelhante. Em qualquer um destes centros, ela teria tido a oportunidade de continuar a ser quem era, apesar das suas deficiências crescentes: poderia ter «vivido verdadeiramente», como ela teria dito.

Os lugares que vi eram todos tão diferentes uns dos outros como os animais de um jardim zoológico. Não tinham nem a forma em comum, nem partes do corpo. Mas as pessoas que os geriam estavam, todas elas, empenhadas num só objetivo. Todas elas acreditavam que não temos de sacrificar a nossa autonomia só porque precisamos de ajuda no dia-a-dia. E eu percebi, ao conhecer estas pessoas,

que elas partilhavam uma ideia filosófica muito específica sobre qual o tipo de autonomia que mais importa na vida.

Existem diferentes noções de autonomia. Uma delas é autonomia como liberdade de ação: viver de maneira totalmente independente, sem coação e limitações. Este tipo de liberdade é um grito de guerra comum. Mas, como Bill Thomas percebeu dentro da sua própria casa, no estado de Nova Iorque, trata-se de uma fantasia: ele e Jude, a sua mulher, tiveram dois filhos que nasceram com deficiências graves que exigem cuidados a vida inteira e, um dia, a doença, a velhice ou outro revés qualquer deixará o próprio Thomas também a precisar de ajuda. As nossas vidas estão inerentemente dependentes de outras pessoas e sujeitas a forças e circunstâncias que escapam ao nosso controlo. Ter mais liberdade parece melhor do que ter menos. Mas com que fim? A quantidade de liberdade que temos na vida não serve de bitola para aferir o valor dessa mesma vida. Assim como a segurança é um objetivo vazio e inclusive contraproducente para nos servir de rumo na vida, o mesmo acaba por acontecer com a autonomia.

O grande filósofo Ronald Dworkin, já falecido, reconheceu que existe uma outra noção, e mais poderosa, de autonomia. Sejam quais forem os limites e provações que tenhamos de enfrentar, queremos preservar a autonomia – a liberdade – necessária para sermos os autores das nossas vidas. Isto é o âmago, a medula, do ser humano. Como escreveu Dworkin no seu ensaio notável de 1986 sobre o assunto: «O valor da autonomia [...] encontra-se no esquema de responsabilidade que cria: a autonomia torna cada um de nós responsável por dar forma à sua própria vida segundo uma noção coerente e distintiva de personalidade, convicção e interesse. Permite-nos orientar a nossa própria vida, em vez de nos deixarmos conduzir por ela, de modo a que cada um de nós possa ser, até onde for possível dentro deste esquema de direitos, aquilo que fez de si próprio.»

A única coisa que pedimos é que nos deixem continuar a ser os donos da nossa própria história. Essa história está constantemente a mudar. Ao longo da vida, podemos tropeçar em dificuldades inimagináveis. As nossas preocupações e desejos podem mudar. Mas, aconteça o que acontecer, queremos manter a liberdade de moldarmos a nossa vida de maneira coerente com o nosso feitio e lealdades.

É por isso que as traições do corpo e da mente que ameaçam apagar a nossa personalidade e a memória se encontram entre as nossas piores torturas. A nossa batalha, por sermos mortais, é a batalha para preservarmos a integridade da vida: para evitarmos ficar tão incapacitados ou depauperados ou subjugados que quem somos se torne desligado de quem fomos ou de quem queremos ser. A doença e a velhice já tornam a luta suficientemente difícil, por isso os profissionais e as instituições a quem pedimos ajuda não devem dificultar ainda mais as coisas. Mas entrámos, finalmente, numa época em que um número crescente desses profissionais e instituições acredita que o seu papel não é limitar as opções das pessoas, em nome da segurança, e sim alargá-las, em nome de vivermos uma vida que valha a pena.

O Lou Sanders estava prestes a juntar-se aos moradores infantilizados e catatónicos, amarrados a cadeiras de rodas, de um lar de idosos em North Andover, quando um primo da Shelley lhe falou de um novo centro que tinha aberto na povoação de Chelsea, o Leonard Florence Center for Living. Aconselhou-a a informar-se sobre o espaço. Como ficava perto, a Shelley marcou uma visita para si e para o Lou.

O Lou ficou impressionado logo no início da visita, quando a pessoa que lhes mostrou o centro mencionou um pormenor que passou praticamente despercebido à Shelley. Todos os quartos eram individuais. Nenhum dos lares que o Lou tinha visitado dispunha de quartos individuais. Perder a sua privacidade era uma das coisas que mais o assustava. A solidão era fundamental para ele; achava que enlouqueceria sem ela.

«A minha mulher costumava dizer que eu era um solitário, mas não sou. Gosto só de ter os meus momentos de solidão», contou-me ele. Por isso, quando a guia explicou que o Florence Center tinha quartos individuais, «eu exclamei: a sério?!». A visita ainda só ia no início e já ele estava rendido à ideia de se mudar para lá.

Depois, a guia mostrou-lhes todos os cantos do centro, ao qual chamavam «Casa Verde». O Lou não percebeu porquê; a única coisa que percebeu foi que não parecia nada uma casa de repouso.

«O que é que parecia, então?», perguntei.

«Uma casa de família», respondeu.

O responsável por isso era Bill Thomas. Depois de ter lançado a Alternativa Paradisíaca, ficara irrequieto. Por natureza, era homem de se lançar em projeto atrás de projeto, embora não tivesse meios financeiros para o fazer. Ele e Jude, a sua mulher, montaram uma organização sem fins lucrativos que, desde então, tem ensinado os princípios do projeto Paradisíaco a pessoas de centenas de casas de repouso. Tornaram-se, depois, co-fundadores da Pioneer Network, uma espécie de clube para o número cada vez maior de pessoas empenhadas na reinvenção dos cuidados para idosos. Não apregoa nenhum modelo em especial; faz simplesmente a apologia de mudanças que podem transformar esta nossa cultura de cuidados para idosos subjugada pela Medicina.

Por volta do ano 2000, Thomas ficou novamente com bichinhos carpinteiros. Queria construir um lar para idosos de baixo para cima em vez de, como fizera em New Berlin, de dentro para fora. Chamou ao que tinha em mente uma Casa Verde. O plano era que o centro fosse, para usar as palavras dele, «um cordeiro disfarçado de lobo». Precisava de parecer, aos olhos do governo, uma casa de repouso como outra qualquer, para se poder candidatar a receber dinheiros públicos e, além disso, não podia custar mais do que os outros centros. Precisava de ter as tecnologias e capacidades para ajudar as pessoas, independentemente do seu grau de invalidez ou deficiência. No entanto, precisava de ser um espaço para os residentes, familiares e funcionários tão acolhedor como uma casa de família e não uma instituição. Com fundos da Robert Wood Johnson Foundation, uma fundação sem fins lucrativos, construiu a primeira Casa Verde, em Tupelo, no Mississípi, em parceria com o lar Alternativa Paradisíaca que tinha decidido construir novas unidades de alojamento. Pouco depois, a fundação lançou a National Green House Replication Iniciative (Iniciativa nacional para replicação da Casa Verde), que apoiou a construção de mais de 150 Casas Verdes em vinte e cinco estados, entre elas o Leonard Florence Center for Living que o Lou tinha visitado.

Quer no caso desse primeiro lar para uma dúzia de pessoas num bairro de Tupelo, quer no caso dos dez alojamentos que foram construídos no edifício de seis andares do Florence Center, os princípios permaneceram os mesmos e fazem eco dos de outros pioneiros. Todas as Casas Verdes são pequenas e comunitárias. Nenhuma tem mais de doze residentes. No Florence Center, os pisos têm duas alas, cada uma chamada Casa Verde, onde vivem cerca de dez pessoas juntas. As residências foram concebidas para serem quentes e acolhedoras, com móveis normais, uma sala de estar com lareira, refeições familiares tomadas à volta de uma mesa grande, uma porta de entrada com campainha. E foram concebidas para mostrar que se pode criar uma vida que vale a pena viver, apostando, neste caso, nas refeições, no ambiente acolhedor e nas relações de amizade entre as pessoas.

Foi o aspeto do centro que cativou o Lou: não havia nada de deprimentemente institucional. Mas quando o Lou se mudou para lá, o estilo de vida foi aquilo que mais apreciou. Podia deitar-se quando lhe apetecia e acordar quando queria. Só isso foi uma revelação para ele. Não havia um sem-fim de funcionários a marchar pelos corredores fora às sete da manhã, a dar banhos à pressa e a vestir as pessoas e a levá-las nas cadeiras de rodas para a fila dos comprimidos e a refeição em grupo. Na maior parte das casas de repouso (incluindo o Chase Memorial, onde o Thomas tinha começado a sua carreira), achava-se que não havia outra maneira de fazer as coisas. A eficiência exigia que o pessoal auxiliar tivesse os residentes prontos a horas para o pessoal da cozinha, que por sua vez tinha de ter os residentes prontos a horas para o coordenador do pessoal das atividades, que os ocupava de modo a que os quartos estivessem vagos para o pessoal da limpeza os poder limpar, etc. Por isso, era assim que os diretores organizavam os horários e as responsabilidades. Thomas alterou o modelo. Tirou o controlo das mãos dos diretores e deu-o aos auxiliares que cuidavam dos residentes na linha da frente. Todos eles foram incentivados a concentrarem-se só nuns quantos residentes e a tornarem-se mais generalistas. Tratavam da cozinha, da limpeza e de dar a ajuda que fosse necessária, sempre que fosse necessária (exceto tarefas médicas, como distribuir medicamentos, que exigiam a presença de uma enfermeira). Consequentemente, os auxiliares tinham mais tempo e contacto com cada residente: tempo para conversar, comer, jogar às cartas, fosse o que fosse. Cada auxiliar assumiu junto de pessoas como o Lou o papel que Gerasim assumira junto de Ivan Ilitch: alguém mais parecido com um amigo do que um técnico de saúde.

Não era preciso muito para ser amigo do Lou. Uma das funcionárias dava-lhe um grande abraço sempre que o via e ele confiou à Shelley que adorava esse carinho, porque recebera tão pouco calor humano até aí. Às terças e às quintas à tarde, ia ao café do centro jogar às cartas com o Dave, o amigo que continuava a visitá-lo. Além disso, ensinara o jogo a um homem paralisado por um AVC que vivia numa casa noutro piso e que, às vezes, ia a casa do Lou para jogar. Um auxiliar segurava as cartas ou, se fosse necessário, era o Lou que o fazia, tendo o cuidado de não espreitar o jogo do amigo. Noutras tardes, a Shelley visitava-o e levava os cães, o que ele adorava.

Ele também gostava, no entanto, de passar uma grande parte do dia sozinho. A seguir ao pequeno-almoço, recolhia-se ao seu quarto para ver televisão: «para ver o caos», como ele dizia. «Gosto de acompanhar o que se passa na vida política. É uma autêntica telenovela. Todos os dias, um capítulo diferente.»

Perguntei-lhe que canal via. A Fox?

«Não, a MSNBC.»

«A MSNBC? É um liberal?», perguntei.

Ele sorriu. «Sim, sou um liberal. Votaria no Drácula, se ele dissesse que era democrata.»

Pouco depois, fazia exercício, dando umas voltas pelo piso com o andarilho ou no exterior, se estivesse bom tempo. Isto era muito importante para ele. Nos últimos meses que passara na residência com assistência à autonomia, os funcionários tinham-no confinado a uma cadeira de rodas, argumentando que não era seguro ele andar a pé, dado os seus desmaios. «Eu odiava a cadeira», disse ele. As pessoas do Florence Center deixaram-no livrar-se da cadeira e arriscar o andarilho. «Sinto um certo orgulho por ter batido o pé», disse ele.

Almoçava ao meio-dia à volta da grande mesa com o resto dos residentes da casa. À tarde, se não tinha um jogo de cartas ou outro plano, geralmente lia. Fazia a assinatura da *National Geographic* e da *Newsweek*. E ainda tinha os seus livros. Acabara recentemente de ler um *thriller* do Robert Ludlum e estava a começar um sobre a derrota da armada espanhola.

Às vezes, pegava no computador *Dell* e via vídeos no YouTube. Perguntei-lhe quais é que gostava de ver. Ele deu-me um exemplo.

«Eu não ia à China há muitos anos» – desde a guerra –, «por isso, pensei, deixem-me cá voltar à cidade de Chengdu, que é uma das cidades mais antigas do mundo, data de há milhares de anos. Estive destacado lá perto. Por isso, peguei no computador e escrevi "Chengdu". Daí a nada, estava a passear pela cidade. Sabia que há lá sinagogas? Uau! Indicam que há uma aqui, outra acolá. Fartei-me de dar voltas pela cidade», contou ele. «O dia passa tão depressa. Passa incrivelmente depressa.»

À noite, a seguir ao jantar, ele gostava de se deitar na cama, pôr os auscultadores e ouvir música no computador. «Gosto desse momento de sossego à noite. Nem imagina como fica tudo sossegado. Ouço *pop* orquestral.» Sintonizava a rádio Pandora e ouvia *jazz* suave ou Benny Goodman ou música espanhola, aquilo que lhe apetecesse. «Deito--me e penso», disse.

Uma vez, quando visitei o Lou, perguntei-lhe: «Para si, o que é que o faz pensar que valha a pena viver?»

Ele pensou antes de responder.

«Há momentos em que chego a pensar que chegou a hora, por exemplo num daqueles dias em que me sinto em baixo», disse ele. «Às vezes, uma pessoa está farta de tudo, percebe? Eu moía o juízo à minha Shelley. Dizia-lhe: "sabes que em África, quando uma pessoa envelhece e deixa de produzir, o grupo leva-a para a selva e deixa-a lá para ser comida pelos animais selvagens." Ela achava que eu era doido. "Não", dizia eu. "Já não produzo nada, só estou a custar dinheiro ao governo." De vez em quando, dá-me para isso. Mas depois penso: Ei, a vida é o que é. Deixa-te ir. Se te querem por cá, que mal tem?»

Tínhamos estado a conversar numa sala contígua à cozinha, com janelas até ao teto em duas das paredes. O verão estava a ceder lugar ao outono. A luz era branca e quente. Víamos a povoação de Chelsea lá em baixo, o canal de Broad Sound do porto de Boston ao longe, o céu azul-mar a toda a volta. Estávamos a falar sobre a história da vida dele há quase duas horas, quando me apercebi de que, pela primeira vez na vida, não tinha medo de chegar à fase em que ele estava. O Lou tinha noventa e quatro anos e realmente não havia nada de cativante nisso. Os dentes pareciam pedras caídas. Doíam-lhe todas as articulações. Perdera um filho e a mulher e já não conseguia andar sem o andarilho, que tinha uma bola de ténis amarela enfiada em cada perna para não fazer barulho no chão. Às vezes, ficava baralhado e perdia o fio à meada. Mas também era evidente que conseguia viver de uma maneira que o fazia sentir que ainda tinha um lugar no mundo. As pessoas ainda o queriam por perto. E isso levantava a possibilidade de o mesmo ser verdade, um dia, para qualquer um de nós.

O pavor da doença e da velhice não é só o pavor das perdas que nos vemos obrigados a suportar; é também o pavor do isolamento. À medida que as pessoas se vão apercebendo da finitude da sua vida, deixam de pedir muito. Não procuram mais riquezas. Não procuram mais poder. Pedem apenas que as deixem, dentro do possível, continuar a moldar a história da sua vida no mundo: a fazer escolhas e a manter relações com os outros segundo as suas próprias prioridades. Na sociedade moderna, temos vindo a partir do princípio de que a debilidade e a dependência excluem esse tipo de autonomia. O que aprendi com o Lou – e com a Ruth Barrett, a Anne Braveman, a Rita Kahn e muitos outros – é que, sim, é possível.

«Não me preocupo com o futuro», disse o Lou. «Os Japoneses têm a palavra *karma*. Significa: se é para acontecer, não há nada que eu possa fazer para o impedir. Sei que o meu tempo é limitado. E daí? Tive uma boa vida.»

CAPÍTULO 6

Desapegar-se

Antes de ter começado a pensar no que espera os meus doentes mais velhos – pessoas muito parecidas com o Lou Sanders e os restantes –, nunca me tinha aventurado a sair do consultório e a segui-los para ver como são as suas vidas privadas. Mas, assim que vi a transformação que está em curso nos cuidados para idosos, fiquei espantado ao perceber até que ponto é simples o raciocínio sobre o qual assenta e até que ponto são profundas as implicações para a Medicina, incluindo o que se passa no meu próprio consultório. E o raciocínio é que, à medida que as capacidades das pessoas se deterioram, por causa da idade ou da degradação do estado de saúde, melhorar as suas vidas requer muitas vezes que simplesmente refreemos as nossas obrigações médicas: que resistamos à vontade de mexer, consertar, controlar. Não me foi difícil perceber como esta ideia era importante para os doentes que me consultavam no dia-a-dia: pessoas que se viam confrontadas com circunstâncias mortais a cada etapa da vida. Mas isto suscitava uma pergunta muito complexa: Quando é que devemos tentar reparar e quando é que devemos deixar as pessoas sossegadas?

Sara Thomas Monopoli tinha apenas trinta e quatro anos e estava grávida pela primeira vez, quando os médicos no hospital onde trabalho descobriram que estava a morrer. Começou com uma tosse e uma dor nas costas. Um raio-X mostrou que o pulmão esquerdo tinha colapsado e o peito estava cheio de líquido. Foi extraída uma amostra de fluido com uma comprida agulha e enviada para análise. Em vez de uma infeção, como todos temiam, era um cancro do pulmão e já se tinha espalhado à pleura. A gravidez ia nas trinta e nove semanas e a obstetra que tinha pedido os exames deu-lhe a notícia, na presença do marido e dos pais. A obstetra não falou no prognóstico – chamaria um oncologista para isso –, mas Sara ficou atordoada. A mãe, cuja melhor amiga tinha falecido de cancro do pulmão, desatou a chorar.

Os médicos queriam começar o tratamento de imediato e isso significava induzir o parto para tirar o bebé. Sara e Rich, o marido, sentaram-se sozinhos num pátio sossegado no piso dos partos. Era uma segunda-feira quente do mês de junho. Ela pegou nas mãos do Rich e tentaram ambos digerir o que tinham ouvido. Ela nunca fumara, nem vivera com fumadores. Fazia exercício físico. Alimentava-se bem. O diagnóstico era desconcertante. «Vai correr tudo bem», disse o Rich. «Vamos resolver isto. Vai ser difícil, sim, mas vamos resolver. Arranjaremos o tratamento certo.» Para já, porém, tinham de pensar no bebé.

«Por isso, a Sara e eu olhámos um para o outro», relembrou o Rich, «e dissemos: "Não temos cancro na terça-feira. É um dia sem cancro. Vamos ter um bebé. É empolgante. E vamos desfrutar do nosso bebé".» Na terça-feira, às 20h55, nasceu Vivian Monopoli, com 3,4 quilos. Tinha o cabelo castanho ondulado, como a mãe, e estava de perfeita saúde.

No dia seguinte, a Sara fez análises ao sangue e exames imagiológicos. Paul Marcoux, oncologista, reuniu-se com ela e a família para conversar sobre os resultados. Explicou que tinha um cancro do pulmão de não-pequenas células que surgira no pulmão esquerdo. Não tinha feito absolutamente nada para desencadear o aparecimento da doença. Mais de 15 por cento dos cancros do pulmão – mais do que as pessoas pensam – surgem em não fumadores. O dela estava em fase avançada, com metástases em vários gânglios linfáticos no peito e na pleura. O cancro era inoperável. Mas havia opções ao nível da quimioterapia, nomeadamente uma droga chamada erlotinib, que ataca uma mutação genética comummente encontrada em cancros do pulmão de mulheres não fumadoras; 85 por cento das pacientes reagem à droga e, como explicou Marcoux, «algumas dessas respostas podem ser duradouras».

Palavras como «reagem» e «duradoura» dão uma pátina reconfortante a uma triste realidade. Não há cura para o cancro do pulmão nesta fase. Mesmo com quimioterapia, a taxa média de sobrevivência é de cerca de um ano. Mas pareceu duro e escusado ao oncologista confrontar a Sara e o Rich com esse facto, naquela altura. A Vivian estava num berço ao lado da cama e o casal esforçava-se por ser otimista. Como a Sara e o Rich disseram mais tarde à assistente social que os foi ver, não se queriam concentrar nas estatísticas de sobre-vivência. Queriam concentrar-se em «lidar agressivamente» com o diagnóstico.

Por isso, a Sara começou o tratamento com erlotinib, o que lhe cau-sou uma reação tipo acne facial com comichão e um cansaço entor-pecedor. Submeteu-se também a uma drenagem com uma agulha do líquido à volta do pulmão, mas o fluido teimava em acumular-se e o doloroso processo teve de ser repetido várias vezes. Por isso, cha-maram um cirurgião torácico para colocar um tubinho permanente no peito, que ela podia drenar através de uma torneira, sempre que o líquido se acumulava e interferia com a respiração. Três semanas depois de dar à luz, ela foi novamente internada no hospital com extrema falta de ar causada por uma embolia pulmonar: um coágulo na artéria pulmonar, o que é perigoso, mas não invulgar em doentes com cancro. Deram-lhe anticoagulantes. Depois, os resultados dos exames mostraram que as células cancerígenas não tinham a muta-ção que o erlotinib ataca. Quando Marcoux disse a Sara que a droga não ia resultar, ela teve uma reação física violenta à notícia, precipi-tando-se para a casa de banho a meio da conversa, com um súbito ataque de diarreia.

Marcoux recomendou uma quimioterapia diferente, mais vulgar, com duas drogas chamadas carboplatina e paclitaxel. Mas o paclita-xel provocou uma reação alérgica extrema, quase avassaladora, por isso ele mudou para um regime de carboplatina com gencitabina. As estatísticas, disse ele, continuavam a ser muito boas para doentes que faziam essa terapia.

Ela passou o resto do verão em casa, com a Vivian, o marido e os pais, que se tinham mudado para lá para ajudar. A Sara estava a ado-rar ser mãe. Entre ciclos de quimioterapia, começou a tentar recupe-rar a sua vida de antes.

Em outubro, uma TAC mostrou que as metástases no lado esquerdo do peito e nos gânglios linfáticos tinham aumentado substancial-mente. A quimioterapia falhara. Mudaram-na para uma droga cha-mada pemetrexed, que estudos tinham demonstrado que podia pro-longar notoriamente o tempo de vida de alguns doentes. Na realidade, era muito pequena a percentagem de doentes que ganhava alguma coisa com isso. Em média, a droga prolongava a sobrevivência em cerca de dois meses, apenas – de onze para treze meses –, e só em doentes que, ao contrário da Sara, tinham reagido ao primeiro ciclo de quimioterapia.

Ela esforçou-se por aceitar os revezes e efeitos secundários com serenidade. Era uma pessoa otimista por natureza e conseguiu manter o otimismo. Aos poucos, porém, piorou, sentia-se cada vez mais cansada e com falta de ar. No espaço de meses, foi como se tivesse envelhecido décadas. Em novembro, não tinha fôlego para atravessar o corredor que ia do parque de estacionamento até ao consultório de Marcoux; o Rich tinha de a empurrar numa cadeira de rodas.

Uns dias antes do Dia de Ação de Graças, ela fez mais uma TAC que mostrou que o pemetrexed – a terceira droga que experimentara – também não estava a resultar. O cancro do pulmão espalhara-se: do lado esquerdo do tórax para o direito, com metástases no fígado, no peritoneu e na coluna. O tempo estava a esgotar-se.

Este é o momento na história da Sara que suscita a nossa pergunta difícil, difícil para toda a gente que vive nesta era da Medicina moderna: O que é que queremos que a Sara e os médicos façam neste ponto? Ou melhor, ponhamos as coisas de outra maneira: se fosse você que tivesse um cancro com metástases – ou outra doença qualquer em estado avançado e sem cura –, o que é que queria que os seus médicos fizessem?

Esta questão tem sido debatida, nos últimos anos, por motivos económicos. Os custos exorbitantes dos cuidados de saúde tornaram-se a maior ameaça à solvência a longo prazo da maior parte dos países civilizados e as doenças incuráveis representam uma grande parte desses custos. Nos Estados Unidos, 25 por cento dos gastos do Medicare devem-se aos 5 por cento de doentes que se encontram no seu último ano de vida e a maior parte desse dinheiro é despendida nos derradeiros dois meses de vida, em cuidados que praticamente não se traduzem em benefícios aparentes. As pessoas costumam pensar que os Estados Unidos são um caso invulgar neste sentido, mas não me parece que seja. São poucos os dados disponíveis sobre outros países, mas nos casos em que dispomos de informação – por exemplo, sobre os Países Baixos e a Suíça –, os resultados são idênticos.

Os gastos com uma doença como o cancro tendem a seguir um determinado padrão. Há custos iniciais elevados, quando o cancro é tratado e, depois, se tudo correr bem, esses custos decaem. Um estudo de 2011, por exemplo, constatou que os gastos médicos com uma doente com cancro da mama no primeiro ano após o diagnóstico rondavam, em média, os 28 mil dólares, correspondendo a grande maioria dessas verbas aos exames iniciais de diagnóstico, à operação e, se necessário, à radioterapia e quimioterapia. Depois disso, os custos caíam para cerca de dois mil dólares por ano. Contudo, para um doente cujo cancro é fatal, a curva de custos forma um U, elevando-se no fim para uma média de 94 mil dólares no último ano de vida, no caso de um cancro da mama com metástases. O nosso sistema de saúde é excelente na sua tentativa para manter a morte ao largo com tratamentos de quimioterapia de 12 mil dólares por mês, cuidados intensivos de 4 mil dólares por dia e operações de 7 mil dólares à hora. Mas a morte acaba mesmo por vir e são poucas as pessoas que sabem quando devem parar.

Um dia, fui visitar um dos meus doentes que se encontrava na unidade de Cuidados Intensivos do hospital onde trabalho e parei para falar com a médica que estava de serviço, uma pessoa que eu conhecia desde a faculdade. «Estou a gerir um armazém de moribundos», disse ela sombriamente. Dos dez pacientes internados naquela unidade, explicou, só dois tinham probabilidades de receber alta temporária do hospital. O mais comum eram casos como o de uma senhora de quase oitenta anos, no fim da vida, com insuficiência cardíaca congestiva irreversível, que estava nos Cuidados Intensivos pela segunda vez em três semanas, sedada até aos cabelos e entubada através de todos os orifícios naturais e de uns quantos artificiais. Ou o da senhora de setenta anos com um cancro com metástases nos pulmões e nos ossos e uma pneumonia fúngica que costuma aparecer na fase final da doença. Ela tinha decidido não fazer o tratamento, mas o oncologista insistiu para que mudasse de ideias e ligaram-na a um ventilador artificial e puseram-na a tomar antibiótico. Outra mulher, de oitenta e tantos anos, com insuficiências respiratória e renal em fase final, estava nos Cuidados Intensivos há duas semanas. O marido morrera na sequência de uma doença prolongada, com uma sonda gástrica e uma cânula de traqueotomia, e ela dissera que não queria morrer assim. Mas os filhos recusavam-se a deixá--la morrer e pediram aos médicos para colocarem vários aparelhos: uma cânula permanente de traqueotomia, uma sonda gástrica e um cateter de diálise. Portanto, agora ela estava deitada numa cama de hospital, amarrada às bombas, umas vezes consciente e outras não.

Quase todos estes doentes sabiam, há algum tempo, que tinham uma doença terminal. No entanto, eles, as famílias e os médicos não estavam preparados para enfrentar a fase final. «Temos mais conversas agora sobre o que os doentes querem para o fim da sua vida do que eles tiveram a vida toda até aqui», disse a minha amiga. «Mas o problema é que agora é demasiado tarde.»

Em 2008, o projeto nacional Coping with Cancer (Lidar com o Cancro) publicou um estudo que mostrava que doentes com cancro em fase terminal que eram ligados a um ventilador artificial, submetidos a desfibrilação ou massagem cardíaca, ou internados, à beira da morte, nos Cuidados Intensivos tinham uma qualidade de vida consideravelmente pior na sua última semana do aqueles que não eram sujeitos a esse tipo de intervenção. E, seis meses depois da sua morte, as pessoas que cuidaram deles tinham três vezes mais probabilidades de sofrer uma depressão grave. Passar os derradeiros dias de vida numa unidade de Cuidados Intensivos por causa de uma doença terminal é, para a maior parte das pessoas, uma espécie de fracasso. Ficam ligadas a um ventilador, com os órgãos todos do corpo a desligarem um a um, a mente acometida por crises de delírio e sem conseguirem perceber que nunca mais sairão daquele espaço fluorescente e impessoal. O fim chega sem que as pessoas tenham a oportunidade de se despedir ou de dizer «Está tudo bem» ou «Desculpa» ou «Amo-te».

As pessoas com uma doença grave têm prioridades além de simplesmente prolongarem a vida. Estudos mostram que as suas principais preocupações incluem evitar o sofrimento, reforçar laços com a família e os amigos, estar mentalmente alerta, não ser um fardo para os outros e alcançar uma sensação de que a sua vida está completa. O nosso sistema de cuidados médicos tecnológicos falhou profundamente no que toca a estas necessidades e o custo desse fracasso é medido em mais do que dólares. A questão, por conseguinte, não é como poderemos sustentar as despesas deste sistema mas, sim, como poderemos criar um sistema de cuidados de saúde que ajude efetivamente as pessoas a alcançarem o que é mais importante para elas no fim da vida.

No passado, quando morrer era tipicamente um processo mais precipitoso, não tínhamos de pensar numa questão destas. Embora algumas doenças e quadros clínicos tivessem uma história natural que se arrastava – a tuberculose é um exemplo clássico – sem a intervenção da Medicina moderna, com os seus exames para diagnosticar problemas e os seus tratamentos para prolongar a vida, o intervalo entre reconhecer que se tinha uma doença potencialmente fatal e morrer era, normalmente, de uns quantos dias ou semanas. Basta pensarmos como morreram os presidentes norte-americanos antes da época moderna. George Washington contraiu uma infeção na garganta em casa, a 13 de dezembro de 1799, que o matou no dia seguinte à noite. John Quincy Adams, Millard Fillmore e Andrew Johnson sucumbiram, todos eles, a AVC e morreram no espaço de dois dias. Rutherford Hayes teve um ataque cardíaco e morreu passados três dias. Outros tiveram um fim mais demorado: James Monroe e Andrew Jackson morreram de tuberculose progressiva e longa (e terrivelmente temida). O cancro oral de Ulysses Grant demorou um ano a matá-lo. Mas, como escreveu Joanne Lynn, uma investigadora que estuda o final da vida, geralmente as pessoas viviam uma doença potencialmente fatal da mesma maneira que encaravam o mau tempo: como uma coisa que surgia de um momento para o outro. E ou se sobrevivia, ou não.

Morrer costumava fazer-se acompanhar por um conjunto predefinido de costumes. Guias sobre a *ars moriendi*, a arte de morrer, eram extraordinariamente populares; uma versão medieval publicada em latim, em 1415, foi reeditada em mais de uma centena de edições em toda a Europa. As pessoas achavam que a morte devia ser aceite estoicamente, sem medo ou autocompaixão ou esperança de algo mais que não o perdão de Deus. Reafirmar a fé, arrepender-se dos seus pecados e desapegar-se dos seus bens materiais e desejos mundanos eram etapas cruciais, e os guias ofereciam às famílias preces e perguntas para fazerem aos moribundos, de modo a colocá-los no estado de espírito certo, nas suas derradeiras horas de vida. As últimas palavras revestiam-se de uma reverência especial.

Hoje em dia, uma doença catastrófica e rápida é que é a exceção. Para a maior parte das pessoas, a morte só chega depois de uma longa luta médica com uma doença que, no fim, é imbatível: um cancro em estado avançado, demência, doença de Parkinson, insuficiência progressiva de um órgão (sendo o mais comum o coração, seguido, em termos de frequência, dos pulmões, rins e fígado) ou então as debilidades acumulativas da velhice. Em todos os casos, a morte é certa, mas o momento em que vai chegar, não. Por isso, toda a gente se debate com esta incerteza: como, e quando, aceitar que a batalha está perdida? Quanto às últimas palavras, parece que praticamente já nem existe tal coisa. A tecnologia pode sustentar os nossos órgãos até estarmos muito para lá de um estado de consciência e coerência. Além disso, como é que podemos tratar dos pensamentos e preocupações dos mortos, quando a Medicina fez com que se tornasse quase impossível ter a certeza sobre quem é que está a morrer? Estará uma pessoa com um cancro terminal, demência ou insuficiência cardíaca incurável efetivamente à beira da morte?

Em tempos, fui o médico-cirurgião de uma mulher de sessenta e tantos anos que sofria de dores fortes no peito e no abdómen devido a uma obstrução intestinal que lhe perfurara o cólon e causara um ataque cardíaco, choque séptico e insuficiência renal. Fiz uma operação de urgência para retirar a porção de cólon afetada e efetuar uma colostomia. Um cardiologista desobstruiu-lhe as artérias coronárias e colocou um *stent*. Ligámo-la a um aparelho de diálise, um ventilador e a uma sonda intravenosa, e ela estabilizou. Passadas duas semanas, porém, tornou-se evidente que não ia melhorar muito. O choque séptico deixara-a com insuficiências cardíaca e respiratória, e com gangrena num pé, que teria de ser amputado. Tinha uma grande ferida abdominal aberta a verter conteúdo intestinal, que ia precisar de várias semanas para sarar, com mudança de compressas duas vezes ao dia e desinfeção. Não conseguiria comer. Precisaria de uma traqueotomia. Os rins não funcionavam e teria de passar três dias por semana ligada a uma máquina de diálise para o resto da vida.

Não era casada e não tinha filhos. Por isso, sentei-me com as irmãs dela na sala reservada aos familiares dos doentes dos Cuidados

Intensivos, para discutirmos se devíamos avançar com a amputação e a traqueotomia.

«Ela está a morrer?», perguntou-me uma das irmãs.

Eu não soube o que responder. Já nem sequer percebia muito bem o que significava «estar a morrer». Nas últimas décadas, a ciência médica tornou obsoletos séculos de experiência, tradição e linguagem sobre a nossa mortalidade e criou uma nova dificuldade para a humanidade: como morrer.

Numa manhã de sexta-feira primaveril, fui fazer uma visita a alguns dos meus doentes, acompanhado por Sarah Creed, uma enfermeira do serviço de Cuidados Paliativos do hospital onde trabalho. Eu pouco sabia sobre esse serviço. Sabia que se especializara em dar «conforto» aos doentes em fase terminal, por vezes em instalações especiais, embora regra geral o faça cada vez mais em casa. Sabia que, para que um doente meu pudesse receber esses cuidados, eu precisava de fazer um relatório a dizer que a pessoa tinha uma esperança de vida inferior a seis meses. Conhecia muito poucos doentes que tivessem optado por isso, a não ser nos últimos dias de vida, porque tiveram de assinar um documento a indicar que compreendiam que a sua doença era terminal e abdicavam dos cuidados médicos cujo objetivo era travá-la. A imagem que eu tinha dos cuidados paliativos era a de um doseador de morfina. Não era a daquela enfermeira de cabelo castanho e olhos azuis, que costumava trabalhar de estetoscópio nos Cuidados Intensivos, a bater à porta de Lee Cox no bairro de Mattapan, em Boston, numa manhã sossegada.

«Olá, Lee», disse a Sarah, ao entrar.

«Olá, Sarah», respondeu a Lee. Lee Cox tinha setenta e dois anos e há muito que a sua saúde se vinha a degradar, devido a insuficiência cardíaca congestiva causada por um ataque cardíaco e fibrose pulmonar, uma doença dos pulmões progressiva e irreversível. Os médicos tentaram abrandar a evolução da doença com esteroides, mas não resultou. Ela andou dentro e fora do hospital, cada vez pior. Acabou por aceitar os cuidados paliativos e mudou-se para casa da sobrinha, para ter apoio. Estava dependente de oxigénio e incapaz de fazer as tarefas mais banais. O simples gesto de abrir a porta, com os seus dez metros de tubo de oxigénio a reboque, deixava-a sem fôlego. Ficou parada um instante, a descansar, com os lábios crispados e o peito ofegante.

A Sarah pegou suavemente no braço da Lee, enquanto nos dirigíamos para a cozinha, para nos sentarmos, e perguntou-lhe como tinha passado. Depois, fez-lhe uma série de perguntas sobre questões que costumam surgir em doentes com doenças terminais. Tinha dores? Como é que andava de apetite, sede, sono? Sentia-se confusa, ansiosa, irrequieta? Estava pior da falta de ar? Tinha dores no peito ou palpitações? Desconforto abdominal? Problemas de obstipação, micção ou ao nível da mobilidade?

Tinham, de facto, surgido novos problemas. Quando ia do quarto até à casa de banho, explicou, demorava agora no mínimo cinco minutos a recuperar o fôlego e isso assustava-a. Também andava com dores no peito. Da sua mala de médico, a Sarah tirou o aparelho para medir a tensão. A tensão arterial da Lee estava aceitável, mas o coração acelerado. A Sarah auscultou-lhe o coração, que tinha um ritmo normal, e os pulmões; além do crepitar habitual da fibrose pulmonar, ouviu uma pieira nova. A Lee tinha os tornozelos inchados com retenção de líquidos e, quando a Sarah lhe pediu o estojo dos medicamentos, viu que se tinham acabado os comprimidos para o coração. Pediu para ver o equipamento de oxigénio. O cilindro de oxigénio líquido aos pés da sua cama muito bem feita estava cheio e a trabalhar devidamente. O equipamento nebulizador para os tratamentos de inalação, porém, estava avariado.

Tendo em conta a falta de medicamentos para o coração e os tratamentos de inalação, não era de admirar que o estado dela tivesse piorado. A Sarah ligou para a farmácia da Lee, de onde lhe disseram que já lhe tinham aviado as receitas há algum tempo. Por isso, a Sarah contactou a sobrinha da Lee para que fosse buscar os medicamentos a caminho de casa, quando saísse do trabalho. Ligou também para o fornecedor de nebulizadores para pedir um serviço de urgência para esse mesmo dia.

Depois, conversou com a Lee na cozinha durante uns minutos. A Lee estava em baixo. A Sarah deu-lhe a mão. Ia correr tudo bem, disse. Lembrou-lhe os dias bons que tinha vivido, por exemplo no fim de semana anterior, quando conseguira sair com o cilindro portátil de oxigénio, para ir às compras e pintar o cabelo com a sobrinha.

Perguntei à Lee como era a sua vida antigamente. Ela trabalhara numa fábrica de rádios, em Boston. Ela e o marido tinham tido dois filhos e vários netos.

Quando lhe perguntei porque é que tinha optado pelos cuidados paliativos, ela pareceu abatida.

«O médico dos pulmões e o do coração disseram que já não me podiam ajudar», respondeu ela. A Sarah lançou-me um olhar fulminante. As minhas perguntas tinham deixado a Lee novamente triste.

Ela contou-me a história das provações da velhice sobrepostas às provações de ter uma doença que sabia que, um dia, a levaria. «É bom ter a minha sobrinha e o marido a tomarem conta de mim todos os dias», disse ela. «Mas esta não é a minha casa. Sinto que estou a estorvar.» Uma vez mais, a convivência multigeracional ficava aquém da sua imagem nostálgica.

A Sarah deu-lhe um abraço e fez-lhe uma última recomendação antes de sairmos. «O que é que deve fazer, se tiver dores no peito que não passam?», perguntou.

«Tomo um nitro», disse a Lee, referindo-se ao comprimido de nitroglicerina que podia dissolver debaixo da língua.

«E?»

«Telefono-lhe.»

«Onde é que está o número?»

Ela apontou para o número da linha 24 horas dos Cuidados Paliativos que estava colada ao lado do telefone.

Quando já estávamos na rua, confessei que não percebia muito bem o que a Sarah fazia. Grande parte dos seus gestos pareciam destinar-se a prolongar a vida de Lee Cox. Então, mas o objetivo dos Cuidados Paliativos não era deixar a natureza seguir o seu rumo?

«Não é esse o objetivo», respondeu a Sarah. A diferença entre os cuidados médicos comuns e os Cuidados Paliativos não é a diferença entre tratar e não fazer nada, explicou. A diferença encontrava-se nas prioridades. Na Medicina normal, o objetivo é prolongar a vida. Sacrificamos a qualidade de vida no momento – operando, fazendo quimioterapia, internando os doentes nos Cuidados Intensivos – para termos a possibilidade de ganhar tempo *mais tarde*. Os Cuidados Paliativos mobilizam enfermeiras, médicos, capelães e assistentes sociais para ajudar as pessoas com uma doença fatal a viver a sua vida com o máximo de plenitude possível *no presente*, da mesma maneira que os reformadores dos lares para idosos mobilizam funcionários para ajudar as pessoas com incapacidade profunda. Numa doença terminal, isso significa concentrarmo-nos em objetivos como aliviar a dor e do desconforto, ou preservar a lucidez o máximo de tempo possível, ou levá-los a sair com a família de vez em quando... e não no tempo de vida da Lee. Não obstante, quando ela foi transferida para os Cuidados Paliativos, os médicos pensaram que não viveria muito mais do que umas quantas semanas. Com o programa de apoio dos Cuidados Paliativos, ela já tinha vivido um ano.

Os Cuidados Paliativos não são uma escolha fácil de se fazer. Uma enfermeira dos Cuidados Paliativos entra na vida das pessoas num momento difícil: quando elas já perceberam que têm uma doença fatal, mas não admitiram necessariamente que estão a morrer. «Eu diria que, quando chegam aos Cuidados Paliativos, só um quarto das pessoas aceitou o seu destino», explicou a Sarah. Quando ela se reúne pela primeira vez com os doentes, muitos sentem que os médicos os abandonaram pura e simplesmente. «Noventa e nove por cento compreendem que estão a morrer, mas cem por cento têm esperança de não estar», disse-me ela. «Continuam a querer vencer a doença.» A visita inicial é sempre complicada, mas ela arranjou maneiras de suavizar as coisas. «Uma enfermeira tem cinco segundos para fazer com que um doente goste dela e confie nela. Depende tudo da maneira como nos apresentamos. Não entro a dizer: «Lamento muito.» Em vez disso, digo: «Sou a enfermeira dos Cuidados Paliativos e aqui está o que posso fazer por si para lhe melhorar a qualidade de vida. E sei que não temos tempo a desperdiçar.»

Foi assim que começou com o Dave Galloway, que fomos visitar quando saímos de casa da Lee Cox. Ele tinha quarenta e dois anos. Ele e a mulher, a Sharon, eram ambos bombeiros em Boston. Tinham uma filha de três anos. Ele tinha um cancro no pâncreas, com metástases espalhadas por toda a parte superior do abdómen. Nos últimos meses, a dor tornara-se frequentemente insuportável e ele foi internado no hospital várias vezes com crises de dores. Da última vez que esteve internado, havia cerca de uma semana, descobriram que o tumor tinha perfurado o intestino. Não havia sequer uma solução temporária para o problema. A equipa médica começou a alimentá-lo através de uma sonda gástrica e deixou-o escolher entre ser internado na unidade de Cuidados Intensivos ou ir para casa com o apoio dos Cuidados Paliativos. Ele escolheu ir para casa.

«Quem me dera que tivéssemos sido chamados mais cedo», contou-me a Sarah. Quando ela e a médica-chefe dos Cuidados Paliativos, JoAnne Nowak, avaliaram Galloway à sua chegada a casa, ele parecia ter apenas uns dias de vida. Tinha os olhos encovados, a respiração penosa. Todo o seu corpo da cintura para baixo enchera-se de líquidos ao ponto de a pele formar bolhas e verter fluido. Ele estava à beira do delírio, tantas eram as dores abdominais.

Elas puseram mãos à obra. Instalaram um doseador com um botão que o deixava tomar doses maiores de narcótico do que lhe tinham permitido até aí. Arranjaram uma cama hospitalar elétrica, para ele poder dormir com as costas levantadas. Também ensinaram a Sharon a lavar o Dave, a proteger a pele dele para não rebentar e a lidar com a crise vindoura. A Sarah explicou-me que uma parte do seu trabalho consistia em observar a família de um doente e a Sharon parecera-lhe uma pessoa invulgarmente forte. Estava determinada a cuidar do marido até ao fim e, talvez por ser bombeira, tinha a resiliência e a competência para o fazer. Não queria contratar uma enfermeira particular. Tratava ela própria de tudo, desde as sondas intravenosas e a roupa de cama até à gestão dos membros da família para que a ajudassem quando precisava.

A Sarah preparou um «pacote de alívio» e mandou entregá-lo por *FedEx*, para o Dave guardar num minifrigorífico instalado ao lado da sua cama. Continha uma dose de morfina para dores muito intensas ou falta de ar, lorazepam para ataques de ansiedade, proclorperazina para a náusea, haloperidol para o delírio, tylenol para a febre e atropina para secar o catarro que as pessoas podem ter nas últimas horas de vida. Se surgisse algum destes problemas, a Sharon tinha ordens para telefonar para a linha 24 horas dos Cuidados Paliativos, para a enfermeira de serviço lhe explicar quais os medicamentos a utilizar ·para aliviar o Dave e, se necessário, ir lá a casa ajudar.

Em casa, o Dave e a Sharon conseguiram por fim dormir a noite inteira. A Sarah ou outra enfermeira visitava-o todos os dias, de quando em quando duas vezes ao dia. Por três vezes nessa semana, a Sharon usara a linha de urgência dos Cuidados Paliativos para a ajudarem a lidar com as crises de dor ou as alucinações do Dave. Passados uns dias, conseguiram inclusive ir a um restaurante que adoravam; ele não tinha fome, mas desfrutaram do simples facto de ali estarem e das recordações que isso lhes trouxe à mente.

A parte mais difícil de todas até aí, disse a Sharon, foi tomar a decisão de desistir dos dois litros de alimentação intravenosa que o Dave recebia todos os dias. Embora fossem a sua única fonte de energia, os funcionários dos Cuidados Paliativos incentivaram-nos a desistir deles, porque o corpo do Dave parecia não estar a absorver a nutrição. A infusão de açúcares, proteínas e gorduras agravava o inchaço doloroso da pele e a falta de ar... e para quê? O mantra era: viver o presente. A Sharon mostrara-se relutante, com medo de estar a matá-lo à fome. Na véspera da nossa visita, porém, ela e o Dave decidiram experimentar passar a noite sem tomar a infusão. De manhã, o inchaço tinha diminuído a olhos vistos. Ele conseguia mexer-se melhor e com menos desconforto. Começou também a comer pequenas porções de comida, só pelo sabor, e isso fez a Sharon sentir-se melhor em relação à decisão que haviam tomado.

Quando chegámos, o Dave estava a voltar para a cama depois de ter tomado um duche, apoiado com um braço nos ombros da mulher e a arrastar os pés passo a passo. «Não há nada para ele como um duche bem longo e quente», disse a Sharon. «Se pudesse, ele passava o dia debaixo do chuveiro.»

O Dave sentou-se na beira da cama, com um pijama vestido de lavado, a recuperar o fôlego, e a Sarah falou com ele enquanto a filha, a Ashlee, entrava e saía do quarto a correr, com os seus puxinhos, para deixar peluches no colo do pai.

«Como é que classificaria a sua dor numa escala de um a dez?», perguntou a Sarah.

«Seis», disse ele.

«Aumentou a dose de morfina?»

Ele não respondeu de imediato. «Sinto-me relutante em fazê-lo», confessou.

«Porquê?», perguntou a Sarah.

«É como se fosse uma derrota», disse ele.

«Uma derrota?»

«Não me quero tornar toxicodependente», explicou ele. «Não quero depender da droga.»

A Sarah pôs-se de joelhos à frente dele. «Dave, eu não conheço ninguém capaz de aguentar esse tipo de dor sem a medicação», disse ela. «Não é uma derrota. Tem uma mulher e uma filha lindas, e não vai poder desfrutar da companhia delas, se estiver com dores.»

«Tem razão», disse ele, olhando para a Ashlee, enquanto ela lhe dava um cavalinho. E carregou no botão do doseador.

Dave Galloway morreu uma semana depois: em casa, em paz e rodeado pela família. Passado uma semana, morreu a Lee Cox. Mas como que para mostrar até que ponto as vidas humanas resistem a fórmulas, a Lee nunca aceitou a incurabilidade das suas doenças. Por isso, quando a família a encontrou com uma paragem cardíaca, um dia de manhã, seguiu os desejos dela e ligou para o número das emergências e não para o serviço de Cuidados Paliativos. O pessoal médico das Urgências, os bombeiros e a polícia vieram a correr. Arrancaram-lhe a roupa e fizeram-lhe uma massagem cardíaca, entubaram-na pela boca para lhe administrar oxigénio, e tentaram reanimá-la com um desfibrilador. Mas estes esforços raramente resultam em doentes terminais e ela não foi exceção.

Os Cuidados Paliativos têm tentado oferecer-nos um novo ideal para a maneira como morremos. Embora nem toda a gente tenha aceitado de braços abertos os seus rituais, as pessoas que o fizeram estão a tentar delinear uma *ars moriendi* para a nossa época. Mas fazê-lo implica uma luta, não só contra o sofrimento mas também contra a motivação aparentemente imparável do tratamento médico.

Pouco antes do Dia de Ação de Graças, a Sara Monopoli, o marido, o Rich, e a mãe dela, Dawn Thomas, reuniram-se com o Dr. Marcoux para analisar as opções que restavam à Sara. Por essa altura, a Sara já tinha feito três ciclos de quimioterapia com poucos ou nenhuns resultados. Talvez Marcoux pudesse ter conversado sobre aquilo que ela mais queria próximo da morte e qual a melhor maneira de alcançar esses seus desejos. Mas a mensagem que recebeu da Sara e da família foi que queriam falar exclusivamente sobre as opções de tratamento. Não queriam falar sobre a morte.

Mais tarde, depois de a Sara morrer, falei com o marido e os pais dela. Disseram que a Sara sabia que a sua doença era incurável. Uma semana depois de a terem diagnosticado e de ter tido o bebé, ela delineou quais eram os seus desejos para a educação de Vivian, depois de morrer. Em várias ocasiões, disse à família que não queria morrer no hospital. Queria passar os seus derradeiros momentos em casa, em paz. Mas a ideia de que esses momentos podiam estar perto, que poderia não haver uma maneira de abrandar a doença, «era uma coisa que nem ela nem eu queríamos abordar», disse a mãe.

O Gary, o pai e a Emily, a irmã gémea, ainda se agarravam à esperança de que houvesse uma cura. Achavam que os médicos é que não estavam a analisar o caso com o devido empenho. «Eu não queria acreditar que não havia solução», disse o Gary. Para o Rich, a experiência da doença da Sara deixara-o desnorteado: «Tínhamos um bebé. Éramos jovens. E aquilo era tão chocante e estranho. Nunca falámos sobre a hipótese de parar com o tratamento.»

Marcoux avaliou a família. Com quase duas décadas de experiência no tratamento do cancro do pulmão, já tinha tido muitas conversas como aquela. Ele tem um ar calmo e reconfortante e a tendência típica das pessoas oriundas do Minnesota para evitar o confronto ou a intimidade excessiva. Tenta ser científico nas decisões que toma.

«Sei que a grande maioria dos meus doentes vai morrer da doença», disse-me ele. Os dados mostram que, quando o segundo ciclo de quimioterapia falha, os doentes com cancro do pulmão raramente ganham tempo de vida na sequência de mais tratamentos e, muitas vezes, sofrem efeitos secundários de monta. Mas também ele tem as suas expectativas.

Disse-lhes que, a dada altura, os «cuidados de apoio» eram uma opção que eles deviam considerar. Mas, prosseguiu, também havia terapias experimentais e falou-lhes sobre várias que estavam em fase de experimentação. A mais promissora era uma droga da Pfizer que visava as mutações encontradas nas células cancerígenas. A Sara e a família depositaram de imediato todas as suas esperanças nisso. O medicamento era tão recente que ainda nem sequer tinha nome, apenas um número – PF0231006 –, o que o tornava ainda mais apelativo.

Havia umas quantas dúvidas a pairar, incluindo o facto de os cientistas ainda não saberem qual era a dosagem segura. A droga ainda só estava na Fase 1 dos testes, isto é, dos testes concebidos para determinar a toxicidade de uma série de dosagens e não se a droga funciona. Além disso, um teste dessa droga efetuado numa placa de Petri com as células cancerígenas da Sara não obteve qualquer resultado. Mas Marcoux achou que estes não eram obstáculos decisivos, apenas negativos. O problema crucial era que as regras do teste excluíam a Sara, por causa de uma embolia pulmonar que ela tivera nesse verão. Para se candidatar, teria de deixar passar dois meses para poder superar esse episódio. Entretanto, ele sugeria experimentar outra quimioterapia convencional chamada vinorelbina. A Sara começou o tratamento na segunda-feira a seguir ao Dia de Ação de Graças.

Vale a pena fazer aqui uma pausa para analisar o que aconteceu. A Sara acabou por se sujeitar, passo a passo, a um quarto ciclo de quimioterapia, um ciclo com uma probabilidade mínima de alterar o curso da sua doença e uma probabilidade enorme de causar efeitos secundários debilitantes. Perdeu-se uma oportunidade para as pessoas se prepararem para o inevitável. E tudo aconteceu por causa de uma circunstância absolutamente normal: a doente e os respetivos familiares não estavam prontos para enfrentar a realidade da doença.

Perguntei a Marcoux o que espera fazer pelos doentes com cancro do pulmão em fase terminal, quando estes o consultam pela primeira vez. «Penso: será que lhes consigo dar um ano ou dois de vida decente?», disse ele. «São essas as minhas expectativas. Para mim, a esperança de vida para uma doente como a Sara é três ou quatro anos.» Mas não é isso que as pessoas querem ouvir. «As pessoas querem dez ou vinte anos. Estão constantemente a dizer-me isso. E se eu estivesse no lugar delas, sentiria o mesmo.»

Seria de pensar que os médicos estivessem bem preparados para lidar com estas situações delicadas, mas há pelo menos duas coisas que interferem connosco. Em primeiro lugar, as nossas próprias perspetivas podem ser pouco realistas. Um estudo chefiado pelo sociólogo Nicholas Christakis pediu aos médicos de quase quinhentos doentes em fase terminal para calcular quanto tempo achavam que os seus doentes sobreviveriam e depois seguiu esses pacientes. Sessenta e três por cento dos médicos sobrestimaram o tempo de sobrevivência dos doentes. Só 17 por cento o subestimaram. A estimativa média foi 530 por cento acima do verificado. E quanto melhor os médicos conheciam os doentes, maiores eram as probabilidades de errarem as estimativas.

Em segundo lugar, muitas vezes evitamos exprimir estes sentimentos. Estudos mostram que, embora os médicos geralmente digam aos doentes quando um cancro não tem cura, a maior parte sente-se relutante em fazer um prognóstico específico, mesmo sob pressão do paciente. Mais de 40 por cento dos oncologistas admitem que propõem tratamentos que sabem que provavelmente não resultarão. Numa época em que a relação entre o doente e o médico assume cada vez mais um tom comercial – «o cliente tem sempre razão» –, os médicos sentem-se especialmente hesitantes em passar por cima das expectativas de um doente. Preocupa-nos muito mais sermos excessivamente pessimistas do que sermos excessivamente otimistas. E falar sobre morrer tem uma carga emocional terrível. Quando temos um doente como a Sara Monopoli, a última coisa que queremos é abordar a verdade. Eu sei, porque Marcoux não era o único médico que estava a evitar ter essa conversa com ela. Eu também estava.

No início desse verão, uma tomografia por emissão de positrões (PET) tinha mostrado que, além do cancro no pulmão, ela tinha cancro da tiroide, que se propagara aos gânglios linfáticos do pescoço, e chamaram-me para decidir se se operava ou não. Este segundo cancro, não relacionado com o primeiro, era efetivamente operável. Mas os cancros da tiroide levam anos a tornar-se letais. O cancro do pulmão poria quase de certeza fim à vida dela muito antes de o cancro da tiroide lhe dar problemas. Dada a extensão da operação que seria necessária e as potenciais complicações, a melhor opção era não fazer nada. Mas explicar o meu raciocínio à Sara significava abordar a mortalidade do seu cancro do pulmão, algo que eu não me sentia preparado para fazer.

Sentada no meu gabinete, a Sara não me pareceu desanimada com a descoberta deste segundo cancro. Pareceu-me determinada. Tinha lido artigos sobre os bons resultados dos tratamentos para o cancro da tiroide, por isso estava animada, desejosa de marcar uma data para a operação. E eu deixei-me arrastar pelo otimismo dela. E se eu estivesse enganado, pensei, e ela fosse o doente miraculoso que sobrevive a um cancro do pulmão com metástases? Como é que eu podia deixar aquele cancro da tiroide por tratar?

A minha solução foi evitar por completo o assunto. Disse à Sara que tinha notícias relativamente boas sobre o seu cancro da tiroide: estava a crescer lentamente e era tratável. Mas a prioridade era o cancro do pulmão, expliquei. Não queremos protelar o tratamento para isso. Podíamos vigiar o cancro da tiroide por enquanto e marcar a operação daí a uns meses.

Vi-a de seis em seis semanas e, de consulta para consulta, reparava no seu declínio físico. No entanto, até numa cadeira de rodas, a Sara vinha sempre com um sorriso, maquilhada e com o cabelo preso com ganchos para não lhe cair para os olhos. Arranjava pequenos motivos para brincar, como as estranhas protuberâncias que os tubos lhe faziam no vestido. Estava disposta a experimentar tudo e dei por mim a concentrar-me nas novidades sobre tratamentos experimentais para o cancro do pulmão. Depois de um dos tratamentos de quimioterapia ter aparentemente reduzido um nadinha o cancro da tiroide, até levantei a hipótese de uma terapia experimental poder resultar para ambos os cancros, o que era pura fantasia. Discutir uma fantasia era mais fácil – menos dramático, menos explosivo, menos ambíguo – do que falar sobre o que estava a acontecer diante dos meus próprios olhos.

Entre o cancro do pulmão e a quimioterapia, a Sara foi ficando cada vez mais doente. Dormia a maior parte do tempo e pouco conseguia fazer fora de casa. Os apontamentos clínicos de dezembro descrevem falta de ar, vómitos em seco, tosse com sangue, cansaço profundo. Além dos tubos de drenagem torácica, precisava de procedimentos de drenagem com agulha no abdómen todas as semanas, ou de duas em duas semanas, para aliviar a pressão extrema provocada pelos litros de líquido que o cancro produzia.

Uma tomografia computorizada efetuada em dezembro mostrou que o cancro do pulmão se estava a espalhar pela coluna, fígado e pulmões. Quando nos reunimos em janeiro, ela tinha muita dificuldade em mover-se. A parte inferior do corpo estava tão inchada que lhe repuxava a pele. Não conseguia dizer mais do que uma frase sem lhe faltar o ar. Na primeira semana de fevereiro, já precisava de oxigénio em casa para respirar. Já tinha, no entanto, passado tempo suficiente desde a embolia pulmonar para ela poder começar o tratamento experimental com a nova droga da Pfizer. Precisava só de mais uma série de exames para ter luz verde. Os exames mostraram que o cancro se tinha propagado ao cérebro, com pelo menos nove tumores espalhados pelos dois hemisférios, tendo o maior 1,5 cm. Como a droga experimental não foi concebida para transpor a barreira hematoencefálica, a PF0231006 não ia resultar.

E ainda assim, a Sara, a família e a equipa médica continuaram com vontade de lutar. No espaço de vinte e quatro horas, a Sara foi levada ao hospital para consultar um oncologista especializado em radioterapia, para fazer o tratamento com radiações ao cérebro todo e tentar reduzir o tamanho das metástases. No dia 12 de fevereiro, ela terminou o tratamento de cinco dias de radioterapia, que a deixou incomensuravelmente cansada, praticamente incapaz de sair da cama. Quase não comia. Pesava menos doze quilos do que no outono. Confessou ao Rich que, nos últimos dois meses, tinha dupla visão e não sentia as mãos.

«Porque é que não contaste a ninguém?», perguntou-lhe ele.

«Não queria parar com o tratamento», disse ela. «E os médicos ter-me-iam obrigado a parar.»

Deram-lhe duas semanas para recuperar as forças depois da radioterapia. A seguir, arranjámos outra droga experimental para ela tentar, de uma pequena empresa de biotecnologia. Marcou-se o início do tratamento para 25 de fevereiro. As hipóteses dela estavam em acelerado declínio, mas quem éramos nós para dizer que eram inexistentes?

Em 1985, o paleontólogo e escritor Jay Gould publicou um artigo extraordinário intitulado «O ponto mediano não é a mensagem», depois de ter sido diagnosticado, três anos antes, com um mesotelioma abdominal, um cancro raro e letal, geralmente associado a exposição a amianto. Foi a uma biblioteca médica, quando soube o diagnóstico, e requisitou os artigos científicos mais recentes sobre a doença. «A bibliografia não podia ter sido mais brutalmente clara: o mesotelioma é incurável, com uma sobrevivência média de apenas oito meses após a descoberta da doença», escreveu. A notícia foi devastadora. Mas, depois, começou a analisar os gráficos das curvas de sobrevivência.

Gould era um naturalista e mais inclinado a reparar na variação na zona média da curva do que no ponto mediano em si. O que o naturalista viu foi uma variação notável. Os doentes não se aglomeravam em redor da sobrevivência média; em vez disso, espalhavam-se em ambas as direções. Além do mais, a curva estava inclinada para a direita, com uma longa cauda, embora fina, de pacientes que viviam muitos anos para lá da média dos oito meses. Foi aí que ele encontrou reconforto. Imaginava-se a sobreviver mais do que a média, ao longo daquela comprida cauda. E assim aconteceu. Depois de uma operação e de quimioterapia experimental, viveu mais vinte anos e morreu somente em 2002, aos sessenta anos, de um cancro do pulmão não relacionado com a doença anterior.

«Na minha opinião, tornou-se um bocadinho moda considerar a aceitação da morte como sinónimo de dignidade intrínseca», escreveu ele, no seu artigo de 1985. «É claro que concordo com o pregador de *Eclesiastes* quando diz que há um tempo para amar e um tempo para morrer... e quando o meu fio da vida chegar ao fim, espero encarar o fim com serenidade e à minha maneira. Na maior parte das situações, porém, prefiro a perspetiva mais marcial de que a morte é o inimigo supremo e não vejo nada de mal naquelas pessoas que se batem com todas as suas forças contra o morrer da luz.»

Penso em Gould e no seu artigo, sempre que tenho um doente com uma doença terminal. Há quase sempre uma cauda longa de possibilidade, por mais fina que seja. Que mal tem procurá-la? Nada, diria eu, a menos que isso signifique que não conseguimos preparar-nos para o resultado que é, de longe, mais provável. O problema é que construímos o nosso sistema e cultura médicos em torno da cauda longa. Criámos um edifício multimilionário para oferecer o equivalente médico dos bilhetes da lotaria... mas só dispomos de um sistema rudimentar para preparar os doentes para a quase certeza de que esses bilhetes não serão premiados. A esperança não é um plano, mas a esperança é o nosso plano.

No caso da Sara, não houve nenhuma recuperação miraculosa e, quando o fim se aproximou, nem ela nem a família estavam prontas. «Sempre quis respeitar o desejo dela de morrer em paz, em casa», disse-me o Rich, mais tarde. «Mas não estava convencido de que o conseguíssemos cumprir. Não sabia como o fazer.»

Na manhã de sexta-feira, 22 de fevereiro, três dias antes da data marcada para começar o novo ciclo de quimioterapia, o Rich acordou com a Sara sentada de costas direitas ao seu lado, apoiada nos braços, de olhos arregalados, com falta de ar. Estava cinzenta, muito ofegante, com espasmos a cada inspiração pela boca escancarada. Parecia que se estava a afogar. Ele tentou aumentar o oxigénio da sonda nasal, mas ela não melhorou.

«Não consigo aguentar isto», disse ela, fazendo uma pausa entre cada palavra. «Tenho medo.»

Ele não tinha um *kit* de emergência no frigorífico. Nem uma enfermeira dos Cuidados Paliativos a quem telefonar. E como é que havia de saber se aquele novo quadro tinha remédio?

Vamos para o hospital, disse ele. Quando lhe perguntou se deviam ir de carro, ela abanou a cabeça, por isso ele ligou para as emergências e explicou à sogra, Dawn, que estava no quarto ao lado, o que se passava. Uns minutos depois, os bombeiros subiam as escadas até ao quarto dela, com as sirenes a uivar lá fora. Quando puseram a Sara numa maca na ambulância, a Dawn desfez-se em lágrimas.

«Vamos resolver isto», disse-lhe o Rich. Era só mais uma ida ao hospital, disse ele para si próprio. Os médicos arranjariam uma maneira de a pôr boa.

No hospital, diagnosticaram-lhe uma pneumonia, o que perturbou muito a família, porque pensavam que tinham feito tudo para evitar as infeções. Tinham lavado as mãos com todo o cuidado, limitado as visitas de pessoas com crianças pequenas, limitado inclusive os momentos que a Sara passava com a bebé, se a Vivian mostrava o mínimo sinal de ter o nariz a pingar. Mas o sistema imunitário da Sara e a sua capacidade para expelir as secreções dos pulmões ficaram enfraquecidos devido à radioterapia e quimioterapia, bem como ao próprio cancro.

Por outro lado, o diagnóstico de pneumonia era reconfortante, porque era apenas uma infeção. Podia ser tratada. A equipa médica deu-lhe antibióticos por via intravenosa e oxigénio em grandes doses através de uma máscara. A família reuniu-se à cabeceira dela, esperando que os antibióticos resultassem. O problema podia ser reversível, disseram uns aos outros. Mas, nessa noite e na manhã seguinte, a respiração dela tornou-se mais penosa.

«Não consigo pensar numa só coisa engraçada para dizer», disse a Emily à Sara, sob o olhar dos pais.

«Eu também não», murmurou a Sara. Só mais tarde é que a família percebeu que estas foram as últimas palavras que ela proferiu. Depois disso, começou a mergulhar em longos períodos de inconsciência. A equipa médica só tinha uma opção: ligá-la a um ventilador. A Sara era uma lutadora, não era? Então, o próximo passo para os lutadores é passar para os Cuidados Intensivos.

Esta é uma tragédia moderna, repetida milhões de vezes. Quando não há maneira de sabermos exatamente quanto tempo a nossa vida vai durar – e quando imaginamos que dispomos de muito mais tempo do que é verdade –, todos os nossos instintos nos impelem a lutar, a morrer com quimioterapia nas veias ou um tubo na garganta ou suturas recentes na carne. O facto de podermos estar a encurtar ou a piorar o tempo que nos resta parece não ser tido verdadeiramente em conta. Imaginamos que podemos esperar até os médicos nos dizerem que já não podem fazer mais nada. Mas é raro os médicos não poderem fazer mais nada. Podem ministrar drogas de eficácia desconhecida, operar para tentar extrair uma parte do tumor, colocar uma sonda gástrica se uma pessoa não conseguir comer... há sempre alguma coisa. Nós queremos estas hipóteses de escolha. Mas isso não quer dizer que estejamos desejosos de fazer nós próprios as escolhas. Em vez disso, a maior parte das vezes não fazemos qualquer escolha. Amparamo-nos na escolha automática por defeito, que é: Façam alguma coisa. Consertem alguma coisa. Há alguma maneira de sair disto?

Há uma escola de pensamento que diz que o problema é a ausência de forças de mercado. Se os doentes terminais – em vez das companhias de seguros ou do governo – tivessem de pagar os custos acrescidos dos tratamentos que escolhiam em vez dos Cuidados Paliativos, pensariam duas vezes se compensava. Os doentes com cancro em fase terminal não pagariam 80 mil dólares por drogas e doentes com insuficiência cardíaca em fase final de vida não pagariam 50 mil dólares por desfibriladores que, no máximo, lhes oferecem apenas mais uns meses de sobrevivência. Mas este argumento ignora um fator importante: as pessoas que optam por estes tratamentos não estão a pensar em meses. Estão a pensar em anos. A pensar que estão, no mínimo, a ganhar o tal bilhete de lotaria que lhes poderá dar a oportunidade de a sua doença deixar inclusive de ser um problema. Além disso, se há uma coisa que queremos comprar no mercado livre ou obter em troca dos nossos impostos, é a certeza de que, quando precisarmos destas opções, não teremos de nos preocupar com os custos.

É por isso que a palavra «racionamento» continua a ter uma carga tão forte. Há um incómodo generalizado em relação às circunstâncias em que nos encontramos, mas há também o medo de as discutir ao pormenor. Porque, aparentemente, a única alternativa à solução de mercado é o racionamento assumido: comissões da morte, como há quem lhes chame. Na década de 1990, as companhias de seguros tentaram contestar as decisões de médicos e doentes relativas aos tratamentos em caso de doença terminal, mas as tentativas saíram-lhes pela culatra e, num caso em especial, acabaram por pôr fim à estratégia: o caso de Nelene Fox.

Fox era de Temecula, na Califórnia, e foi diagnosticada com cancro da mama metastizado, em 1991, quando tinha trinta e oito anos. A cirurgia e a quimioterapia convencional falharam e o cancro propagou-se à medula óssea. A doença estava em fase terminal. Os médicos da Universidade da Califórnia do Sul propuseram-lhe um tratamento novo e radical, mas aparentemente promissor: quimioterapia em doses elevadas com transplante da medula. Era a única hipótese de cura de Fox.

A seguradora, a Health Net, rejeitou o pedido para cobrir os custos, argumentando que se tratava de um tratamento experimental, cujos benefícios estavam por comprovar e que, por isso, ficava excluído ao abrigo dos termos da sua apólice. A seguradora pressionou-a para que pedisse uma segunda opinião a um centro médico independente. Fox recusou: quem eram eles para a mandarem pedir uma segunda opinião? A sua vida estava em risco. Através de donativos, conseguiu angariar 212 mil dólares e pagou ela própria os custos do tratamento, mas este foi protelado. Ela morreu oito meses depois do tratamento. O marido processou a Health Net por má-fé, violação de contrato, danos materiais e morais, e ganhou. O júri atribuiu aos seus herdeiros 89 milhões de dólares. Os executivos da Health Maintenance Organization foram rotulados de assassinos. Dez estados promulgaram uma lei que exigia que as seguradoras pagassem transplantes de medula em casos de cancro da mama.

Indiferente foi o facto de a Health Net ter razão. Estudos acabaram por demonstrar que o tratamento não só não tinha quaisquer benefícios para doentes com cancro da mama, como ainda piorava a sua qualidade de vida. Mas o veredito do júri abalou o sector americano das seguradoras. Questionar as decisões de médicos e doentes relativamente a tratamentos para doenças terminais foi considerado um suicídio político.

Em 2004, executivos de outra companhia de seguros, a Aetna, decidiram experimentar uma abordagem diferente. Em vez de reduzirem as opções de tratamento agressivo para os seus segurados com doenças terminais, decidiram tentar aumentar as opções de cuidados paliativos. A Aetna tinha reparado que só uma minoria de doentes é que interrompia as tentativas de tratamento curativo e se inscrevia nos cuidados paliativos. E quando o fazia, geralmente era só no finzinho. Por isso, a companhia decidiu fazer uma experiência: os segurados com uma esperança de vida de menos de um ano podiam receber cuidados paliativos sem terem de desistir de outros tratamentos. Uma doente como a Sara Monopoli podia continuar a tentar quimioterapia e radioterapia e ir para o hospital quando quisesse, mas também podia ter uma equipa de Cuidados Paliativos em casa concentrada no que ela precisava para ter a melhor vida possível no agora e naquela manhã em que eventualmente acordasse sem conseguir respirar.

Um estudo de dois anos deste programa de «cuidados concomitantes» chegou à conclusão de que os doentes inscritos tinham muito mais probabilidades de recorrer aos Cuidados Paliativos: os números saltaram de 26 por cento para 70 por cento. Isto não constituiu uma surpresa, uma vez que eles não foram obrigados a abdicar de nada. O que verdadeiramente surpreendeu foi o facto de, espontaneamente, terem abdicado de algumas coisas: visitaram as Urgências metade das vezes que os pacientes do grupo de controlo; usaram os hospitais e os Cuidados Intensivos menos de dois terços. Ao todo, os custos diminuíram quase um quarto.

O resultado foi espantoso e desconcertante: não era claro o que é que fizera com que a estratégia resultasse. A Aetna pôs em prática um programa de cuidados concomitantes mais modesto para um grupo maior de doentes em fase terminal. Para esses doentes, aplicavam-se as regras tradicionais dos Cuidados Paliativos: para se candidatarem aos cuidados paliativos em casa, tinham de desistir de fazer tratamentos curativos. Mas, de uma maneira ou de outra, recebiam telefonemas das enfermeiras dos Cuidados Paliativos, que se ofereciam para os visitar regularmente e ajudar a encontrar serviços para uma série de coisas, desde a gestão da dor a redigir um testamento em vida. Também no caso desses doentes, a inscrição nos Cuidados Paliativos saltou para 70 por cento e o seu recurso aos serviços hospitalares caiu a pique. Entre os doentes idosos, o uso dos Cuidados Intensivos caiu mais de 85 por cento. Os níveis de satisfação dispararam em flecha. O que é que se passava? Os líderes do programa tinham a impressão de terem simplesmente dado a pessoas extremamente doentes alguém experiente e conhecedor para elas conversarem sobre as suas preocupações do dia-a-dia. E, pelos vistos, isso chegava... conversar.

A explicação pode parecer pouco credível, mas nos últimos anos tem havido cada vez mais provas que a confirmam. Dois terços dos doentes cancerosos em fase terminal do estudo Coping with Cancer declararam não terem tido qualquer conversa com os médicos sobre os seus objetivos em relação aos cuidados em fim de vida, apesar de, em média, estarem a apenas quatro meses da morte. Mas o terço que confirma ter conversado com os médicos mostrou estar menos interessado na reanimação cardiopulmonar ou em ser ligado a um ventilador ou internado nos Cuidados Intensivos. Sofreram menos, sentiram-se fisicamente mais capazes e conseguiram, durante mais tempo, interagir com as outras pessoas. Além disso, seis meses depois da morte destes doentes, os seus familiares denotaram muito menos probabilidades de mergulhar numa depressão persistente. Por outras palavras: as pessoas que tiveram conversas importantes com os médicos sobre as suas preferências para o fim da vida morreram muito mais em paz e com o controlo da sua situação e pouparam muita angústia às famílias.

Um estudo de 2010 que se tornou uma referência, levado a cabo pelo Massachusetts General Hospital, chegou a conclusões ainda mais espantosas. Os investigadores atribuíram aleatoriamente a 151 pacientes com cancro do pulmão em Fase IV, como a Sara, uma de duas estratégias possíveis de tratamento. Metade recebeu os cuidados oncológicos habituais. A outra metade recebeu os habituais cuidados oncológicos e, em paralelo, visitas de um especialista dos

Cuidados Paliativos. Os especialistas dos Cuidados Paliativos são formados para prevenir e aliviar o sofrimento dos doentes, e para fazer uma consulta com um deles não é preciso determinar se os doentes estão a morrer ou não. Se uma pessoa tiver uma doença grave e complexa, estes especialistas têm todo o gosto em ajudar. Os que participaram no estudo conversaram com os doentes sobre os seus objetivos e prioridades para se e quando a sua doença se agravasse. Resultado: as pessoas que falaram com um especialista dos Cuidados Paliativos pararam com a quimioterapia mais cedo, entraram para os Cuidados Paliativos muito antes, sofreram menos no fim da vida e... *viveram 25 por cento mais tempo*. Por outras palavras: a nossa tomada de decisões na Medicina falhou tão rotundamente que chegámos ao ponto de infligirmos ativamente mal aos nossos doentes em vez de os confrontarmos com a questão da mortalidade. Se as conversas sobre o final da vida fossem uma droga experimental, a FDA aprová-las-ia.

Os doentes que se entregaram aos Cuidados Paliativos tiveram resultados igualmente surpreendentes. À semelhança de tantas outras pessoas, também eu achava que os cuidados paliativos aceleravam a morte, porque os pacientes desistem do tratamento hospitalar e têm permissão para tomar doses elevadas de narcóticos para combater a dor. Mas toda uma série de estudos tem vindo a demonstrar o contrário. Num deles, os investigadores seguiram 4493 doentes do programa Medicare com cancro em fase terminal ou com insuficiência cardíaca congestiva em fase final. No caso dos doentes com cancro da mama, cancro da próstata ou cancro do cólon, os investigadores não encontraram diferenças no tempo de sobrevivência entre os doentes que se submeteram aos Cuidados Paliativos e os que não o fizeram. E curiosamente, em alguns quadros clínicos, os Cuidados Paliativos prolongaram aparentemente a sobrevivência. Os doentes com cancro do pâncreas ganharam em média três semanas, os com cancro do pulmão ganharam seis semanas e os doentes com insuficiência cardíaca ganharam três meses. A lição quase parece Zen: só vivemos mais tempo quando paramos de tentar viver mais tempo.

Será que se pode alcançar este tipo de resultados através do simples debate? Tomemos o exemplo da cidade de La Crosse, no Wisconsin.

Os seus habitantes idosos têm custos hospitalares no fim da vida invulgarmente baixos. Nos seus últimos seis meses de vida, segundo os dados do Medicare, passam metade do tempo no hospital em comparação com a média nacional e não há indícios de que médicos ou doentes estejam a interromper os cuidados prematuramente. Apesar das taxas médias de obesidade e tabagismo, a sua esperança de vida ultrapassa em um ano a média nacional.

Falei com Gregory Thompson, um especialista em Cuidados Intensivos no Gundersen Lutheran Hospital, quando ele estava de serviço, uma noite, e ele analisou a sua lista de doentes comigo. Em quase todos os sentidos, os doentes eram como os que encontramos em qualquer outra unidade de Cuidados Intensivos: estavam gravemente doentes e a viver os dias mais perigosos das suas vidas. Havia uma rapariga com insuficiência ao nível de vários órgãos causada por uma pneumonia devastadora, um sexagenário com o cólon perfurado que lhe provocara uma infeção cavalgante e um ataque cardíaco. No entanto, estes doentes eram completamente diferentes daqueles que vi nas unidades de Cuidados Intensivos onde trabalhei: nenhum tinha uma doença terminal; nenhum se debatia com a fase final de cancro metastizado ou insuficiência cardíaca incurável ou demência.

Para compreendermos La Crosse, explicou Thompson, tínhamos de recuar até 1991, quando os líderes médicos da região levaram a cabo uma campanha sistemática para conseguir que o pessoal médico e os doentes debatessem os desejos de fim de vida. No espaço de uns anos, tornou-se rotineiro todos os doentes que davam entrada num hospital, lar ou centro de cuidados continuados sentarem-se com uma pessoa experiente nestas conversas e completarem um formulário de escolha múltipla que se resumia a quatro perguntas cruciais. Nesse ponto da vida das pessoas, o formulário perguntava:

1. Quer ser reanimado, se o seu coração parar?
2. Quer tratamentos agressivos como entubação e respiração artificial?
3. Quer antibióticos?
4. Quer ser alimentado por sonda gástrica ou intravenosa, se não conseguir comer pelos seus próprios meios?

Em 1996, já 85 por cento dos habitantes de La Crosse que morreram tinham previamente assinado uma diretiva como esta, quando antes eram apenas 15 por cento, e os médicos tinham sempre conhecimento destas instruções e seguiam-nas. A existência deste sistema, explicou Thompson, tornava o seu trabalho muitíssimo mais fácil, mas não por dispor simplesmente de instruções específicas para aplicar, sempre que chegava um doente à sua unidade.

«Estas coisas não estão gravadas na pedra», disse ele. Sejam quais forem as respostas sim/não que as pessoas escreverem num papel, o médico encontrará sempre *nuances* e complexidades nessas mesmas respostas. «Mas em vez de termos essa conversa quando os doentes chegam aos Cuidados Intensivos, vemos que muitas vezes ela já teve lugar.»

As respostas à lista de perguntas mudam em função dos motivos que levam as pessoas ao hospital, que podem ir desde um simples parto a complicações derivadas da doença de Alzheimer. Mas em La Crosse, o sistema em vigor significa que as pessoas têm muito mais probabilidades de já terem conversado sobre o que querem e o que não querem, antes de elas e os seus familiares darem por si assolados por uma crise e pelo medo. Quando os desejos não são claros, disse Thompson, «as famílias também se tornam muito mais recetivas ao debate». Era o debate e não a lista o mais importante de tudo. O debate reduzira os custos de fim de vida em La Crosse para metade da média nacional. A solução era tão simples como isso... e tão complicada.

Numa manhã invernal de sábado, tive uma consulta com uma mulher que eu operara na noite anterior. A meio de uma intervenção para remover um quisto ovárico, a ginecologista que a estava a operar descobrira que ela tinha cancro do cólon metastizado. Chamara-me, na qualidade de cirurgião-geral, para ver o que se podia fazer. Retirei uma parte do cólon que tinha uma grande massa cancerosa, mas o cancro já se espalhara muito. Eu não tinha conseguido extrair tudo. Apresentei-me à doente, nesse dia de manhã. Ela disse que um interno lhe explicara que tínhamos encontrado um tumor e removido uma parte do cólon.

Sim, confirmei. Eu tinha conseguido tirar «o foco principal». Expliquei a quantidade de intestino que tinha tirado, como seria a recuperação... falei de tudo, menos da dimensão do cancro. Mas, depois, lembrei-me de como fui reservado com a Sara Monopoli e de todos aqueles estudos sobre a tendência dos médicos para rodearem o assunto em vez de serem diretos. Por isso, quando ela me pediu para lhe falar mais a fundo sobre o cancro, expliquei-lhe que se tinha espalhado não só aos ovários, mas também aos gânglios linfáticos. Disse que não tinha sido possível retirar todas as metástases. Mas dei por mim quase de imediato a minimizar o que acabara de dizer. «Vamos chamar um oncologista», acrescentei à pressa. «A quimioterapia pode ser muito eficaz nestas situações.»

Ela digeriu a notícia em silêncio, de olhos postos nos cobertores que lhe envolviam o corpo amotinado. Depois, levantou o rosto e fitou-me.

«Vou morrer?»

Estremeci.

«Não, não», respondi. «Claro que não.»

Uns dias depois, tentei novamente. «Não existe cura», expliquei. «Mas o tratamento pode conter a doença durante muito tempo.» O objetivo, disse eu, é «prolongar a sua vida» o máximo de tempo possível.

Tenho-a seguido ao longo dos meses e anos que entretanto têm passado. Ela fez quimioterapia e tem passado bem. Até ver, o cancro está controlado. Uma vez, falei com ela e com o marido sobre as nossas primeiras conversas. A recordação que lhes ficou não era a melhor. «Aquela expressão que usou, "prolongar a sua vida", foi...» Ela não queria parecer demasiado crítica.

«Foi um bocado direta de mais», disse o marido.

«Foi dura», concordou ela. Tivera a sensação de que eu a tinha atirado do cimo de um penhasco.

Falei com Susan Block, uma especialista em Cuidados Paliativos no hospital onde trabalho, que já teve milhares destas conversas difíceis e é uma pioneira, reconhecida a nível nacional, na formação de pessoal médico sobre como abordar o fim da vida com os doentes e familiares. «Tem de perceber», explicou-me Block, «que uma reunião com uma família é uma intervenção e requer tanta perícia como uma cirurgia.»

Um dos erros básicos é conceptual. Para a maior parte dos médicos, o objetivo principal de uma conversa sobre uma doença terminal é determinar o que as pessoas querem: se querem quimioterapia ou não, se querem ser reanimadas ou não, se querem cuidados paliativos ou não. Concentramo-nos em apresentar os factos e as opções. Mas isso é um erro, disse Block.

«Uma grande parte da nossa missão é ajudar as pessoas a lidarem com a ansiedade esmagadora: ansiedade em relação à morte, ao sofrimento, aos entes queridos, aos meios financeiros», explicou ela. «Há muitas preocupações e medos aterradores.» Não se pode abarcar todos eles numa só conversa. Conseguirmos aceitar a nossa mortalidade e compreendermos claramente os limites e as possibilidades da Medicina é um processo, não é uma epifania.

Não existe uma maneira única de orientar os doentes terminais por este processo, mas existem algumas regras, segundo Block. Sentamo-nos. Arranjamos tempo. Não estamos a tentar determinar se as pessoas querem o tratamento X em vez do tratamento Y. Estamos a tentar descobrir o que é mais importante para elas, tendo em conta as circunstâncias, para lhes podermos fornecer informações e conselhos sobre a abordagem que lhes dará mais probabilidades de o alcançar. Este processo requer que escutemos tanto quanto falamos. Se falarmos mais de metade do tempo, explicou Block, estamos a falar de mais.

É importante escolhermos as palavras que usamos. Segundo os especialistas em Cuidados Paliativos, não devemos dizer: «Lamento que as coisas tenham evoluído assim», por exemplo. Pode parecer que nos estamos a distanciar. Devemos dizer: «Gostava que a situação fosse diferente.» Não perguntamos: «O que é que quer quando estiver a morrer?» Perguntamos: «Se o tempo escassear, o que é que é mais importante para si?»

Block tem uma lista de perguntas que tenta abordar com os doentes antes de chegar a hora de tomar decisões: Se compreendem qual é o seu prognóstico, quais são as suas preocupações em relação ao que os espera, que tipo de compromissos estão dispostos a fazer, como é que querem passar o tempo se a saúde piorar, quem é que querem que tome decisões se eles não puderem?

Uma década antes, Jack Block, o pai dela, de setenta e quatro anos, professor jubilado de Psicologia na Universidade da Califórnia, em

Berkeley, foi internado num hospital em São Francisco com sintomas causados por um tumor na espinal medula do pescoço. Ela meteu--se num avião e foi visitá-lo. O neurocirurgião disse que a operação para extrair o tumor tinha 20 por cento de probabilidades de o deixar tetraplégico, paralisado do pescoço para baixo. Mas, sem ela, as probabilidades de ficar tetraplégico eram de cem por cento.

Na véspera da operação, pai e filha conversaram sobre amigos e família, tentando distrair-se do que teriam de enfrentar no dia seguinte e, depois, ela foi-se embora à noite. Ela lembra-se de que, mais ou menos a meio da Bay Bridge, pensou: «Oh, meu Deus, eu não sei o que ele realmente quer.» Ele tinha-a escolhido para tomar as decisões de saúde em seu nome, mas só tinham falado superficialmente sobre as situações extremas. Por isso, ela voltou para trás.

Voltar a entrar no quarto de hospital «foi profundamente constrangedor», disse ela. Não fez diferença o facto de ser especialista em conversas sobre o fim da vida. «Senti-me simplesmente horrível por ter aquela conversa com o meu pai.» Mas analisou a lista com ele. Disse--lhe: «"Preciso de saber até onde está disposto a ir para se manter vivo e a partir de que patamar é que deixa de ser tolerável estar vivo." Tivemos uma conversa atroz em que ele disse, e isto chocou-me: "Bom, se conseguir comer gelado de chocolate e ver futebol na televisão, estou disposto a manter-me vivo. Se essa possibilidade existir, então estou disposto a sofrer muito".»

«Nunca esperei que ele dissesse uma coisa daquelas», explicou Block. «Ele é professor universitário. Que eu me lembre, ele nunca viu um único jogo de futebol. Aquela imagem dele... não era a do homem que eu julgava conhecer.» Mas a conversa foi fundamental, porque, depois da cirurgia, ele teve uma hemorragia na espinal medula. Os cirurgiões disseram-lhe que, para salvar a vida dele, teriam de voltar a abri-lo. Mas a hemorragia já o tinha deixado quase tetraplégico e ele ficaria incapacitado durante muitos meses e provavelmente para sempre. O que é que ela queria fazer?

«Eu tinha três minutos para tomar aquela decisão e percebi que ele já a tinha tomado.» Ela perguntou aos cirurgiões se, caso o seu pai sobrevivesse, viveria de maneira a conseguir comer gelado de chocolate e ver futebol na televisão. Eles responderam que sim. Ela deu autorização para o levarem novamente para o bloco operatório.

«Se eu não tivesse tido aquela conversa com ele», disse-me ela, «o meu impulso teria sido deixá-lo partir naquele momento, porque a realidade parecia horrível. E ter-me-ia flagelado por isso: será que o deixei partir demasiado cedo?». Ou então poderia ter decidido avançar com a cirurgia e descoberto – como, de facto, aconteceu – que ele teria de enfrentar um ano de «reabilitação atroz» e incapacidade. «Ter-me-ia sentido tão culpada por o ter condenado a isso», disse ela. «Mas eu não tive de tomar decisão nenhuma.» Ele já a tinha tomado.

Ao longo dos dois anos que se seguiram, ele conseguiu voltar a dar uns passos sozinho. Precisava de auxiliares para lhe dar banho e vestir. Tinha dificuldade em engolir e comer. Mas a sua mente estava intacta e conseguia usar parcialmente as mãos, o suficiente para escrever dois livros e mais de uma dúzia de artigos científicos. Viveu mais dez anos após a operação. Por fim, todavia, as suas dificuldades em engolir agravaram-se ao ponto de já não conseguir comer sem aspirar partículas de comida e andou num vaivém entre o hospital e o centro de reabilitação, por causa de pneumonias. Não queria uma sonda gástrica. E tornou-se claro que a batalha para conseguir a hipótese ínfima de uma recuperação miraculosa ia deixá-lo incapaz de voltar para casa. Por isso, uns meses depois de eu ter falado com Block, o pai dela decidiu parar de lutar e ir para casa.

«Começámos os cuidados paliativos», disse Block. «Tratámos os problemas de asfixia e mantivemo-lo confortável. Ele acabou por deixar de comer e beber. Morreu cinco dias depois.»

Susan Block e o pai tiveram a conversa que todos precisamos de ter quando a quimioterapia deixa de funcionar, quando começamos a precisar de oxigénio em casa, quando enfrentamos uma operação de alto risco, quando a insuficiência hepática se instala, quando nos tornamos incapazes de nos vestir sozinhos. Já ouvi médicos suecos chamarem-lhe um «debate de ponto de rutura», uma série de conversas para decidir quando é que precisam de parar de lutar para ganhar tempo e devem começar a lutar pelas outras coisas que as pessoas prezam: estar com a família ou viajar ou desfrutar de gelado de chocolate. Poucas pessoas têm estas conversas e há uma boa razão para termos pavor delas. É que podem suscitar emoções difíceis, como a raiva, ou fazer as pessoas sentirem-se avassaladas. Mal orientadas, estas conversas podem fazer com que a pessoa em causa deixe de confiar no seu interlocutor. Bem geridas, podem poupar muito tempo.

Falei com uma oncologista que me contou o caso de um doente de vinte e nove anos que ela tratara recentemente a um tumor cerebral inoperável, que continuou a crescer apesar de um segundo ciclo de quimioterapia. O doente optou por não fazer mais tratamentos de quimioterapia, mas, para chegar a essa decisão, foram precisas horas de debate, pois não era a decisão que inicialmente ele pensara que tomaria. Primeiro, explicou-me a oncologista, ela teve uma conversa com ele a sós. Analisaram o historial e as opções que restavam. Ela foi franca. Disse-lhe que em toda a sua carreira nunca vira um terceiro ciclo de quimioterapia suscitar uma reação significativa no tipo de tumor cerebral que ele tinha. Ela procurara terapias experimentais e nenhuma era verdadeiramente promissora. E, embora estivesse disposta a avançar com a quimioterapia, explicou-lhe a força e o tempo que o tratamento lhe roubaria a ele e à família.

Ele não se fechou nem rebelou. Fez perguntas durante uma hora. Perguntou por este e aquele tratamento. Aos poucos, começou a perguntar o que ia acontecer quando o tumor se tornasse maior, que sintomas teria, de que maneiras poderiam tentar controlá-los, como é que o fim poderia chegar.

A seguir, a oncologista reuniu com o rapaz e a família. Essa conversa já não correu tão bem. Ele era casado e tinha filhos pequenos e, a princípio, a mulher não estava pronta para aceitar a hipótese de parar com a quimioterapia. Mas, quando a oncologista pediu ao doente para explicar pelas suas próprias palavras o que tinham discutido, ela compreendeu. O mesmo aconteceu com a mãe dele, que era enfermeira. O pai manteve-se calado a conversa toda e não abriu a boca do princípio ao fim.

Uns dias depois, o doente voltou para conversar com a oncologista. «Deve haver alguma coisa. Tem de haver alguma coisa», disse ele. O pai mostrara-lhe relatos de curas na Internet. Ele confidenciara que o pai estava a reagir muito mal à notícia. Nenhum doente quer magoar a família. Segundo Block, cerca de dois terços dos doentes estão dispostos a submeter-se a tratamentos que não querem, se for essa a vontade dos seus entes queridos.

A oncologista foi a casa do pai falar com ele. O senhor mostrou-lhe um maço de tratamentos e tratamentos experimentais que imprimira da Internet. Ela analisou-os todos, disposta a mudar de opinião, explicou-lhe. Mas ou os tratamentos eram para tumores cerebrais muito diferentes dos do filho ou então não eram adequados. Nenhum ia ser miraculoso. Ela disse ao pai o que ele precisava de perceber: o tempo de que ele dispunha com o filho era limitado e o rapaz ia precisar da ajuda do pai para atravessar esses momentos.

A oncologista comentou ironicamente que teria sido muito fácil para ela prescrever simplesmente a quimioterapia. «Mas esse encontro com o pai foi o ponto de viragem», disse. O doente e a família optaram pelos Cuidados Paliativos. Desfrutaram de mais de um mês juntos antes de ele morrer. Mais tarde, o pai agradeceu à médica. Nesse último mês, contou ele, a família concentrou-se simplesmente em estar junta e foram os melhores momentos de sempre que passaram juntos.

Tendo em conta que estas conversas requerem muito tempo, há muitas pessoas que defendem que o problema principal tem sido os incentivos financeiros: pagamos aos médicos para fazerem quimioterapia e para operarem, mas não para demorarem o tempo que for necessário a avaliar se essas opções ainda são viáveis. Este é certamente um fator importante, mas a questão não se reduz meramente à falta de financiamento. Surge de uma discussão ainda em aberto sobre qual é a verdadeira função da Medicina: por outras palavras, o que devemos e o que não devemos pagar para os médicos fazerem.

A perspetiva simples é que a Medicina existe para lutar contra a morte e a doença e essa é, claro, a sua missão mais básica. A morte é o inimigo. Mas o inimigo tem forças superiores. No fim, acaba por ganhar. E numa guerra que não se pode ganhar, não queremos um general que luta até ao ponto da aniquilação total. Não queremos Custer. Queremos Robert E. Lee, alguém que saiba lutar por território que pode ser ganho e render-se quando não há nada a ganhar, alguém que perceba que os estragos são maiores se nos limitarmos a lutar até ao fim.

Hoje em dia, as mais das vezes a Medicina parece não nos dar nem Custers, nem Lees. Somos cada vez mais os generais que mandam os soldados marchar em frente, sempre dizendo: «Avisem-me quando quiserem parar.» O tratamento total, dizemos nós aos doentes sem cura, é um comboio de que podem descer quando quiserem, basta pedirem. Mas para a maior parte dos doentes e famílias, estamos a pedir demasiado. Continuam carregados de dúvidas e medos e desespero; alguns deixam-se iludir pela fantasia do que a ciência médica pode alcançar. A nossa responsabilidade, na Medicina, é lidar com os seres humanos como eles são. As pessoas só morrem uma vez, não têm bases de comparação às quais possam recorrer. Precisam de médicos e de enfermeiros dispostos a ter conversas difíceis e a contar-lhes o que viram, dispostos a ajudar as pessoas a prepararem-se para o que está para vir e a escaparem ao internamento num asilo onde serão esquecidas, o que é uma opção que ninguém deseja.

A Sara Monopoli tinha tido suficientes conversas para informar a família e o oncologista de que não queria hospitais nem unidades de Cuidados Intensivos no fim, mas não o suficiente para saber como alcançar o seu objetivo. Desde que deu entrada nas Urgências numa sexta-feira de manhã, em fevereiro, que os acontecimentos se precipitaram no sentido contrário ao de um fim sereno. Houve uma pessoa que ficou incomodada com isso e que finalmente decidiu intervir: Chuck Morris, o clínico geral que a seguia. À medida que a doença dela evoluíra no ano anterior, ele deixara a tomada de decisões maioritariamente a cargo da Sara, da família dela e da equipa de oncologistas. Apesar disso, vira-a a ela e ao marido regularmente e escutara as preocupações deles. Nessa manhã de desespero, Morris foi a pessoa que o Rich chamou antes de se meter na ambulância. Morris dirigiu-se para as Urgências e estava à espera da Sara e do Rich quando eles chegaram.

Morris disse que a pneumonia talvez fosse tratável. Mas avisou o Rich: «Temo que tenha chegado a hora. Estou muito preocupado com ela.» E pediu-lhe para avisar a família de que era essa a sua opinião.

No andar de cima, no quarto de hospital, Morris falou com a Sara e o Rich sobre a forma como o cancro a tinha debilitado, fazendo com que o corpo tivesse dificuldade em lutar contra a infeção. Mesmo que os antibióticos atacassem a infeção, disse ele, não se podiam esquecer de que não havia nada que acabasse com o cancro.

A Sara estava lívida, disse-me Morris. «Estava com tanta falta de ar que até custava olhar para ela. Ainda me lembro do médico que a assistiu, o oncologista que a internou para tratar a pneumonia. «Ele estava abalado com o caso, e para ele ficar abalado é preciso muito.»

Quando os pais dela chegaram, Morris falou com eles também e, no fim, a Sara e a família concordaram com um plano: a equipa médica continuaria com os antibióticos, mas, se a situação piorasse, não a ligariam a um ventilador. Também o deixaram chamar a equipa dos Cuidados Paliativos. A equipa receitou uma pequena dose de morfina, que lhe aliviou de imediato a respiração. Os familiares viram a que ponto o sofrimento dela diminuiu e, de repente, não queriam que ela sofresse mais. Na manhã seguinte, foram eles quem refreou a equipa médica.

«Queriam pôr-lhe um cateter e fazer uma série de outras coisas», disse-me Dawn, a mãe. «Eu disse: não, não lhe vão fazer mais nada. Não me importava que ela fizesse chichi na cama. Eles queriam fazer análises, medir a tensão, fazer palpações. Eu estava-me nas tintas para os registos deles. Fui ter com a enfermeira-chefe e mandei-os parar.»

Nos três meses precedentes, quase nada do que fizemos à Sara – os testes e exames e radioterapia e ciclos de quimioterapia – teve propriamente resultados, a não ser agravar o estado dela. Talvez tivesse vivido mais tempo sem isso. Pelo menos, no finzinho ela foi poupada.

Nesse dia, a Sara entrou em coma, enquanto o seu corpo continuou a debilitar-se. Ao longo da noite seguinte, o Rich lembra que se ouvia «um gemido horrível». Uma morte bonita é uma coisa que não existe. «Não me lembro se era a inspirar ou a expirar, mas era um som horrível, absolutamente horrível.»

O pai e a irmã continuavam a pensar que talvez ela recuperasse, mas quando toda a gente saiu do quarto, o Rich ajoelhou-se a chorar à cabeceira da Sara e sussurrou-lhe ao ouvido: «Podes ir», disse. «Não tens de continuar a lutar. Encontramo-nos em breve.»

Mais tarde, nessa mesma manhã, a respiração dela mudou, tornando-se mais lenta. O Rich disse: «A Sara pareceu sobressaltar-se de repente. Soltou uma longa expiração. E depois parou.»

CAPÍTULO 7

Conversas difíceis

Quando viajava pelo estrangeiro, algum tempo depois, um dia estive a conversar com dois médicos do Uganda e um escritor da África do Sul. Falei-lhes no caso da Sara e perguntei o que achavam que devia ter sido feito. Aos olhos deles, as escolhas que lhe oferecemos pareceram desmesuradas. Nos países deles, a maior parte das pessoas com uma doença terminal nunca teria ido para o hospital, explicaram. E as que o fizessem, não esperariam, nem aceitariam, os nossos extremos – múltiplos regimes de quimioterapia, cirurgias de último recurso, tratamentos experimentais –, quando o resultado final do problema era tão penosamente claro. E o sistema de saúde não teria meios financeiros para isso.

Mas, depois, não puderam deixar de falar na sua própria experiência e as suas histórias pareceram-me muito familiares: um avô ligado à máquina contra os seus desejos, um familiar com cancro incurável do fígado que morreu no hospital a fazer um tratamento experimental, um cunhado com um tumor cerebral em fase terminal que, apesar disso, foi submetido a infindáveis ciclos de quimioterapia que não surtiram efeito, a não ser debilitá-lo cada vez mais. «Cada ciclo era pior do que o anterior», disse-me o escritor sul-africano. «Vi os medicamentos comerem-lhe a carne. Os filhos ainda hoje estão traumatizados. Ele não conseguiu aceitar a morte.»

Os países deles estavam a mudar. Cinco das dez economias que estão em franca expansão no mundo situam-se em África. Em 2030, entre metade e dois terços da população mundial será da classe média. Cada vez mais pessoas têm meios económicos para comprar bens de consumo como televisores e automóveis, e serviços de saúde. Estudos efetuados em algumas cidades africanas estão a chegar à conclusão, por exemplo, de que, atualmente, metade dos idosos com mais de oitenta anos morre no hospital e o mesmo se aplica a cada vez mais pessoas abaixo dos oitenta. Estas estatísticas ultrapassam, na realidade, as da maioria dos países desenvolvidos. O exemplo da Sara está a multiplicar-se a nível mundial. Como as pessoas ganham mais, os serviços de saúde do sector privado aumentam rapidamente, geralmente pagos em dinheiro na hora. Um pouco por toda a parte, os médicos tornam-se demasiado propensos a dar falsas esperanças, a levar as famílias à bancarrota e a fazerem-nas vender as suas colheitas ou a pegar no dinheiro que estava destinado aos estudos dos filhos e a usá-lo em tratamentos inúteis. No entanto, ao mesmo tempo, surgem programas de Cuidados Paliativos em todo o lado, de Campala a Quinxasa, de Lagos ao Lesoto, já para não falar de Bombaim a Manila.

Segundo os estudiosos, os países passam por três fases de desenvolvimento médico em paralelo com o seu desenvolvimento económico. Na primeira fase, quando um país vive na extrema miséria, a maior parte das mortes ocorre em casa porque as pessoas não têm acesso a um diagnóstico e tratamento profissionais. Na segunda fase, quando a economia de um país se desenvolve e o povo começa a ganhar salários mais elevados, este aumento dos recursos torna as instituições médicas mais acessíveis. As pessoas recorrem aos sistemas de saúde quando adoecem. No fim da vida, morrem muitas vezes no hospital e não em casa. Na terceira fase, quando os salários de um país atingem os níveis mais elevados, as pessoas têm os meios para se preocuparem com a qualidade de vida, inclusive na doença, e geralmente as mortes em casa começam a subir novamente.

Nos Estados Unidos, parece ser este o padrão que se está a verificar. Enquanto as mortes em casa passaram de uma clara maioria em 1945 para apenas 17 por cento no final dos anos 80, desde os anos 90 que os números começaram a inverter-se. O recurso aos Cuidados Paliativos tem vindo a aumentar progressivamente, ao ponto de, em 2010, 45 por cento dos Americanos morrerem nos Cuidados Paliativos. Mais de metade recebeu esses cuidados em casa e os restantes numa instituição, geralmente um centro de Cuidados Paliativos para pessoas em fim de vida ou um lar. É uma das taxas mais elevadas do mundo.

Está em curso uma mudança colossal. Neste país, e de uma ponta à outra do globo, as pessoas têm cada vez mais alternativas a definharem em lares da terceira idade e a morrerem em hospitais, e milhões aproveitam-nas. Mas vivemos um período instável, porque começámos a rejeitar a versão institucionalizada do envelhecimento e morte, mas ainda não instaurámos a nova norma: estamos numa fase de transição. Por mais infeliz que tenha sido o antigo sistema, todos somos especialistas nele. Conhecemos os passos. Você aceita ser o doente e eu, o médico, aceito tentar «repará-lo», seja qual for o grau de improbabilidade, de infelicidade, os estragos ou os custos. Neste novo caminho, em que, juntos, tentamos descobrir como enfrentar a mortalidade e preservar a estrutura de uma vida recheada de sentido, com lealdade e individualidade, somos noviços a avançar penosamente. Estamos a atravessar uma curva de aprendizagem social, uma pessoa de cada vez. E isso inclui-me também, quer como médico, quer simplesmente como ser humano.

O meu pai tinha setenta e poucos anos quando fui obrigado a perceber que ele talvez não fosse imortal. Até aí, tinha sido saudável como um touro, jogava ténis três vezes por semana, tinha o consultório de urologista sempre cheio e era presidente do ramo local do Clube dos Rotários. Tinha uma energia tremenda. Dedicava-se a uma série de projetos de beneficência, incluindo um instituto superior rural que ele criara na Índia, expandindo-o de um mero edifício para um *campus* com cerca de dois mil alunos. Sempre que eu ia a casa, levava as minhas raquetes de ténis e íamos jogar para os *courts* da zona. Ele jogava para ganhar e eu também. Mandava-me bolas curtas e eu a ele. Lançava-me bolas lentas e baixas e eu também. Apanhara uns quantos hábitos de velhote, como assoar o nariz para o *court* sempre que lhe apetecia ou fazer-me correr atrás das bolas errantes. Mas eu encarava-os como o tipo de privilégios de que um pai se arroga perante um filho e não como sinais de velhice. Ao longo de mais de trinta anos de carreira, ele nunca cancelara consultas nem operações por motivos de doença. Por isso, quando falou numa dor no pescoço que lhe irradiava pelo braço esquerdo abaixo e causava um formigueiro nos dedos da mão esquerda, nenhum de nós se preocupou muito com o caso. Um raio-X ao pescoço mostrou apenas uma artrite. Ele tomou anti-inflamatórios, fez fisioterapia e deixou de fazer o serviço por cima no ténis, que lhe exacerbava as dores. Fora isso, a vida continuou normalmente para ele.

Todavia, ao longo dos dois ou três anos que se seguiram, a dor no pescoço aumentou. Começou a ter dificuldade em dormir confortavelmente. O formigueiro na ponta dos dedos tornou-se dormência assumida e propagou-se a toda a mão esquerda. Descobriu que tinha dificuldade em sentir o fio quando dava os pontos de sutura em vasectomias. Na primavera de 2006, o médico dele pediu uma ressonância magnética ao pescoço. Os resultados foram um choque total. O exame identificou a existência de um tumor que estava a crescer dentro da espinal medula.

Foi este o momento em que passámos para o lado de lá do espelho. Nada na vida do meu pai, e respetivas expectativas, ficaria na mesma. A nossa família foi confrontada com a realidade da mortalidade. O desafio para nós, enquanto pai e filho, seria conseguirmos fazer com que o caminho do meu pai fosse diferente daquele que eu, enquanto médico, trilhara com os meus doentes. Os lápis para escrevermos já tinham sido distribuídos. O tempo já estava a contar. Mas ainda nem tínhamos digerido que a prova começara.

O meu pai enviou-me as imagens por *e-mail* e falámos por telefone, enquanto as analisávamos nos nossos computadores portáteis. Dava náuseas olhar para o tumor. Preenchia todo o canal vertebral, estendendo-se desde a base do cérebro até ao nível das omoplatas. Parecia estar a eliminar a espinal medula. Fiquei espantado por ele não estar paralisado, por as únicas consequências do tumor serem apenas, até ver, a dormência na mão e a dor no pescoço. Mas não falámos sobre nada disto. Tivemos dificuldade em encontrar um terreno seguro para podermos conversar. Perguntei-lhe o que é que o relatório do radiologista dizia que o tumor podia ser. Trazia uma lista de vários tumores benignos e malignos, disse ele. Sugeria qualquer outra possibilidade além de um tumor? Nem por isso, disse ele. Como dois cirurgiões que éramos, analisámos como é que um tumor daqueles podia ser extraído. Mas não parecia haver solução e remetemo-nos ao silêncio. É melhor falarmos com um neurocirurgião antes de tirarmos conclusões precipitadas, sugeri.

Os tumores na espinal medula são raros e poucos neurocirurgiões têm muita experiência nesse campo. Uma dúzia de casos já é muito. Entre os neurocirurgiões mais experientes encontrava-se um que trabalhava na Cleveland Clinic, que ficava a trezentos quilómetros de casa dos meus pais, e outro no meu hospital, em Boston. Marcámos consulta para ambos os especialistas.

Os dois cirurgiões propuseram uma operação. Abririam a espinal medula – eu nem sequer sabia que isso era possível – e extrairiam o máximo que conseguissem do tumor. Mas só conseguiriam retirar uma parte. Os principais estragos causados pelo tumor deviam-se ao facto de estar a crescer no espaço reduzido do canal vertebral: o monstro era demasiado grande para a sua jaula. A expansão do tumor estava a esmagar a espinal medula contra o osso das vértebras, causando dor, bem como a destruição dos nervos que constituem a medula. Perante isso, os dois médicos sugeriram também uma intervenção para aumentar o espaço para o tumor crescer. Descomprimiriam o tumor, abrindo a parte de trás da coluna, e estabilizariam as vértebras com hastes. Seria como tirar a parede dos fundos de um edifício alto e substituí-la por colunas para suportar os andares.

O neurocirurgião do meu hospital era a favor de operar de imediato. A situação era perigosa, disse ele ao meu pai. Podia ficar tetraplégico no espaço de semanas. Não havia outras opções: a quimioterapia e a radioterapia não eram tão eficazes a deter a evolução do tumor como a cirurgia. A operação tinha riscos, explicou ele, mas não eram demasiado inquietantes. Estava mais preocupado com o tumor. O meu pai precisava de agir antes que fosse demasiado tarde.

O neurocirurgião da Cleveland Clinic traçou um quadro mais ambíguo. Embora tenha proposto a mesma operação, não insistiu no seu carácter imediato. Disse que, embora alguns tumores na espinal medula avancem rapidamente, tinha visto muitos levarem anos a evoluir e faziam-no por etapas e não de repente. Achava que o meu pai não ia passar de uma mão dormente para a paralisia total da noite para o dia. A questão, por conseguinte, era quando operar e ele era da opinião de que isso deveria acontecer só quando a situação se tornasse suficientemente intolerável para que o meu pai quisesse tentar um tratamento. O médico não se mostrou tão despreocupado como o outro em relação aos riscos. Disse que a operação em si apresentava uma probabilidade de um para quatro de causar tetraplegia ou morte. Explicou que o meu pai ia «ter de traçar um risco na areia». Eram os sintomas já tão maus que quisesse submeter-se imediatamente à operação? Ou preferia esperar até começar a sentir sintomas na mão que ameaçassem a sua capacidade de operar? Ou preferia esperar até já não conseguir andar?

Era difícil digerir a informação. Quantas vezes tinha o meu pai dado más notícias como esta aos seus doentes? Que tinham cancro da próstata, por exemplo, e tinham de fazer escolhas igualmente horríveis. Quantas vezes o tinha eu feito? A notícia, ainda assim, foi como um soco. Nenhum dos médicos disse com todas as letras que o tumor era fatal, mas também nenhum disse que o tumor podia ser extraído. Podia ser apenas «descomprimido».

Teoricamente, uma pessoa deve tomar decisões sobre questões de vida e morte de forma analítica, com base em factos. Mas os factos estavam cravejados de lacunas e incertezas. O tumor era raro. Não se podiam fazer previsões claras. Fazer escolhas requeria que preenchêssemos de alguma maneira as lacunas e o meu pai preencheu-as com medo. Temia o tumor e o que o tumor lhe faria, e também temia a solução que lhe propunham. Não conseguia imaginar abrirem a espinal medula. E tinha dificuldade em depositar a sua confiança numa operação que não compreendia, que ele próprio não se sentia capaz de executar. Fez inúmeras perguntas ao cirurgião sobre o procedimento em si: Que tipo de instrumento ia usar para entrar na espinal medula? Se ia usar um microscópio? Como é que ia extirpar o tumor? Como é que ia cauterizar os vasos sanguíneos? Se a cauterização podia danificar os nervos da medula? Que em Urologia são usados este e este instrumento para controlar hemorragias na próstata... se não seria melhor usar isso? Porque não?

O neurocirurgião do meu hospital não apreciou particularmente as perguntas do meu pai. Não se importou de responder às primeiras, mas, depois, começou a exasperar-se. Tinha o ar do professor catedrático conceituado que era: autoritário, muito seguro de si, e ocupadíssimo com outras coisas.

Ouça, disse ele ao meu pai, o tumor é perigoso. Ele, o neurocirurgião, tinha muita experiência no tratamento desse tipo de tumores. Aliás, ninguém tinha mais do que ele. A decisão que o meu pai precisava de tomar era se queria fazer alguma coisa em relação ao tumor. Se sim, o neurocirurgião estava disposto a ajudar. Se não, a escolha era dele.

Quando o médico chegou ao fim, o meu pai não fez mais nenhuma pergunta. Mas decidiu que aquele homem não ia ser o seu cirurgião.

O neurocirurgião da Cleveland Clinic, Edward Benzel, também irradiava segurança, mas percebeu que as perguntas do meu pai advinham do medo. Por isso, deu-se ao trabalho de lhes responder, inclusive às mais irritantes. Pelo meio, aproveitou para sondar o meu pai. Disse que lhe parecia que o meu pai estava mais preocupado com as consequências da operação do que com as do tumor.

O meu pai confirmou. Não queria perder a sua capacidade de operar em prol de um tratamento de benefícios incertos. O médico disse que, se estivesse no lugar dele, provavelmente sentiria o mesmo.

Benzel olhava para as pessoas de uma maneira que lhes mostrava que estava *mesmo* a olhar para elas. Era vários centímetros mais alto do que os meus pais, mas teve o cuidado de se sentar à altura deles. Desviou a cadeira do computador e plantou-se diretamente à frente deles. Não se mexeu nem se contorceu impacientemente no assento, enquanto o meu pai falava. Tinha o hábito, típico do Midwest, de esperar uns segundos depois de as pessoas terem falado e só depois é que intervinha, para ter a certeza de que tinham mesmo acabado. Os olhos eram pequenos e escuros, emoldurados por uns óculos de aros metálicos, e a boca escondia-se por detrás de um bigode e barbicha hirsutos e grisalhos. A única pista para o que ele estava a pensar foi a ruga que se lhe formou na testa reluzente e abobadada. Por fim, orientou a conversa de volta para a questão central. O tumor era inquietante, mas agora já percebia melhor as preocupações do meu pai. Achava que o meu pai tinha tempo para esperar e ver a que velocidade evoluíam os sintomas. Podia protelar a operação até sentir que era impreterível avançar com ela. O meu pai decidiu optar por Benzel e seguir o conselho dele. Os meus pais combinaram voltar daí a uns meses para um *check-up* e telefonar antes disso, se ele sentisse quaisquer sinais de uma mudança grave.

Terá ele preferido Benzel simplesmente por este ter apresentado um quadro melhor ou, pelo menos, menos alarmante do que poderia acontecer ao tumor? Talvez. Acontece. Os doentes tendem a ser otimistas, mesmo que isso os faça preferir médicos com mais probabilidades de estarem errados. Só o tempo mostraria qual dos dois neurocirurgiões tinha razão. Não obstante, Benzel esforçara-se por tentar perceber o que era mais importante para o meu pai e, para o meu pai, isso contou muitíssimo. Antes mesmo de a consulta chegar ao fim, já ele tinha decidido que Benzel era o médico pelo qual ia optar.

No fim, viemos a comprovar que Benzel era também quem tinha razão. O tempo foi passando e o meu pai não notou alterações nos sintomas. Decidiu adiar a próxima consulta. Só passado um ano é que voltou ao consultório de Benzel. Uma segunda ressonância magnética mostrou que o tumor tinha aumentado. No entanto, o exame físico não detetou qualquer diminuição da força, sensação ou mobilidade, por isso decidiram avançar em função do que ele sentia e não do que as imagens revelavam. Os relatórios das ressonâncias magnéticas diziam coisas assustadoras, como as imagens «mostram o aumento significativo do tamanho do tumor cervical ao nível da medula e do mesencéfalo». Mas, ao longo de meses, nada aconteceu que mudasse alguma coisa relevante para a maneira como ele vivia.

A dor no pescoço continuou a ser incómoda, mas o meu pai descobriu quais eram as melhores posições para dormir à noite. Quando chegou o frio, reparou que a mão dormente ficava gelada. Começou a usar uma luva, ao estilo do Michael Jackson, inclusive dentro de casa. Fora isso, continuou a conduzir, a jogar ténis, a operar, a viver a vida como sempre. Ele e o neurocirurgião sabiam o que aí vinha. Mas também sabiam o que era importante para ele e deixaram o assunto sossegado. Lembro-me de pensar que aquela era exatamente a maneira como eu devia tomar decisões com os meus próprios doentes. Aliás, a maneira como todos o devíamos fazer em Medicina.

Durante o curso, os meus colegas e eu tivemos de ler um breve artigo escrito por dois especialistas em ética médica, Ezekiel e Linda Emanuel, acerca dos diferentes tipos de relações que nós, aspirantes a médicos, poderíamos vir a ter com os nossos doentes. O tipo mais antigo e tradicional é a relação paternalista: somos autoridades médicas a tentar assegurar que os doentes recebem aquilo que julgamos ser o melhor para eles. Dispomos do conhecimento e da experiência. Fazemos as escolhas difíceis e cruciais. Se houvesse um comprimido vermelho e um comprimido azul, diríamos ao doente: «Tome o comprimido vermelho, vai fazer-lhe bem.» Talvez lhe falemos no comprimido azul; e, por outro lado, talvez não. Só lhe dizemos aquilo que achamos que precisa de saber. É o modelo sacerdotal, o modelo «o médico é que sabe», e embora já tenha sido muitas vezes denunciado, continua a ser um modelo comum, especialmente no caso de doentes vulneráveis: os frágeis, os pobres, os idosos e qualquer outra pessoa que tenha tendência para obedecer a diretivas.

Ao segundo tipo de relação os autores deram o nome de «informativa». É o oposto da relação paternalista. Dizemos ao doente os factos e os números. O resto cabe à pessoa. «O comprimido vermelho faz isto e o comprimido azul faz aquilo», dizemos. «Qual deles quer?» É uma relação comercial. O médico é o especialista técnico. O doente é o consumidor. O trabalho dos médicos é fornecer conhecimentos e aptidões atualizados. O trabalho dos doentes é fornecer as decisões. Esta é uma forma de estar da parte dos médicos cada vez mais comum e tende a tornar-nos cada vez mais especializados. Sabemos cada vez menos sobre os nossos doentes e cada vez mais sobre o nosso ramo da ciência. No geral, este tipo de relação pode funcionar lindamente, sobretudo quando as opções são claras, as vantagens e desvantagens inequívocas e as pessoas têm preferências claras. Recebem apenas os testes, os comprimidos, as operações e os riscos que querem e aceitam. Têm autonomia total.

O neurocirurgião do meu hospital em Boston mostrou ter características destes dois tipos de modelo. Era o médico paternalista: a cirurgia era a melhor opção para o meu pai, insistiu ele, e o meu pai precisava de ser operado imediatamente. Mas o meu pai pressionou-o para que fosse um médico informativo e analisasse os pormenores e as opções com ele. Por isso, o cirurgião mudou de atitude, mas as descrições que fez agravaram os medos do meu pai, suscitaram mais perguntas e deixaram-no ainda mais inseguro sobre o que preferia. O médico não soube como lidar com ele.

Na verdade, nenhum dos tipos é exatamente aquilo que as pessoas querem. Queremos informação e controlo, mas também queremos orientação. Os autores do artigo descreviam um terceiro tipo de relação médico-doente, a que chamaram «interpretativa». Neste caso, o papel do médico é ajudar os doentes a determinarem o que querem. Os médicos interpretativos perguntam: «Qual é a coisa mais importante para si? Quais são as suas preocupações?» Depois, quando conhecem as respostas para estas perguntas, falam aos doentes sobre o comprimido vermelho e o comprimido azul e qual deles os ajudará a alcançar as suas prioridades.

Os especialistas chamam a isto «partilha de decisões». Enquanto alunos de Medicina, pareceu-nos que era uma maneira simpática de os médicos trabalharem com os doentes. Mas pareceu-nos quase inteiramente teórica. Claro que, naquela época e aos olhos de uma grande parte da comunidade médica, a ideia de os médicos desempenharem este tipo de papel junto dos doentes parecia completamente absurda. (Cirurgiões? «Interpretativos»? Pff!) Como não voltei a ouvir nenhum médico falar nesta ideia, acabei por varrê-la do pensamento. As opções durante a nossa formação pareciam ser entre o estilo mais paternalista e o mais informativo. E, no entanto, mais de duas décadas depois, ali estávamos nós com o meu pai, no consultório de um neurocirurgião em Cleveland, no Ohio, a falar sobre uma ressonância magnética cujas imagens mostravam um tumor gigantesco e mortal a crescer na sua espinal medula, e este outro tipo de médico – disposto a partilhar genuinamente o processo de decisão – foi precisamente o que encontrámos. Benzel não se considerava nem o comandante, nem um mero técnico nesta batalha e, sim, uma espécie de conselheiro e empreiteiro em prol do meu pai. Era exatamente isso que o meu pai precisava.

Ao reler o artigo mais tarde, reparei que os autores avisavam que, por vezes, os médicos teriam de ir além da mera interpretação dos desejos das pessoas, para poderem suprir as suas necessidades de maneira adequada. As vontades são voláteis. E toda a gente tem aquilo a que os filósofos chamam «desejos de segunda ordem»: desejos sobre os nossos desejos. Podemos desejar, por exemplo, ser menos impulsivos, mais saudáveis, menos controlados por desejos primitivos como o medo ou a fome, mais fiéis a objetivos maiores. Médicos que só escutam os desejos momentâneos de primeira ordem poderão, na realidade, não estar a servir os verdadeiros desejos dos seus doentes. Muitas vezes apreciamos os médicos que nos pressionam quando fazemos escolhas míopes, como não tomar os medicamentos ou não fazer exercício físico suficiente. E muitas vezes adaptamo-nos a mudanças que temíamos inicialmente. Por conseguinte, a dada altura torna-se não só correto mas também necessário que um médico analise com as pessoas quais são os seus grandes objetivos e inclusive que as desafie para que repensem prioridades ou convicções mal ponderadas.

Na minha carreira, sempre me senti mais à vontade sendo o Dr. Informativo. (A minha geração de médicos afastou-se na sua maioria do papel de Dr. Sabe-Tudo.) Mas o Dr. Informativo não foi claramente suficiente para ajudar a Sara Monopoli nem os muitos outros doentes em estado grave que já me passaram pelas mãos.

Aproximadamente na mesma altura em que o meu pai consultou Benzel, pediram-me para ver uma senhora de setenta e dois anos com cancro do ovário, já com metástases, que dera entrada, com vómitos, nas Urgências do hospital onde eu trabalhava. Chamava-se Jewel Douglass e, ao analisar o historial clínico, vi que andava em tratamento há dois anos. O primeiro sinal de cancro fora uma sensação de inchaço abdominal. Falou com o ginecologista que, com a ajuda de uma ecografia, encontrou um tumor na pélvis do tamanho do punho de uma criança. Na sala de operações, comprovou-se que era cancro do ovário e que se tinha propagado ao abdómen. O útero, a bexiga, o cólon e o peritoneu estavam pejados de metástases em crescimento. O médico removeu os ovários, a totalidade do útero, metade do cólon e um terço da bexiga. Ela fez três meses de quimioterapia. Com este tipo de tratamento, a maior parte das doentes com cancro dos ovários na fase dela sobrevivem dois anos e um terço sobrevive cinco anos. Cerca de 20 por cento das doentes ficam curadas. Ela esperava pertencer a esta minoria.

Segundo consta, tolerou bem a quimioterapia. Caiu-lhe o cabelo, mas, fora isso, sentiu apenas algum cansaço. Passados nove meses, não se via qualquer tumor nas TAC. Passado um ano, porém, uma TAC revelou que uns quantos nódulos do tumor tinham reaparecido. Ela não sentia nada – tinham apenas uns milímetros de tamanho –, mas estavam lá. O oncologista começou um ciclo de quimioterapia diferente. Desta vez, Douglass sofreu mais efeitos secundários dolorosos: aftas na boca, uma irritação na pele como se fosse uma queimadura, mas que com pomadas de vários tipos era suportável. Um exame mostrou, todavia, que o tratamento não tinha resultado. Os tumores aumentaram. Começaram a causar-lhe dores lancinantes na pélvis.

Ela mudou para um terceiro tipo de quimioterapia. Este foi mais eficaz – os tumores diminuíram, as dores lancinantes desaparece-ram –, mas os efeitos secundários foram muito piores. A sua ficha clínica mostra que teve náuseas terríveis, apesar de experimentar vários medicamentos para as travar. Um cansaço debilitante dei-xou-a prostrada na cama durante várias horas ao dia. Uma reação alérgica causou-lhe urticária e comichões intensas que precisaram de comprimidos de esteroides para passar. Um dia, sofreu uma crise tão grave de falta de ar que teve de ser levada de ambulância para o hospital. Os exames revelaram que estava com uma embo-lia pulmonar como a Sara Monopoli. Deram-lhe injeções diárias de um anticoagulante e, aos poucos, ela recuperou a capacidade de respirar normalmente.

Depois, teve contrações, dores tipo cólicas no abdómen. Começou a vomitar. Percebeu que não conseguia aguentar nada no estômago, nem líquidos nem sólidos. Chamou o oncologista, que mandou fazer uma TAC. Esta revelou uma obstrução no intestino causada por metástases. Ela passou da radiologia para as Urgências. Como eu era o cirurgião-geral de serviço nesse dia, chamaram-me para ver o que podia fazer.

Analisei as imagens da TAC com o radiologista, mas não conse-guimos identificar exatamente como é que o cancro estava a causar a obstrução intestinal. Era possível que uma volta do intestino tivesse ficado presa numa parte do tumor e ter torcido, um problema que eventualmente se poderia resolver por si só, com o tempo. Ou então o intestino estava a ser comprimido por um tumor, um problema que só se resolveria com uma cirurgia, ou para o extrair ou para fazer um *bypass* à obstrução. Fosse como fosse, era um sinal inquietante de que o cancro estava a agravar-se, apesar dos três ciclos de quimioterapia.

Fui falar com Douglass, a pensar na quantidade de informação que lhe deveria transmitir. Por essa altura, já uma enfermeira lhe dera líquidos por via intravenosa e um interno inserira um tubo de um metro no nariz até ao estômago, que já drenara meio litro de fluido verde-bílis. As sondas nasogástricas são engenhos desconfortáveis e torturantes. As pessoas com estas sondas geralmente não têm von-tade nenhuma de conversar. Quando me apresentei, no entanto, ela sorriu, pediu-me para repetir o meu nome e certificou-se de que o pronunciava corretamente. O marido estava sentado numa cadeira ao lado dela, pensativo e calado, deixando-a tomar a dianteira.

«Se bem percebi, estou numa alhada», disse ela.

Era o tipo de pessoa que conseguira, mesmo com a sonda enfiada no nariz, arranjar o cabelo, que usava curto, e alisar os lençóis do hospital sobre o corpo de maneira a ficarem direitinhos. Estava a esforçar-se por manter a dignidade naquelas circunstâncias.

Perguntei-lhe como se sentia. A sonda ajudara, disse ela. Sentia-se muito menos nauseada.

Pedi-lhe para me contar o que lhe tinham dito. Ela disse: «Bom, senhor doutor, parece que o cancro está a obstruir-me. Por isso, tudo o que desce volta a subir.»

Ela percebera perfeitamente os tristes pormenores de base. Nessa altura, não tínhamos decisões particularmente difíceis para tomar. Disse-lhe que era possível que aquilo fosse só uma torção no intestino e que daí a um dia ou dois passasse naturalmente. Se não passasse, disse eu, teríamos de falar sobre uma eventual operação. Para já, no entanto, podíamos esperar.

Eu ainda não estava preparado para abordar a questão mais difícil. Podia ter ido mais longe, tentando ser pragmático, e ter-lhe dito que, independentemente do que acontecesse, aquela obstrução era um mau prenúncio. Os cancros matam as pessoas de muitas maneiras e tirar-lhes gradualmente a capacidade de comer é uma delas. Mas ela não me conhecia e eu não a conhecia a ela. Decidi que precisava de tempo antes de enveredar por esse tipo de conversa.

Um dia depois, as notícias eram as que podíamos esperar. Em primeiro lugar, o líquido que escorria pela sonda abrandou. Depois, ela começou a ter gases e movimentos intestinais. Conseguimos retirar a sonda nasogástrica e dar-lhe uma dieta suave e com poucas fibras alimentares. Parecia que, para já, ela ia ficar bem.

Senti-me tentado a dar-lhe alta simplesmente e a desejar-lhe as melhoras, ou seja, a evitar por completo a conversa difícil. Mas o problema de Douglass muito provavelmente não ia ficar por ali. Por isso, antes de se ir embora, voltei ao quarto dela no hospital e tive uma conversa com ela, com o marido e um dos filhos.

Comecei por dizer que estava muito contente por ver que ela já conseguia comer. Respondeu-me que nunca tinha ficado tão feliz na vida por soltar gases. Tinha dúvidas sobre os alimentos que devia comer e os que devia evitar para não obstruir novamente o intestino e eu esclareci-a. Fizemos conversa de sala durante uns minutos e a família contou-me algumas coisas sobre ela. Em tempos, foi cantora. Foi Miss Massachusetts em 1956. Depois disso, o Nat King Cole convidou-a para participar na sua *tournée* como cantora do coro, mas ela descobriu que a vida de artista não era o que desejava, por isso voltou para Boston. Conheceu Arthur Douglass, que assumiu a gestão do negócio da família, uma casa funerária, quando se casaram. Criaram quatro filhos, mas sofreram a morte do mais velho quando ainda era pequeno. Ela estava desejosa de voltar para casa, para junto dos amigos e família e de fazer uma viagem à Florida que tinham planeado para fugirem a toda aquela história de cancro. Estava ansiosa por sair do hospital.

Ainda assim, decidi insistir. Ali estava uma oportunidade para discutir o futuro dela e percebi que a devia aproveitar. Mas como? Devia eu dizer de jorro: «Já agora, o cancro piorou e provavelmente vai voltar a obstruí-la?» Bob Arnold, um médico dos Cuidados Paliativos da Universidade de Pittsburgh, explicara-me que o erro que os médicos cometem nestas situações é acharem que o seu papel é simplesmente fornecerem informações cognitivas: factos e descrições duros e frios. Querem ser o Dr. Informativo. Mas é o sentido por detrás da informação aquilo que as pessoas procuram, mais do que os factos. A melhor maneira de transmitir o sentido é explicar às pessoas o que a informação significa para nós, disse ele. E indicou-me duas palavras para usar com esse fito em mente.

«Estou preocupado», disse eu a Douglass. O tumor ainda lá estava, expliquei, e eu tinha receio de que a obstrução voltasse.

Eram palavras tão simples, mas comunicavam tanto, e não foi difícil perceber o impacto que tiveram. Eu tinha-lhe apresentado os factos. Mas ao incluir o facto de que estava preocupado, não só lhe transmiti a gravidade da situação, como lhe disse que estava do lado dela, estava a torcer por ela. As minhas palavras também lhe disseram que, embora eu temesse uma coisa grave, havia incertezas: possibilidades de esperança dentro dos parâmetros que a natureza tinha imposto.

Deixei que ela e a família digerissem a minha mensagem. Não me lembro das palavras exatas de Douglass quando ela falou, mas

lembro-me de que o ambiente no quarto tinha mudado. Instalaram-
-se nuvens. Ela queria mais informação. Perguntei-lhe o que queria
saber.

Esta foi mais uma pergunta ensaiada e deliberada da minha parte.
Sentia-me tolo por ainda estar a aprender a falar com as pessoas,
naquela fase da minha carreira. Mas Arnold também tinha recomendado uma estratégia que os médicos dos Cuidados Paliativos
usam, quando têm de falar sobre más notícias com as pessoas: eles
«pergunta, dizem, perguntam». Perguntam o que queremos ouvir,
depois dizem-nos, e depois perguntam o que percebemos. Por isso,
perguntei.

Douglass disse que queria saber o que lhe podia acontecer. Respondi-lhe que era possível que não voltasse a acontecer nada como
aquele episódio. No entanto, eu estava preocupado que o tumor cau-
sasse outra obstrução e, nesse caso, ela teria de voltar para o hospital.
Teríamos de a entubar novamente. Ou eu poderia ter de a operar para
aliviar a obstrução. Isso poderia exigir uma ileostomia, uma deriva-
ção do intestino delgado para a superfície da pele e a colocação de um
saco na abertura. Ou eu poderia não conseguir aliviar a obstrução.

Depois disso, ela não fez mais perguntas. Perguntei-lhe o que é
que tinha percebido. Disse que tinha percebido que não estava fora
de perigo. E ao dizer isto, as lágrimas vieram-lhe aos olhos. O filho
tentou reconfortá-la e dizer que ia correr tudo bem. Ela disse que
tinha fé em Deus.

Uns meses depois, perguntei-lhe se se lembrava dessa conversa.
Ela disse: «Claro que sim.» Nessa noite, em casa, não conseguiu dormir. A ideia de ter de usar um saco para poder comer atormentou-lhe
a mente. «Fiquei horrorizada», disse.

Reconheceu que eu estava a tentar ser delicado. «Mas isso não
muda a realidade, que o senhor doutor sabia que vinha aí uma nova
obstrução.» Ela sempre percebera que o cancro dos ovários era um
perigo que pairava sobre ela, mas até então nunca tinha imaginado
o *como*.

Estava contente por termos conversado, apesar de tudo, e eu também, porque no dia a seguir a ter tido alta, ela recomeçou a vomitar.
A obstrução tinha voltado. Ela foi novamente internada. Voltámos a
colocar a sonda.

Com uma noite de líquidos e descanso, os sintomas abrandaram outra vez sem ser necessário operar. Mas esta segunda crise abalou-a, porque tínhamos falado sobre o significado de uma obstrução, que era o tumor a fechar o cerco. Ela apercebeu-se das ligações entre os acontecimentos dos dois ou três meses anteriores e falámos sobre o crescendo de crises que sofrera: o terceiro ciclo de quimioterapia depois de o anterior ter falhado, os efeitos secundários penosos, a embolia pulmonar com a sua terrível falta de ar, a obstrução intestinal e a sua recidiva quase imediata. Ela começava a perceber que era assim que muitas vezes termina a vida na nossa época: com uma série crescente de crises para as quais a Medicina só consegue oferecer uma recuperação breve e temporária. Ela estava a passar por aquilo a que comecei a rotular mentalmente de síndrome de «chatices atrás de chatices», que não obedece a um caminho completamente previsível. As pausas entre as crises podem variar. Mas, a seguir a um determinado ponto, a direção em que as pessoas se encaminham torna-se clara.

Douglass fez a tal viagem à Florida. Pôs os pés na areia e passeou com o marido e viu amigos e cumpriu a dieta de nada de frutos e legumes crus que eu tinha recomendado, para minimizar a hipótese de uma folha fibrosa de alface ficar entalada ao tentar passar pelo intestino. Mais para o fim, ela apanhou um susto. Depois de uma refeição, ficou com a barriga muito inchada e regressou ao Massachusetts dois dias antes da data prevista, com receio de estar novamente com uma obstrução. Mas os sintomas abrandaram e ela tomou uma decisão. Ia fazer uma pausa na quimioterapia, pelo menos durante uns tempos. Não queria planear a sua vida em função das infusões de quimioterapia e das náuseas e das erupções cutâneas dolorosas e das horas do dia que ia passar na cama por causa do cansaço. Queria voltar a ser mulher/mãe/vizinha/amiga. Decidiu, como o meu pai, aproveitar o tempo que lhe restava, fosse ele muito ou pouco.

Só então comecei a reconhecer até que ponto compreendermos a finitude da nossa vida pode ser uma dádiva. Depois de o meu pai ter sido diagnosticado, a princípio continuou a viver o dia-a-dia como sempre fizera – as consultas, os projetos de beneficência, os jogos de ténis três vezes por semana –, mas a súbita noção da fragilidade da sua vida estreitou-lhe as perspetivas e alterou-lhe os desejos, tal como sugeria a investigação sobre perspetiva levada a cabo por Laura Carstensen. Fê-lo estar com os netos com mais frequência, ir à Índia visitar a família e refrear novos projetos arriscados. Conversou sobre o testamento comigo e com a minha irmã e sobre os planos para sustentar, depois da sua morte, o instituto superior que construíra perto da sua aldeia. Mas a nossa perceção do tempo pode mudar. À medida que foram passando os meses sem os sintomas piorarem, o medo que o meu pai tinha do futuro atenuou-se. O seu horizonte de tempo começou a expandir-se – podiam passar anos sem lhe acontecer nada de preocupante, pensámos todos – e, consequentemente, ele recuperou as suas ambições. Lançou-se num novo projeto de construção para o instituto na Índia. Candidatou-se a diretor distrital dos Rotários no Ohio do Sul, cujo mandato só teria início daí a um ano, e ganhou.

No começo de 2009, dois anos e meio depois de ter sido diagnosticado, os sintomas começaram a mudar. Passou a ter problemas na mão direita: primeiro, uma sensação de formigueiro e dormência nas pontas dos dedos, depois perdeu a força. No campo de ténis, a raquete começou a voar-lhe da mão. Deixava cair os copos. No trabalho, tornou-se difícil fazer os nós de sutura e pôr cateteres. Com ambos os braços a apresentarem sintomas de paralisia, parecia que tinha chegado ao seu risco traçado na areia.

Conversámos. Não estaria na hora de parar de exercer? E estaria na hora de falar com o Dr. Benzel sobre a hipótese da operação?

Não, disse ele. Ainda não estava pronto nem para uma coisa, nem para outra. Umas semanas depois, porém, anunciou que se ia reformar da cirurgia. Quanto à operação à espinal medula, continuava com receio de ter mais a perder do que a ganhar.

Depois da festa de reforma, em junho desse ano, preparei-me para o pior. A cirurgia fora a vocação dele. Dera-lhe um propósito e um sentido à vida... definira as suas lealdades. Queria ser médico desde os dez anos, quando viu a mãe morrer, ainda jovem, de malária. O que é que este homem ia fazer agora da vida?

Assistimos a uma transformação completamente inesperada. Lançou-se no seu trabalho como diretor distrital dos Rotários, cujo mandato começara nessa altura. Embrenhou-se tanto no cargo que mudou a assinatura automática do *e-mail* de «Atmaram Gawande, médico» para «Atmaram Gawande, diretor distrital». Em vez de se agarrar à identidade de uma vida inteira que lhe estava a escapar por entre os dedos, conseguiu redefini-la. Deslocou o risco na areia. É isto que significa ter autonomia: podemos não controlar as circunstâncias da vida, mas controlar o que fazemos com elas é o que nos torna o autor da nossa vida.

O cargo de diretor distrital implicava passar o ano a desenvolver o trabalho comunitário de todos os clubes de Rotários da região. Por isso, o meu pai fixou o objetivo de falar nas reuniões de cada um dos cinquenta e nove clubes da região – duas vezes – e meteu-se à estrada com a minha mãe. Ao longo de vários meses, atravessaram um distrito com 25 mil quilómetros quadrados. Era sempre ele quem conduzia, ainda o conseguia fazer sem problemas. Gostavam de parar no Wendy's para comerem sanduíches de galinha. E ele tentou encontrar-se com o máximo de sócios que pôde dos 3700 que compunham os Rotários da região.

Na primavera seguinte, terminou o segundo circuito pelo distrito, mas a fraqueza no braço esquerdo agravara-se e já não o conseguia levantar acima de sessenta graus. A mão direita também estava a perder forças. E começou a ter dificuldades em andar. Até aí, conseguira continuar a jogar ténis, mas, para sua grande consternação, teve finalmente de desistir.

«Sinto um peso nas pernas», disse. «Tenho medo, Atul.»

Ele e a minha mãe vieram visitar-me a Boston. Num sábado à noite, sentámo-nos os três na sala, a minha mãe ao lado dele num sofá e eu à frente deles. Lembro-me claramente de sentir que uma crise nos rondava. Ele estava a ficar tetraplégico.

«Está na hora de operar?», perguntei-lhe.

«Não sei», disse ele. Estava na hora, percebi, de termos a nossa conversa difícil.

«Estou preocupado», disse eu. Lembrei-me da lista de perguntas que Susan Block, a especialista em Cuidados Paliativos, tinha dito que eram as mais importantes e fi-las uma a uma ao meu pai. Perguntei-lhe se percebia o que lhe estava a acontecer.

Ele percebia o mesmo que eu. Estava a ficar paralisado, disse ele.

Quais eram os seus receios, se isso acontecesse?, perguntei.

Ele disse que tinha medo de se tornar um fardo para a minha mãe e de deixar de conseguir tratar de si próprio sozinho. Não era capaz de imaginar como seria a sua vida. A minha mãe, chorosa, disse que estaria lá para o ajudar. Que tinha todo o gosto em tomar conta dele. A mudança de papéis já tinha começado. Ele deixava-a conduzir com frequência crescente e agora era ela quem marcava as consultas médicas dele.

Quais eram os seus objetivos, se o seu estado piorasse?, perguntei.

Ele pensou um instante. Queria desempenhar as suas funções nos Rotários até ao fim; o mandato terminava em meados de junho. E queria ter a certeza de que o instituto superior e a sua família na Índia ficavam bem entregues. Queria visitá-los, se pudesse.

Perguntei-lhe que cedências estava disposto a fazer, ou não, para tentar travar o que lhe estava a acontecer. Ele não percebeu bem a minha pergunta. Contei-lhe o caso do pai de Susan Block, que também tinha um tumor na espinal medula e disse que, se pudesse ver futebol na televisão e comer gelado de chocolate, isso seria suficiente para ele na vida.

O meu pai achava que isso nunca seria suficiente para ele. Estar com pessoas e interagir com elas era o mais importante para si, disse. Tentei compreender: então, a paralisia seria tolerável, desde que ele pudesse continuar a desfrutar da companhia das pessoas?

«Não», respondeu. Não podia aceitar uma vida de paralisia física total, em que precisasse de ajuda para tudo. Necessitava não só de estar com pessoas, mas também de manter as rédeas do seu mundo e da sua vida.

A sua tetraplegia iminente ameaçava privá-lo disso, em breve. Implicaria cuidados de enfermagem vinte e quatro sobre vinte e quatro horas, depois um ventilador e uma sonda gástrica. Pela maneira de falar, ele não aceitava essa ideia, comentei.

«Nunca», disse ele. «Prefiro morrer.»

Estas perguntas encontram-se entre as mais difíceis que já fiz em toda a minha vida. Fi-las com um grande nervosismo, temendo, enfim, não sei muito bem o quê... raiva do meu pai ou da minha mãe, ou depressão, ou a sensação de que, pelo simples facto de as formular, estava a desiludi-los. Mas o que sentimos depois foi alívio. Sentimos claridade.

Talvez as respostas dele quisessem dizer que estava na hora de falar com Benzel novamente sobre a operação, sugeri. O meu pai concordou baixinho.

Ele disse a Benzel que estava pronto para a operação à medula. Tinha mais medo agora do que o tumor lhe estava a fazer do que das eventuais consequências de uma operação. Marcou a cirurgia para daí a dois meses, quando terminasse o seu mandato de diretor distrital dos Rotários. Por essa altura, já o seu caminhar se tornara instável. Caía e tinha dificuldade em levantar-se quando estava sentado.

Por fim, no dia 30 de junho de 2010, chegámos à Clínica Cleveland. A minha mãe, a minha irmã e eu demos-lhe um beijo numa sala pré-operatória, ajustámos-lhe a touca, dissemos-lhe o quanto o amávamos e deixámo-lo nas mãos de Benzel e da equipa. Em princípio, a operação ia demorar o dia inteiro.

Ao fim de apenas duas horas, porém, Benzel apareceu na sala de espera. Disse que o meu pai estava com um ritmo cardíaco anómalo. O batimento cardíaco subira para 150 pulsações por minuto. A tensão arterial caíra drasticamente. Como o monitor cardíaco indicava sinais de um potencial ataque cardíaco, interromperam a operação. Com medicação, o ritmo cardíaco voltou ao normal. Um cardiologista disse que o ritmo cardíaco abrandou o suficiente para evitar um enfarte, mas não tinha a certeza sobre o que causara essa aceleração anormal. Esperavam que a medicação que lhe tinham começado a dar evitasse que isso voltasse a acontecer, mas não o podiam garantir. A operação não tinha chegado ao ponto de não retorno, por isso, Benzel viera perguntar-nos se devia parar ou continuar.

Percebi que o meu pai já nos tinha dito o que fazer, exatamente como o pai de Susan Block. O meu pai tinha mais medo de ficar tetraplégico que de morrer. Perguntei, por conseguinte, a Benzel o que é que apresentava o risco maior de ele ficar tetraplégico nos próximos meses: parar ou continuar? Parar, disse ele. Dissemos-lhe para continuar.

Ele voltou sete longas horas depois. Disse que o coração do meu pai tinha permanecido estável. Superados os problemas iniciais, correra tudo bem, dentro do que se poderia esperar. Benzel conseguira fazer a descompressão e retirar uma pequena porção do tumor, mas não muito. A parte de trás da coluna do meu pai estava agora aberta no pescoço, de cima a baixo, dando ao tumor mais espaço para se expandir. Teríamos de ver em que estado ele acordava, todavia, para saber se havia alguma lesão.

Sentámo-nos junto do meu pai nos Cuidados Intensivos. Ele estava inconsciente, ligado a um ventilador. Um ecocardiograma mostrou que não havia lesões, o que foi um alívio enorme. A equipa médica reduziu, assim, os sedativos e deixou-o voltar a si lentamente. Ele acordou confuso, mas capaz de seguir as instruções. O interno pediu-lhe para lhe apertar as mãos com o máximo de força possível, para o empurrar com os pés, para levantar as pernas da cama. Não havia perda da função motora, disse o interno. Quando o meu pai ouviu isto, começou a gesticular desastradamente para nos chamar a atenção. Como estava entubado, não conseguimos perceber o que dizia. Tentou escrever o que queria dizer no ar com o dedo. T-F-I...? F-F-C...? Estava com dores? Estava com dificuldades? A minha irmã ia dizendo o alfabeto e pediu-lhe para levantar o dedo quando ela acertava numa letra. E foi assim que decifrou a mensagem. A mensagem do meu pai era «FELIZ».

Um dia depois, ele saiu dos Cuidados Intensivos. Passados dois dias, teve alta do hospital e foi para um centro de reabilitação em Cleveland durante três semanas. Voltou para casa num dia quente de verão, sentindo-se mais forte do que nunca. Conseguia andar. Praticamente não tinha dores no pescoço. Achava que ter trocado a sua antiga dor por um pescoço hirto e um mês de reabilitação dura fora um acordo mais do que aceitável. Fizera, em todos os sentidos, as escolhas certas a cada etapa do percurso: adiara a operação, protelara-a inclusive depois de se ter reformado da carreira médica, avançara com os riscos só passados quase quatro anos, quando as dificuldades em caminhar ameaçavam privá-lo das capacidades que lhe davam sentido à vida. Em breve, achava que até poderia voltar a conduzir.

Ele tomara todas as decisões certas.

A necessidade de fazer escolhas, todavia, não para. Viver é fazer escolhas e elas sucedem-se inexoravelmente. Assim que acabamos de tomar uma decisão, somos confrontados com outra.

Os resultados da biopsia ao tumor mostraram que o meu pai tinha um astrocitoma, um cancro de crescimento relativamente lento.

Depois de ele ter recuperado da operação, Benzel mandou-o consultar um oncologista radioterapeuta e um neuro-oncologista. Eles recomendaram que o meu pai fizesse radioterapia e quimioterapia. Este tipo de tumor não pode ser curado, mas pode ser tratado, disseram. O tratamento podia preservar as suas faculdades, eventualmente durante anos, e talvez até restaurasse algumas delas. O meu pai hesitou. Tinha acabado de recuperar da cirurgia e de retomar os seus projetos. Planeava viajar de novo. As prioridades eram muito claras para ele e estava com medo de as sacrificar para fazer mais tratamentos. Mas os especialistas pressionaram-no. Tinha tanto a ganhar com o tratamento, argumentaram, e as novas técnicas de radioterapia apresentavam efeitos secundários relativamente pequenos. Eu também o pressionei. Disse-lhe que me parecia que o tratamento praticamente só tinha vantagens. A desvantagem principal parecia ser apenas o facto de não haver um centro de radioterapia perto de casa capaz de lhe fazer o tratamento. Ele e a minha mãe teriam de se mudar para Cleveland e suspender as suas vidas durante as seis semanas de radioterapia diária. Mas era só isso, disse eu. Ele podia muito bem aguentar.

Pressionado, ele cedeu. Mas como foram tolas estas previsões! Ao contrário de Benzel, os especialistas não tinham tido a coragem de reconhecer até que ponto as vantagens do tratamento eram incertas. E também não se tinham dado ao trabalho de tentar compreender o meu pai e o que a experiência da radioterapia lhe faria.

A princípio, não pareceu nada de especial. Fizeram um molde do corpo dele para ele se deitar sempre na mesma posição exata para receber cada dose do tratamento. Ele deitava-se no molde durante quase uma hora, com uma máscara de rede a cobrir-lhe o rosto, incapaz de se mexer dois milímetros sequer, enquanto a máquina de radioterapia clicava e zumbia e lhe lançava a sua dose diária de raios gama sobre o tronco cerebral e a espinal medula. Com o tempo, porém, ele sentiu espasmos acutilantes nas costas e no pescoço. De dia para dia, tinha cada vez mais dificuldade em aguentar a posição. A radioterapia também começou gradualmente a causar-lhe náuseas e uma dor de garganta cáustica quando engolia. Com medicação, os sintomas tornaram-se suportáveis, mas as drogas deixavam-no cansado e obstipado. A seguir aos tratamentos, dormia o dia todo, uma coisa que nunca tinha feito na vida. Umas semanas depois, perdeu o paladar. Os médicos não tinham referido esta possibilidade e ele sentiu-a como uma perda terrível. Ele adorava comer. Agora, tinha de se forçar a comer.

Quando voltou para casa, tinha emagrecido dez quilos ao todo. Tinha um zumbido constante nos ouvidos. Sentia uma dor nova no braço e na mão do lado esquerdo, como uma descarga elétrica. E quanto ao paladar, os médicos disseram que devia recuperá-lo rapidamente, mas isso nunca aconteceu.

No fim, nada melhorou. Ele emagreceu ainda mais nesse inverno. Ficou a pesar sessenta quilos. A dormência e a dor na mão esquerda espalharam-se acima do cotovelo em vez de diminuírem como ele esperava. A dormência nas extremidades inferiores estendeu-se acima dos joelhos. Ao zumbido nos ouvidos juntou-se uma sensação de vertigem. O lado esquerdo do rosto começou a ficar descaído. Os espasmos no pescoço e nas costas persistiram. Ele sofreu uma queda. Um fisioterapeuta aconselhou-o a usar um andarilho, mas ele não queria. Sentia-se um fracasso. Os médicos receitaram-lhe metilfenidato – ritalina –, para tentar estimular-lhe o apetite, e quetamina, um anestésico para controlar a dor, mas as drogas causaram-lhe alucinações.

Não percebíamos o que estava a acontecer. Os especialistas esperavam que o tumor diminuísse e, com ele, os sintomas. Depois da ressonância magnética dos seis meses, ele e a minha mãe telefonaram-me.

«O tumor está a aumentar», disse ele, numa voz baixa e resignada. A radioterapia não tinha resultado. As imagens mostravam que, em vez de encolher, o tumor tinha continuado a crescer, estendendo-se para cima, para o cérebro, e era por isso que o zumbido persistira e apareceram as tonturas.

Senti-me a transbordar de tristeza. A minha mãe estava irritada.

«Para que é que serviu a radioterapia?», perguntou. «O tumor devia ter diminuído. Eles disseram que o mais certo era isso acontecer.»

O meu pai decidiu mudar de assunto. De repente, pela primeira vez em semanas, não queria falar sobre os seus sintomas do dia ou dos seus problemas. Queria saber notícias dos netos: como é que tinha corrido o concerto da orquestra sinfónica da Hattie no outro dia, como é que o Walker se estava a sair na equipa de esqui, se o Hunter podia dizer olá. Os horizontes dele tinham-se estreitado novamente.

O médico recomendou que ele fosse visto pelo oncologista para planear a quimioterapia e, uns dias depois, fui ter com os meus pais a Cleveland para a consulta. A oncologista era agora muito conceituada, mas também ela carecia da capacidade de Benzel de ver o quadro geral. Sentimos profundamente a falta disso. Ela procedeu em modo informativo. Apresentou oito ou nove opções de quimioterapia em cerca de dez minutos. Número médio de sílabas por droga: 4,1. Era estonteante. Ele podia tomar bevacizumab, carboplatina, temozolomida, talidomida, vincristina, vimblastina, ou outras opções quaisquer que escaparam aos meus apontamentos. Ela descreveu uma variedade de diferentes combinações dessas drogas que também deveríamos considerar. A única coisa que não propôs e não discutiu foi não fazer nada. Sugeriu que ele tomasse uma combinação de temozolomida e bevacizumab. Achava que a probabilidade de o tumor reagir – isto é, de o tumor não crescer mais – era de cerca de 30 por cento. Deu a sensação de não quer parecer desanimadora, por isso acrescentou que, para muitos doentes, o tumor se torna «como uma doença crónica de baixo nível» que se devia vigiar.

«Pode voltar a jogar ténis este verão, se tudo correr bem», acrescentou.

Eu nem queria acreditar que ela tinha dito aquilo. A ideia de que alguma vez ele pudesse voltar a jogar ténis era completamente disparatada – não era uma esperança minimamente realista – e fiquei a espumar de raiva por ela criar essa falsa expectativa no meu pai. Vi a expressão dele, imaginando-se num campo de ténis. Felizmente, foi um daqueles momentos em que o facto de ele ser médico foi uma benesse. Rapidamente se apercebeu de que não passava de uma fantasia e, embora com relutância, pô-la de lado e perguntou o que é que esse tratamento faria à sua vida.

«Neste momento, sinto as ideias turvas, tenho um zumbido nos ouvidos, dores que me irradiam pelo braço acima, dificuldade em andar. É isso que me está a deitar abaixo. As drogas vão piorar algum destes sintomas?»

Ela admitiu que podiam, mas dependia da droga. Tornou-se difícil, para mim e para os meus pais, seguir a conversa, apesar de sermos os três médicos. Havia demasiadas opções, demasiados riscos e benefícios a ponderar para cada opção possível e a conversa nunca chegou a abordar o que ele mais desejava, que era encontrar um caminho que lhe permitisse manter um tipo de vida que ele considerasse digno e válido. Ela estava a conduzir exatamente o tipo de conversa que eu tendia a ter com os meus doentes, mas que já não queria continuar a ter. Apresentou dados e pediu ao meu pai para fazer uma escolha. Ele queria o comprimido vermelho ou o comprimido azul? Mas o que significava cada opção continuava a ser muito pouco claro.

Virei-me para os meus pais e disse: «Posso perguntar o que acontece se o tumor evoluir?» Eles fizeram que sim com a cabeça, por isso, perguntei.

A oncologista falou sem rodeios. A fraqueza nas mãos e nos braços ia aumentar progressivamente. A fraqueza nas pernas também se agravaria, mas o problema mais sério seria a insuficiência respiratória – dificuldade em receber oxigénio suficiente – por causa da fraqueza nos músculos do peito.

«Vou sentir desconforto?», perguntou o meu pai.

Não, disse ela. Ia simplesmente sentir-se cansado e com sono. Mas as dores no pescoço e as pontadas acutilantes provavelmente iam aumentar. Ele também podia ficar com dificuldades em engolir, se o tumor crescesse e envolvesse nervos cruciais.

Perguntei-lhe de que prazos estávamos a falar para pessoas que chegam a esse estádio final, com tratamento e sem tratamento.

A pergunta constrangeu-a. «É difícil prever», disse.

Insisti. «Qual é o período de tempo mais curto e o mais longo que viu em pessoas que não fizeram o tratamento?»

Três meses era o mais curto, disse ela, e três anos o mais longo.

E com tratamento?

Ela reduziu-se a murmúrios. Por fim, disse que o mais longo eventualmente não tinha ido muito além dos três anos. Mas com tratamento, a média devia tender para o mais longo.

Foi uma resposta dura e inesperada para nós. «Não tinha a noção...», disse o meu pai, e a sua voz esmoreceu. Lembrei-me do que Paul Marcoux, o oncologista da Sara Monopoli, me tinha dito sobre os seus doentes: «Enquanto eu me interrogo se conseguirei oferecer um ou dois anos bons a uma pessoa, ela está a pensar em dez ou vinte anos.» Nós também estávamos a pensar em dez ou vinte anos...

O meu pai decidiu tirar um tempo para ponderar as opções. A médica receitou-lhe um medicamento à base de esteroides que poderia abrandar temporariamente o crescimento do tumor e que tinha relativamente poucos efeitos secundários. Nessa noite, fui jantar fora com os meus pais.

«Pelo andar da carruagem, eu posso ficar acamado daqui a uns meses», disse o meu pai. A radioterapia só servira para piorar a situação. E se acontecia o mesmo com a quimioterapia? Precisávamos de orientação. Ele estava dividido entre viver da melhor maneira possível com o que tinha, ou sacrificar a vida que lhe restava por uma turva hipótese de mais tempo.

Uma das grandes vantagens do antigo sistema era que tornava estas decisões simples. Escolhíamos o tratamento mais agressivo que houvesse. Na realidade, não era uma decisão, era uma configuração padrão. Esta coisa de ponderarmos as nossas opções – de decidirmos quais eram as nossas prioridades e trabalharmos com um médico para encontrarmos o tratamento que melhor encaixava nelas – era esgotante e complicada, especialmente quando não tínhamos um especialista à mão de semear para nos ajudar a analisar os imponderáveis e as ambiguidades. A pressão mantém-se toda numa só direção, no sentido de fazer mais, porque o único erro que os médicos parecem temer é o de não fazerem o suficiente. A maior parte não tem a noção de que é possível cometer erros igualmente terríveis no sentido oposto: de que fazer demasiado pode ser igualmente devastador para a vida de uma pessoa.

O meu pai voltou para casa sem saber o que fazer. Depois, sofreu cinco ou seis quedas sucessivas. A dormência nas pernas estava a piorar. Começou a perder a noção de onde tinha os pés. Uma vez, ao cair, bateu com a cabeça com força e pediu à minha mãe para ligar para o número de emergência. Chegou uma ambulância com as sirenes a apitar. Puseram-lhe uma tala nas costas e um colar cervical e levaram-no para as Urgências. Mesmo estando no hospital onde trabalhara, demorou três horas para conseguir fazer um raio-X e confirmar que não tinha partido nada, que já se podia sentar e tirar o colar. Por essa altura, já ele estava com dores atrozes por causa do colar rígido e da tala nas costas. Precisou de uma série de injeções de morfina para conter a dor e só lhe deram alta perto da meia-noite.

Ele disse à minha mãe que nunca mais queria passar por uma experiência daquelas.

Duas manhãs depois, recebi um telefonema da minha mãe. Por volta das duas da madrugada, o meu pai tinha saído da cama para ir à casa de banho, explicou ela, mas quando tentou levantar-se, as pernas não suportaram o peso e ele caiu. O chão era alcatifado. Ele não bateu com a cabeça e não parecia magoado, mas não se conseguia pôr de pé. Tinha os braços e as pernas demasiado fracos. Ela tentou deitá-lo na cama, mas era demasiado pesado, por isso decidiram esperar até ser dia para pedirem ajuda. Ela pôs-lhe cobertores e almofadas e deitou-se ao lado dele, para não o deixar sozinho. Mas como tinha os joelhos artríticos – a minha mãe já ia nos setenta e cinco anos –, descobriu que também não conseguia levantar-se. Por volta das oito horas, chegou a empregada e encontrou-os no chão. Ajudou a minha mãe a levantar-se e a pôr o meu pai na cama. Foi então que a minha mãe me telefonou. Parecia assustada. Pedi-lhe para passar o telefone ao meu pai. Ele estava a chorar, em pânico, a gaguejar, mal se percebia o que dizia.

«Estou tão assustado», disse ele. «Estou a ficar paralisado. Não aguento isto. Não quero isto. Não quero passar por isto. Prefiro morrer.»

Os meus olhos encheram-se de lágrimas. Sou médico. Tento resolver os problemas. Mas como é que resolvia uma coisa daquelas? Durante dois minutos, tentei ouvi-lo simplesmente, enquanto repetia vezes sem conta que não conseguia passar por aquilo. Perguntou-me se podia ir ter com eles.

«Sim», respondi.

«Podes trazer os miúdos?» Ele pensou que estava a morrer, mas o mais difícil era que não estava. Percebi que ele podia ficar assim durante muito tempo.

«Deixe-me ir sozinho, primeiro», disse eu.

Tratei de arranjar um bilhete de avião para o Ohio e de cancelar as minhas consultas e compromissos em Boston. Duas horas depois, ele ligou-me. Já estava mais calmo. Conseguira levantar-se e inclusive ir à cozinha. «Não é preciso vires», disse. «Vem no fim de semana.» Mas eu decidi ir; as crises estavam a tornar-se cada vez mais graves.

Quando cheguei a Athens, nessa noite, os meus pais estavam sentados à mesa, a jantar, e já tinham transformado as seis horas que ele passara paralisado no chão do quarto numa comédia.

«Há anos que eu não me instalava no chão», disse a minha mãe.

«Foi quase romântico», comentou o meu pai, com uma gargalhada que me pareceu de miúdo.

Tentei alinhar na brincadeira, mas a pessoa que eu tinha diante de mim era diferente da que eu vira há apenas umas semanas. Estava ainda mais magro e tão fraco que, às vezes, arrastava as palavras. Tinha dificuldade em levar a comida à boca e a camisa estava cheia de nódoas do jantar. Precisava de ajuda para se levantar da cadeira. Tornara-se um velhinho diante dos meus próprios olhos.

Vinham aí problemas graves. Esse foi o primeiro dia em que eu realmente percebi o que significaria para ele ficar paralisado. Significaria ter dificuldades com as coisas mais básicas – levantar-se, ir para o quarto, lavar-se, vestir-se –, e a minha mãe não poderia ajudá-lo. Precisávamos de ter uma conversa.

Mais tarde, nessa noite, sentei-me com os meus pais e perguntei: «O que é que vamos fazer para tomar conta de si, Pai?»

«Não sei», respondeu.

«Tem-se sentido ofegante?»

«Ele consegue respirar bem», ripostou a minha mãe.

«Vamos ter de descobrir a maneira mais correta de tratar dele», disse eu à minha mãe.

«Talvez lhe pudessem fazer quimioterapia», respondeu ela.

«Não», atalhou ele rispidamente. Já tinha decidido. Estava com dificuldade em suportar os meros efeitos secundários dos esteroides – suores, ansiedade, dificuldade em pensar e oscilações de humor – e não via benefícios nenhuns neles. Achava que um ciclo galopante de quimioterapia não ia provocar melhorias radicais e não queria ter de aguentar os efeitos secundários.

Ajudei a minha mãe a deitá-lo, quando ficou tarde. Falei com ela sobre a ajuda de que ele ia precisar. Ia precisar de cuidados de enfermagem, uma cama de hospital, um colchão de ar para evitar as escaras, fisioterapia para evitar que os músculos atrofiassem. Perguntei-lhe se não devíamos começar a procurar casas de repouso.

Ela ficou horrorizada. É claro que não, respondeu. Tinha tido amigos em diferentes lares da cidade e tinha ficado muito mal impressionada. Não concebia a ideia de pôr o pai num lugar daqueles.

Tínhamos chegado à mesma encruzilhada aonde já vi desembocar dezenas de doentes, o mesmo lugar aonde tinha visto chegar a Alice Hobson. Estávamos perante algo de irreparável, mas doidos por acreditar que não era intratável. Contudo, que alternativa havia a telefonar para as emergências da próxima vez que surgisse um problema e deixar que a lógica e o ímpeto das soluções médicas tomassem as rédeas da situação? Em conjunto, nós os três tínhamos 120 anos de experiência em Medicina, mas o que havíamos de fazer afigurava-se-nos um mistério. Afinal, acabou por ser uma lição.

Precisávamos de opções e Athens não era o lugar onde uma pessoa pudesse encontrar o tipo de opções para os debilitados e os idosos que eu tinha visto brotar como cogumelos em Boston. É uma pequena cidade no sopé dos montes Apalaches. A universidade local, a Universidade do Ohio, é o que lhe dá vida. Um terço do condado vivia na pobreza, o que fazia com que fosse o condado mais pobre do estado. Por isso, fiquei surpreendido quando fiz umas averiguações e descobri que até ali as pessoas começavam a revoltar-se contra a maneira como a Medicina e as instituições estavam a tomar o controlo das suas vidas na velhice.

Falei, por exemplo, com Margaret Cohn. Ela e o marido, Norman, eram biólogos reformados. Ele sofria de uma forma grave de artrite conhecida como espondilite anquilosante e, por causa de um tremor e dos efeitos de uma poliomielite na juventude, tinha cada vez mais dificuldades em andar. Os dois estavam com receio se conseguiriam continuar a viver sozinhos em casa. Não queriam ver-se obrigados a mudar para casa de nenhum dos seus três filhos, que viviam muito longe e um em cada canto. Queriam ficar na sua comunidade. Mas quando procuraram centros com assistência à autonomia, na sua terra, não encontraram um único que fosse minimamente aceitável. «Preferia viver numa tenda a viver em condições como aquelas», disse-me ela.

Ela e Norman decidiram arranjar eles próprios uma solução e borrifar-se para a sua idade. «Percebemos que, se não o fizéssemos, ninguém o faria por nós», explicou ela. Margaret tinha lido um artigo no jornal sobre Beacon Hill Village, o programa de Boston que dava apoio aos idosos do bairro para estes poderem continuar a viver em sua casa e isso inspirou-a. Os Cohns reuniram um grupo de amigos e, em 2009, criaram a Athens Village com base no mesmo modelo. Calcularam que, se conseguissem que setenta e cinco pessoas pagassem quatrocentos dólares por ano, seria o suficiente para garantirem os serviços essenciais. Inscreveram-se cem pessoas e assim arrancou o projeto Athens Village.

Uma das primeiras pessoas que contrataram foi um caroqueiro maravilhosamente simpático. Estava disposto a ajudar as pessoas nas suas tarefas domésticas corriqueiras que encaramos como dados adquiridos quando estamos bem fisicamente, mas que se tornam críticas para sobrevivermos em casa quando temos problemas de saúde: consertar uma fechadura estragada, mudar uma lâmpada, decidir o que fazer quanto a uma caldeira avariada.

«Ele conseguia resolver quase tudo. As pessoas que se inscreveram achavam que só o senhor da manutenção valia os quatrocentos dólares», disse a Margaret.

Contrataram também uma diretora a tempo parcial. Ela verificava como estavam as pessoas e arranjava voluntários para as visitar, se havia uma falha de eletricidade ou se alguém precisava de uma caçarola. Uma agência de enfermagem ao domicílio cedia-lhes espaço de escritório gratuitamente e um desconto para sócios em cuidados de enfermagem. Associações eclesiásticas e civis forneciam um serviço diário de transporte e refeições ao domicílio para quem precisasse. Aos poucos, a Athens Village criou serviços e uma comunidade que garantia aos seus sócios que não ficariam sozinhos e em apuros quando as suas dificuldades aumentassem. Foi mesmo na hora H para os Cohns. Um ano depois de a terem fundado, a Margaret deu uma queda que a deixou numa cadeira de rodas para o resto da vida. Apesar de estarem ambos incapacitados e de serem octogenários, ela e o Norman conseguiram continuar a viver em casa.

Os meus pais e eu falámos sobre a ideia de eles se inscreverem na Athens Village. A única alternativa era os Cuidados Paliativos e eu hesitei em abordá-la. Bastava mencioná-la para trazer para a mesa o terrível e inominável tema da morte. Conversar sobre a Athens Village permitiu-nos fingir que o meu pai estava simplesmente a passar pelas consequências da velhice e nada mais. Mas enchi-me de coragem e perguntei se os cuidados paliativos em casa eram uma hipótese a considerar igualmente.

Afinal, o meu pai estava disposto a considerar os cuidados paliativos, a minha mãe é que se mostrou mais relutante. «Não me parece necessário», disse ela. Mas o meu pai respondeu que talvez não fosse má ideia pedirmos a alguém da agência para nos explicar como funcionavam.

Na manhã seguinte, uma enfermeira dos Cuidados Paliativos da Comunidade Apalaches passou lá por casa. A minha mãe fez chá e sentámo-nos à volta da mesa da sala de jantar. Confesso que esperava pouco da enfermeira. Não estávamos em Boston e a agência chamava-se Cuidados Paliativos da Comunidade Apalaches... por favor! Mas a enfermeira surpreendeu-me por completo.

«Como é que se sente?», perguntou ela ao meu pai. «Tem muitas dores?»

«Neste momento, não», disse ele.

«Onde é que costuma ter dores?»

«No pescoço e nas costas.»

Percebi que ela tinha, com esta abordagem inicial, averiguado umas quantas questões. Certificara-se de que ele se encontrava com disposição mental para conversar. Deixara imediatamente claro que aquilo que lhe interessava era ele e como é que ele se sentia, e não a doença dele nem o diagnóstico. E fez-nos ver que, rodeada ou não por vários médicos, sabia exatamente o que estava a fazer.

Aparentava uns cinquenta anos e usava o cabelo grisalho cortado curto, uma camisola de malha de algodão branca com uma rosa bordada no peito e levava um estetoscópio no saco. Tinha um sotaque da região. E foi direita ao assunto.

«Pediram-me para lhe trazer a papelada dos Cuidados Paliativos», disse ela ao meu pai. «O que é que lhe parece?»

O meu pai ficou calado uns instantes. A enfermeira esperou. Sabia remeter-se ao silêncio.

«Acho que é capaz de ser melhor», disse ele, «porque não quero fazer a quimioterapia.»

«Que tipo de problemas tem tido?»

«Náusea», disse ele. «Dificuldade em controlar a dor. Zonzeira. Os medicamentos deixam-me com demasiado sono. Já experimentei tomar Tylenol com codeína. Experimentei toradol em comprimidos. Agora estou a tomar quetamina.» Ele continuou: «Quando acordei, hoje de manhã, senti uma mudança enorme. Não consegui levantar-me. Não consegui puxar a almofada mais para cima na cama. Não consegui segurar a escova para lavar os dentes. Não consegui vestir as calças nem calçar as meias. O meu tronco está a ficar fraco. Começo a ter dificuldade em me sentar de costas direitas.»

«Os Cuidados Paliativos», disse ela, «servem para ajudar a lidar com esse tipo de dificuldades.» Ela apresentou os serviços que o Medicare custearia no caso do meu pai. Teria um médico dos Cuidados Paliativos que ajudaria a ajustar as medicações e a aconselhar outros tratamentos para minimizar as náuseas, as dores e outros sintomas, dentro do possível. Teria visitas regulares de uma enfermeira, mais uma enfermeira de emergência disponível vinte e quatro horas por dia, por telefone. Teria uma auxiliar de saúde em casa catorze horas por semana, para o ajudar a tomar banho e a vestir-se, e para dar apoio na limpeza da casa e a cuidar de outras tarefas não médicas. Teria uma assistente social e um conselheiro espiritual ao seu dispor. Teria o equipamento médico de que necessitasse. E podia «revogar», isto é, desistir dos Cuidados Paliativos quando quisesse.

Perguntou-lhe se ele gostaria de começar já com esse tipo de serviços ou se preferia pensar melhor.

«Quero começar já», respondeu ele. Estava pronto.

Olhei para a minha mãe. O rosto dela manteve-se inexpressivo.

A enfermeira passou ao essencial: Se ele tinha assinado uma ordem para não ser reanimado? Se tinha um monitor de bebé ou uma campainha para pedir ajuda? Se havia alguém em casa vinte e quatro horas por dia, sete dias por semana, para o ajudar?

Depois, perguntou: «Qual é a casa funerária que pretende?». Senti-me dividido entre o choque – será que esta conversa está mesmo a acontecer? – e o reconforto por aquilo ser tão normal e rotineiro para ela.

«Jagers», disse ele, sem hesitar. Percebi que andava a pensar nisso há muito tempo. O meu pai estava calmo. A minha mãe, no entanto, parecia atordoada. Ela não estava minimamente preparada para o rumo que a conversa levava.

A enfermeira virou-se para ela e sem ser propriamente antipática foi bastante crua: «Quando ele ficar inconsciente, não ligue para as emergências. Não chame a polícia. Não chame uma ambulância. Chame-nos a nós. Uma enfermeira ajudá-la-á. Deitará fora os narcóticos, tratará da certidão de óbito, lavará o corpo, contactará a agência funerária.»

«Neste momento, não estamos a pensar na morte», retorquiu a minha mãe num tom firme. «Só na paralisia.»

«Está certo», disse a enfermeira.

Perguntou ao meu pai quais eram as suas principais preocupações. Ele disse que queria manter-se forte o máximo de tempo possível. Queria poder escrever no computador, porque era através de *e-mail* e de Skype que contactava com a família e amigos espalhados pelo mundo inteiro. Não queria ter dores.

«Quero ser feliz», disse.

Ela ficou quase duas horas. Examinou-o, inspecionou a casa para identificar os riscos, escolheu o sítio para instalar a cama hospitalar e organizou um horário de visitas para a enfermeira e a auxiliar de saúde. Disse igualmente ao meu pai que ele precisava só de fazer duas coisas. Percebeu que ele andava a tomar aleatoriamente os medicamentos para as dores, escolhendo a droga e a dose um pouco ao sabor do vento, e disse-lhe que tinha de seguir um regime consistente e apontar a sua resposta a cada medicamento e a cada dose, para que a equipa dos Cuidados Paliativos pudesse avaliar o efeito com rigor e ajudá-lo a encontrar a combinação ideal para minimizar a dor e a zonzeira. E disse-lhe que não devia tentar levantar-se ou andar sem ninguém para o ajudar.

«Estou habituado a levantar-me sem pensar e a andar», respondeu ele.

«Se fraturar o fémur, Dr. Gawande, será um desastre», avisou ela.

Ele acatou as instruções dela.

Nos dias que se seguiram, fiquei espantado ao ver a diferença que tinham feito as duas simples instruções da enfermeira dos Cuidados Paliativos. O meu pai não conseguia resistir a alterar as doses dos medicamentos, mas fê-lo muito menos vezes do que antes e começou a registar todos os sintomas e os medicamentos que tomava e quando. A enfermeira que o visitava todos os dias analisava esse registo com ele e via quais eram os ajustes que convinha fazer. Apercebemo-nos de que ele tinha andado a medicar-se desregradamente, oscilando entre sofrer dores terríveis ou tomar doses tão fortes de analgésicos que parecia embriagado, com a fala arrastada e confusa e com dificuldade em controlar os braços e as pernas. As mudanças atenuaram gradualmente esse padrão. Os episódios de «embriaguez» desapareceram quase por completo. E o controlo da dor melhorou, embora nunca fosse total, o que o deixava com uma enorme frustração e, por vezes, com raiva.

Também obedeceu às ordens para não se levantar nem tentar andar sem ajuda. A equipa dos Cuidados Paliativos ajudou os meus pais a contratarem uma auxiliar para passar a noite e levar o meu pai à casa de banho sempre que precisasse. Depois disso, ele não voltou a cair e aos poucos percebemos até que ponto cada uma dessas quedas o tinha deitado abaixo. Cada dia que passava sem ele cair fazia com que os espasmos nas costas e no pescoço diminuíssem, as dores se tornassem mais controladas e as forças aumentassem.

Assistimos com os nossos próprios olhos às consequências de viver da melhor maneira cada dia, em vez de sacrificar o *agora* em prol do *mais tarde*. Ele estava praticamente numa cadeira de rodas, mas a evolução para a tetraplegia parou. Passou a conseguir percorrer pequenas distâncias com um andarilho. Ganhou controlo das mãos e força no braço. Tinha menos dificuldade em falar com as pessoas ao telefone e em usar o computador. Como os seus dias se tornaram mais previsíveis, passou a poder receber mais visitas. Começou novamente a organizar festas em nossa casa. Descobriu que nas poucas oportunidades que o seu horrível tumor lhe apresentara ainda havia espaço para viver.

Passados dois meses, em junho, apanhei um avião não só para o ver mas também para fazer o discurso da entrega de diplomas da Universidade do Ohio. O meu pai tinha ficado entusiasmado com a ideia de assistir ao discurso desde que eu fora convidado, havia um ano. Estava orgulhoso e eu tinha imaginado os meus pais presentes na assistência. Poucas coisas são tão gratificantes como desejarem a nossa presença na nossa terra natal. Durante uns tempos, todavia, tive medo de que o meu pai não sobrevivesse até lá. Nas últimas semanas, tornou-se claro que ele ia sobreviver e começámos a tratar da logística.

A cerimónia realizar-se-ia no campo de basquetebol da universidade, com os alunos de licenciatura sentados em cadeiras de armar no pavimento e as famílias nas bancadas. Engendrámos um esquema para levar o meu pai pela rampa exterior num carrinho de golfe, transferi-lo para uma cadeira de rodas e sentá-lo na periferia para assistir. Mas quando o dia chegou e o carrinho o levou para o campo, ele anunciou com toda a convicção que conseguia andar em vez de se sentar numa cadeira de rodas.

Ajudei-o a ficar de pé. Ele deu-me o braço. E começou a andar. Há meio ano que eu não o via caminhar, a não ser para atravessar a sala de estar. Mas andando devagar, a arrastar os pés, ele percorreu o comprimento de um campo de basquetebol e depois subiu um lanço de vinte degraus de cimento para se juntar às famílias nas bancadas. Fiquei tão comovido só de o ver que quase chorei. Ali estava o que era possível fazer com um tipo diferente de cuidados, um tipo diferente de Medicina, pensei para comigo. Ali estava o que se conseguia alcançar com uma conversa difícil.

CAPÍTULO 8

Coragem

Em 380 a.C., Platão escreveu um diálogo, *Laques*, em que Sócrates e dois generais atenienses tentam responder a uma pergunta aparentemente simples: O que é a coragem? Os generais, Laques e Nicias, tinham recorrido a Sócrates para resolver uma disputa entre eles sobre os rapazes que recebiam treino militar, se deviam ser ensinados a lutar de armadura ou não. Nicias acha que sim, Laques acha que não.

«Bom, qual é o objetivo supremo do treino?», pergunta Sócrates.

«Instigar a coragem», concluem.

«Então, nesse caso: o que é a coragem?»

«A coragem», responde Laques, «é uma certa resistência da alma.»

Sócrates mostra-se cético e diz que, por vezes, o ato corajoso não é persistir mas, sim, retirar-se ou inclusive fugir. Não poderá a resistência ser tola?

Laques concorda, mas tenta de novo e diz que talvez a coragem seja «resistência sábia».

Esta definição parece mais adequada, mas Sócrates pergunta se a coragem tem forçosamente de estar tão ligada à sabedoria. «Não admiramos nós a coragem na conquista de uma causa imprudente?», pergunta.

«Bom, sim», admite Laques.

Nicias intervém. Argumenta que a coragem é simplesmente «saber o que se deve temer ou esperar, quer na guerra, quer em tudo o resto». Mas Sócrates também critica esta posição, porque podemos ter coragem sem sabermos exatamente o que nos reserva o futuro. Aliás, muitas vezes é isso que devemos fazer.

Os generais ficam confusos. A história termina sem que eles consigam elaborar uma definição final. Mas o leitor esboça uma definição possível: coragem é *força* perante o conhecimento do que se deve temer ou esperar. Sabedoria é força prudente.

Pelo menos dois tipos de coragem são necessários na velhice e na doença. O primeiro é a coragem de enfrentar a realidade da mortalidade: a coragem de procurar a verdade sobre o que devemos temer e do que devemos esperar. Só essa coragem já é extremamente difícil. Temos muitas razões para nos retrairmos. Mas ainda mais assustador é o segundo tipo de coragem: a coragem de agir em consonância com a verdade com que nos deparamos. O problema é que o caminho sensato é tantas vezes pouco claro. Durante muito tempo, pensei que isso se devesse simplesmente à incerteza. Quando temos dificuldade em saber o que vai acontecer, temos dificuldade em saber o que fazer. Mas acabei por perceber que o desafio é mais básico do que isso: temos de decidir o que é que mais deve importar, se os nossos medos ou as nossas esperanças.

Voltei do Ohio e estava de regresso ao meu trabalho no hospital, em Boston, quando me chamaram de madrugada: a Jewel Douglass estava novamente internada, outra vez sem conseguir aguentar comida no estômago. O cancro estava a avançar. Ela aguentara três meses e meio, mais tempo do que eu pensara, mas menos do que ela esperava. Durante uma semana, os sintomas tinham surgido em catadupa: começaram com uma sensação de inchaço, depois transformaram-se em espasmos abdominais, como cãibras, depois náuseas e por fim vómitos. O oncologista mandou-a para o hospital. Um exame mostrou que o cancro dos ovários se tinha multiplicado e voltara a obstruir parcialmente o intestino. O abdómen também estava cheio de líquido, o que constituía um novo problema. As metástases tinham obstruído o sistema linfático, que serve como uma espécie de caleira de drenagem para os líquidos lubrificantes que os epitélios internos do corpo segregam. Quando o sistema entope, o líquido não tem para onde ir. Quando isso acontece acima do diafragma, como no caso do cancro do pulmão da Sara Monopoli, o peito enche-se como uma garrafa estriada até uma pessoa ficar com dificuldade em respirar. Se o sistema entope abaixo do diafragma, como no caso de Douglass, a barriga enche-se como uma bola de borracha até uma pessoa sentir que vai explodir.

Quando entrei no quarto de Douglass, no hospital, jamais diria que ela estava tão doente como estava, se não tivesse visto os resultados do exame. «Oh, vejam só quem aqui está!», exclamou ela, como se eu tivesse acabado de entrar num *cocktail*. «Está bom, senhor doutor?»

«Acho que eu é que lhe devia fazer essa pergunta», retorqui.

Ela deu-me um sorriso radioso e apontou à sua volta. «Este é o Arthur, o meu marido, que o senhor doutor já conhece, e o meu filho Brett.» Ela fez-me sorrir. Eram onze da noite e ali estava ela, incapaz de aguentar duas colheres de água no estômago e, no entanto, tinha posto batom, esticara o cabelo grisalho e fazia questão de nos apresentar uns aos outros. Não ignorava a sua situação difícil; apenas detestava estar doente, com tudo o que isso acarretava de deprimente.

Expliquei-lhe o que o exame mostrava. Ela não denotou qualquer relutância em enfrentar os factos. Mas o que fazer com eles era toda uma outra história. Tal como os médicos do meu pai, o oncologista e eu tínhamos um cardápio de opções. Havia toda uma nova gama de tratamentos de quimioterapia que podíamos experimentar para diminuir a carga tumoral. Eu tinha umas quantas opções cirúrgicas para lidar com a situação dela, também. Com uma operação, disse-lhe eu, não conseguiria eliminar a obstrução intestinal, mas talvez conseguisse fazer um desvio. Ou ligava um sector obstruído a um sector desobstruído, ou separava o intestino acima da obstrução e fazia uma ileostomia e ela teria de viver com um saco. Também colocaria uns cateteres de drenagem: válvulas que podiam ser abertas para libertar os líquidos dos canais obstruídos ou dos intestinos sempre que necessário. A cirurgia acarretava complicações graves – deiscência de feridas, passagem de líquidos para o abdómen, infeções –, mas constituía para ela a única possibilidade de conseguir voltar a comer. Também lhe disse que não precisávamos de fazer nem quimioterapia nem a operação. Podíamos dar-lhe medicamentos para controlar as dores e as náuseas e tratar dos cuidados paliativos em casa.

As opções deixaram-na avassalada. Todas elas pareciam assustadoras. Douglass não sabia o que fazer. Percebi, envergonhado, que me tinha transformado no Dr. Informativo: aqui tem os factos e os números; o que é que quer fazer? Por isso, recuei e fiz as perguntas que tinha feito ao meu pai: o que é que mais a assustava e preocupava?

Quais eram os objetivos mais importantes para ela? Quais eram as cedências que estava ou não disposta a fazer?

Nem toda a gente é capaz de responder a estas perguntas, mas ela foi. Disse que não queria ter dores, nem náuseas, nem vómitos. Queria comer. Acima de tudo, queria voltar a fazer a sua vida. O seu maior medo era não conseguir viver a vida e desfrutar dela, não conseguir voltar para casa e estar com as pessoas que amava.

Quanto às cedências que estava disposta a fazer, os sacrifícios que não se importava de fazer em troca da possibilidade de viver mais tempo, não eram muitos. A perspetiva que tinha do tempo estava a mudar, centrando-a no presente e nas pessoas que lhe eram mais próximas. Disse-me que a coisa que mais a preocupava no momento era um casamento a que não queria faltar nesse fim de semana. «O irmão do Arthur vai casar-se com a minha melhor amiga», explicou. Ela é que os tinha apresentado um ao outro. O casamento era daí a dois dias, no sábado, à uma da tarde. «É uma coisa *maravilhosa*», disse ela. O marido ia levar as alianças. Ela ia ser a dama de honor. Estava disposta a fazer o que fosse preciso para poder ir ao casamento.

O caminho tornou-se subitamente claro. As hipóteses de a quimioterapia ajudar eram ínfimas e as consequências para o tempo de que ela dispunha no presente seriam muito pesadas. Uma operação também nunca a deixaria ir ao casamento. Por conseguinte, delineámos um plano para ver se conseguíamos que fosse à festa e, depois, quando voltasse, decidiríamos quais seriam os passos seguintes.

Com uma agulha comprida drenámos um litro de fluido cor de chá do seu abdómen, o que a fez sentir-se melhor durante algum tempo. Demos-lhe medicamentos para controlar as náuseas. Conseguiu beber líquidos para se manter hidratada. Na sexta-feira à tarde, às três horas, demos-lhe alta com instruções para não beber nada mais espesso do que sumo de maçã e para vir ter comigo a seguir ao casamento.

Mas ela não aguentou. Voltou para o hospital nessa mesma noite. O mero trajeto de carro, com todas as sacudidelas e solavancos, pô-la novamente a vomitar. Os espasmos abdominais voltaram. As coisas pioraram em casa.

Concordámos que a operação era agora a melhor medida a tomar e marcámo-la para o dia seguinte. Eu concentrar-me-ia em devolver-lhe a capacidade de comer e em colocar os tubos de drenagem. Depois, ela podia decidir se queria fazer mais quimioterapia ou pôr-se nas mãos dos Cuidados Paliativos. Nunca vi uma pessoa tão lúcida como ela em relação aos seus objetivos e ao que estava disposta a fazer para os cumprir.

E, no entanto, até ela tinha dúvidas. No dia seguinte, de manhã, disse-me para cancelar a operação.

«Tenho medo», confessou. Achava que não tinha coragem para avançar com a cirurgia. Dera voltas e voltas a noite toda, a pensar nisso. Imaginou a dor, os tubos, a indignidade de uma eventual ileostomia e os horrores incompreensíveis das complicações que poderia ter de enfrentar. «Não quero correr riscos», disse.

Enquanto conversávamos, ficou claro que a dificuldade dela não era a falta de coragem para agir perante os riscos. A dificuldade era perceber o que pensar sobre esses riscos. O seu grande medo era sofrer, explicou. Embora a operação se destinasse a diminuir-lhe o sofrimento, não poderia agravá-lo em vez de o melhorar?

Podia, respondi. Podia, sim. A operação oferecia-lhe a possibilidade de voltar a comer e grandes probabilidades de controlar as náuseas, mas havia um grande risco de só lhe causar dor sem melhoras ou, inclusive, de lhe causar novos tormentos. Segundo os meus cálculos, havia cerca de 75 por cento de probabilidades de melhorar o futuro dela, pelo menos durante uns tempos, e 25 por cento de probabilidades de o tornar pior.

Então, qual era a decisão certa a tomar? E porque é que a escolha era tão aterradora? A escolha, percebi eu, era muito mais complicada do que um mero cálculo dos riscos. Como é que se pode comparar o atenuar das náuseas e a possibilidade de voltar a comer com a possibilidade de ter dores, infeções e viver com um saco de fezes?

O cérebro dá-nos duas maneiras de avaliar experiências como o sofrimento — há a maneira como apreendemos essas experiências no momento e como as encaramos mais tarde — e essas duas maneiras são profundamente contraditórias. Daniel Kahneman, um investigador laureado com o Prémio Nobel, lançou luz sobre o que acontece numa série de experiências que relata no seu livro fundamental *Pensar, depressa e devagar*. Numa delas, ele e o médico Donald Redelmeier, da Universidade de Toronto, estudaram 287 doentes submetidos a colonoscopia e operações a cálculos renais estando acordados. Os investigadores deram aos doentes um aparelho que lhes permitia classificar a dor a cada sessenta segundos, numa escala de um (sem dor) a dez (dor insuportável), um sistema que lhes deu uma medida quantificável da experiência da dor a cada instante. No fim, os doentes tiveram igualmente de classificar a quantidade total de dor que tinham sentido durante a intervenção. As operações demoraram entre quatro minutos e mais de uma hora. Os doentes descreveram períodos prolongados de dor ligeira a moderada alternados com momentos de dor intensa. Um terço dos doentes sujeitos a uma colonoscopia e um quarto dos doentes com cálculos renais disseram que, pelo menos uma vez durante a intervenção, sentiram uma dor correspondente a um dez.

O mais natural seria pensar que as classificações finais representariam qualquer coisa como a soma das classificações relativas a cada instante. Achamos que uma dor de longa duração é pior do que uma dor de curta duração e que ter um nível médio de dor maior é pior do que ter um nível médio de dor menor. Mas não foi nada disso que os doentes disseram. As suas classificações finais ignoraram em grande parte a duração da dor. Em vez disso, as classificações regeram-se mais por um fenómeno a que Kahneman chamou «a regra do pico-fim»: a média da dor sentida em apenas dois momentos: o pior momento em toda a intervenção e o final. Os gastroenterologistas que efetuaram as intervenções classificaram o nível de dor que tinham infligido de maneira muito semelhante aos doentes, segundo o nível de dor no momento de maior intensidade e o nível no fim, e não de acordo com a quantidade total de dor.

As pessoas pareciam ter dois eus diferentes: um que passa pelas experiências e vivencia cada instante, e outro que recorda as experiências e atribui quase todo o peso do juízo de valor a dois meros pontos no tempo, o pior e o último. O eu que recorda parece ater-se à regra do pico-fim, mesmo quando o final é uma anomalia. Bastou uns minutos sem dor no fim da intervenção médica para reduzir drasticamente as classificações globais de dor dos doentes, inclusive tendo sentido mais de meia hora de dor intensa. «Não custou assim tanto», disseram depois. Um final penoso também fez disparar de maneira igualmente radical as classificações de dor.

Estudos efetuados em inúmeros contextos confirmaram a regra do pico-fim e a nossa tendência para ignorarmos a duração do sofrimento. A investigação demonstrou também que o fenómeno se aplica exatamente da mesma maneira à forma como as pessoas classificam as experiências agradáveis. Toda a gente conhece a experiência de ver uma prova desportiva em que uma equipa joga lindamente durante o jogo quase todo e depois, no fim, estraga tudo. Sentimos que o final dá cabo da experiência toda. Existe, todavia, uma contradição na origem desse juízo de valor. O eu que vive as coisas desfrutou de horas de prazer e de apenas um momento de desprazer, mas o eu que recorda não vê prazer nenhum.

Se o eu que recorda e o eu que vive podem ter opiniões radicalmente diferentes sobre a mesma experiência, então a pergunta difícil que se levanta é a qual dos dois devemos dar ouvidos. Era basicamente este o tormento da Jewel Douglass e, até certo ponto, o meu também, se queria ajudá-la a tomar uma decisão. Devíamos escutar o eu que recorda – ou, neste caso, que antecipa – e se concentra nas coisas piores que ela poderia sofrer? Ou devíamos escutar o eu que vive e que provavelmente teria um nível médio de sofrimento mais baixo no futuro imediato e talvez até conseguisse voltar a comer durante uns tempos, se ela fosse operada em vez de ir simplesmente para casa?

No fim, as pessoas não veem a vida como uma mera média de todos os seus momentos que, no fim de contas, se reduzem a pouca coisa, uma vez que passamos uma parte do tempo a dormir. Para os seres humanos, a vida tem sentido porque é uma história. Uma história constitui um todo e o seu arco é determinado pelos momentos significativos, aqueles em que acontece qualquer coisa. As medições dos níveis de prazer e dor das pessoas de minuto para minuto não têm em conta este aspeto fundamental da existência humana. Uma vida aparentemente feliz pode ser vazia. Uma vida aparentemente difícil pode ser dedicada a uma grande causa. Temos objetivos maiores do que nós. Ao contrário do eu que vive – que está absorvido no momento –, o eu que recorda tenta reconhecer não só os picos de alegria e os vales de infelicidade, mas também como é que a história se desenrola como um todo. Isto é profundamente afetado pela maneira como, em última análise, as coisas acabam por acontecer. Porque é que um adepto de futebol deixa que uns minutos falhados no fim de um jogo estraguem três horas de prazer? Porque um jogo de futebol é uma história. E numa história, o final é importante.

No entanto, também reconhecemos que o eu que vive não deve ser ignorado. O pico e o fim não são as únicas coisas que contam. Ao preferir o momento de alegria intensa à felicidade constante, o eu que recorda nem sempre é sensato.

«Existe uma incoerência na nossa estrutura mental», comenta Kahneman. «Temos preferências muito definidas sobre a duração das nossas experiências de dor e prazer. Queremos que a dor seja breve e que o prazer dure. Mas a nossa memória [...] evoluiu de modo a fixar o momento mais intenso de um episódio de dor ou prazer (o pico) e as sensações quando o episódio chega ao fim. Uma memória que negligencia a duração não responde à nossa preferência por prazer longo e dor curta.»

Quando o nosso tempo é limitado e não sabemos ao certo qual é a melhor maneira de fazer jus às nossas prioridades, somos obrigados a lidar com o facto de que tanto o eu que vive como o eu que recorda são importantes. Não queremos viver uma dor longa e um prazer breve. No entanto, alguns prazeres podem fazer com que valha a pena suportar o sofrimento. Os picos são importantes e o final também.

A Jewel Douglass não sabia se estava disposta a enfrentar o sofrimento que a operação lhe poderia infligir e tinha medo de ficar ainda pior. «Não quero correr riscos», disse ela, e percebi que isso significava que ela não queria correr riscos demasiado grandes que pusessem em causa o desenlace da sua história. Por um lado, ainda tinha esperança em tantas coisas, por mais corriqueiras que parecessem. Nessa semana, por exemplo, foi à igreja, fez as compras de carro, preparou o jantar para a família, viu um programa na televisão com o marido, deu conselhos ao neto e fez planos para o casamento de amigos queridos. Se pudesse ter nem que fosse um bocadinho disso – se se pudesse libertar das consequências do tumor e desfrutar de mais umas quantas experiências dessas com as pessoas que amava –, estava disposta a suportar muitas provações. Por outro lado, não queria arriscar-se a um resultado ainda pior do que o estado em que se encontrava, com os intestinos obstruídos e o abdómen a encher-se de líquido como se tivesse uma torneira a pingar. Parecia que não havia maneira de sair daquele impasse. Mas, enquanto conversávamos naquele sábado de manhã, no quarto de hospital, com a família à volta dela e o bloco operatório a postos no andar de baixo, percebi que ela me estava a dizer tudo o que eu precisava de saber.

Devíamos fazer a operação, disse-lhe eu, mas com as indicações que ela acabara de delinear: eu faria o que fosse possível para ela poder voltar para casa, para junto da família, mas sem correr demasiados riscos. Usaria um pequeno laparoscópio e daria uma vista de olhos. E só tentaria desobstruir o intestino, se visse que o podia fazer com relativa facilidade. Se parecesse demasiado difícil e arriscado, então limitar-me-ia a pôr os tubos de drenagem. Ia tentar fazer uma coisa que podia parecer um paradoxo: uma operação paliativa, uma operação cuja prioridade suprema, fosse qual fosse a violência e os riscos inerentes, era só fazer com que ela se sentisse melhor rapidamente.

Ela ficou calada, a pensar.

A filha pegou-lhe na mão. «Devíamos fazer isto, mãe», disse.

«Está bem», respondeu Douglass. «Mas sem correr riscos desnecessários.»

«Sem correr riscos desnecessários», concordei.

Quando ela estava sob o efeito da anestesia, fiz uma incisão de um centímetro e meio acima do umbigo. Saiu um esguicho fino de líquido tingido de sangue. Inseri o dedo enluvado para ver se tinha espaço para colocar um endoscópio, mas uma porção do intestino endurecida por um tumor estava a impedir a passagem. Eu não ia conseguir sequer inserir uma câmara. Pedi ao interno para pegar no bisturi e abrir a incisão na vertical, para eu poder observar diretamente e enfiar a mão. No fundo da abertura, vi uma volta desobstruída de intestino distendido – parecia um tubo cor-de-rosa com demasiado ar – que achei que podíamos puxar e efetuar a ileostomia para ela poder voltar a comer. Mas o intestino estava preso pelo tumor e, quando tentámos soltá-lo, percebemos que corríamos o risco de o perfurar e depois não conseguir suturar. Seria um desastre provocarmos uma perfuração, por isso parámos. As instruções dela tinham sido claras: nada de correr riscos. Mudámos de estratégia e colocámos dois tubos de plástico compridos para drenar. Inserimos um deles diretamente no estômago, para esvaziar tudo o que ali se tinha acumulado, e pusemos o outro na cavidade abdominal aberta para drenar o líquido que estava fora do intestino. Depois, fechámo--la e terminámos a operação.

Expliquei à família que não conseguiríamos ajudá-la a voltar a comer e, quando Douglass acordou, dei-lhe a notícia. A filha ficou chorosa. O marido agradeceu-nos por termos tentado. Douglass tentou mostrar-se forte.

«De qualquer maneira, nunca fui fanática por comida», disse ela.

Os tubos aliviaram em grande parte as náuseas e as dores abdominais: «Noventa por cento», disse ela. As enfermeiras ensinaram-na a abrir o tubo gástrico para dentro de um saco, quando se sentisse enjoada, e o tubo abdominal, quando sentisse a barriga demasiado inchada. Dissemos-lhe que podia beber o que quisesse e inclusive comer alimentos moles só para ficar com o gostinho da comida. Três dias depois da operação, foi para casa sob a supervisão dos Cuidados Paliativos. Antes de sair do hospital, o médico e a enfermeira da Oncologia falaram com ela. Douglass perguntou-lhes quanto tempo de vida achavam que tinha.

«Ficaram os dois com os olhos cheios de lágrimas», contou-me ela. «Foi a resposta que me deram.»

Uns dias depois de Douglass ter tido alta do hospital, ela e a família deixaram-me passar lá por casa a seguir ao trabalho. Ela própria veio abrir-me a porta, de roupão por causa dos tubos e pedindo-me desculpa por isso. Sentámo-nos na sala e eu perguntei-lhe como estava.

Bem, disse ela. «Tenho a noção de que estou a ir, ir, ir», mas tinha passado o dia a receber velhos amigos e familiares e isso deixava-a muito feliz. «São eles que me mantêm viva, por isso gosto de os receber.» A família organizava as visitas de maneira a que ela não ficasse demasiado cansada.

Douglass disse que não gostava de ter tantos tubos a saírem-lhe do corpo. Os tubos do abdómen incomodavam-na. «Não sabia que ia sentir uma pressão constante», disse. Mas, pela primeira vez desde que adoecera, bastava-lhe abrir um tubo para acabar com as náuseas. «Olho para o tubo e penso: "Obrigada por estares aí".»

Para as dores, andava a tomar apenas tylenol. Não gostava de narcóticos, porque a deixavam zonza e fraca e isso interferia com a sua capacidade de receber visitas. «Provavelmente baralhei a equipa dos

Cuidados Paliativos, porque a dada altura disse-lhes que não queria sentir o mínimo desconforto e que me dessem o que fosse preciso», referindo-se aos narcóticos. «Mas ainda não cheguei a esse ponto.»

Falámos basicamente de recordações da vida dela, e eram positivas. Disse que estava em paz com Deus. Vim-me embora com a sensação de que, pelo menos dessa vez, tínhamos feito as coisas como devia ser. A história de Douglass não estava a terminar como ela sonhara, mas ainda assim estava a terminar com ela a ser capaz de fazer as escolhas que eram mais importantes para si.

Duas semanas depois, Susan, a filha, mandou-me um recado. «A Mãe morreu na sexta-feira de manhã. Mergulhou suavemente no sono e inspirou o último fôlego. Foi uma morte muito serena. O meu pai estava sozinho junto dela, e nós na sala. Foi um final perfeito, em harmonia com a relação que eles tinham.»

Não me agrada a ideia de dar a entender que os finais se podem controlar. Nunca ninguém tem verdadeiramente o controlo. A física, a biologia e o acaso acabam por levar a sua avante Mas a questão é que também não somos impotentes. Coragem é ter a força de reconhecer *as duas* realidades. Temos margem de manobra para agir, para dar forma à nossa história, embora, com a passagem do tempo, essa margem se torne cada vez mais pequena. Há umas quantas conclusões que se tornam claras quando compreendemos isto: que a nossa grande falha quando tratamos os doentes e os idosos é o facto de não percebermos que eles têm outras prioridades além de se sentirem protegidos ou de viverem mais tempo; que podermos dar forma à nossa história é essencial para que a vida tenha sentido; que temos a oportunidade de reestruturar as nossas instituições, a nossa cultura e as nossas conversas de forma a criar novas alternativas aos últimos capítulos da vida de cada um de nós.

Surge, inevitavelmente, a questão de até onde se devem estender essas possibilidades no fim: se a lógica de preservarmos a autonomia e o controlo das pessoas requer que as ajudemos a acelerar o seu próprio fim, quando o desejarem. «Suicídio assistido» é o termo que se usa hoje em dia, embora os seus defensores prefiram o eufemismo «morte com dignidade». Parece-me claro que já reconhecemos, em parte, esse direito, quando aceitamos que as pessoas rejeitem comida ou água ou medicamentos e tratamentos, inclusive quando tudo na Medicina luta contra essa escolha. Aceleramos a morte de uma pessoa sempre que desligamos alguém de um ventilador artificial ou da alimentação artificial. Depois de uma certa resistência, os cardiologistas aceitam agora que os doentes têm o direito de pedir aos médicos para lhes desligarem o *pacemaker* – o aparelho que regula artificialmente o ritmo do coração –, se for esse o seu desejo. Também reconhecemos a necessidade de permitir doses de narcóticos e sedativos que diminuam a dor e o desconforto, mesmo sabendo que podem acelerar a morte. A única coisa que os defensores do «suicídio assistido» querem é que as pessoas em sofrimento possam obter uma receita para acederem ao mesmo tipo de medicamentos, mas para acelerar o momento da sua morte. Estamos com dificuldade em manter uma distinção filosófica coerente entre dar às pessoas o direito de suspenderem processos externos e artificiais que lhes prolongam a vida e dar-lhes o direito de interromper os processos naturais e internos que o fazem.

No fundo, este debate é sobre qual dos erros tememos mais: o erro de prolongar o sofrimento ou o erro de encurtar uma vida preciosa. Impedimos as pessoas saudáveis de cometer suicídio, porque reconhecemos que o seu sofrimento psíquico é muitas vezes temporário. Achamos que, com ajuda, mais tarde o eu que recorda verá as coisas de maneira diferente do eu que as vive e, de facto, só uma minoria de pessoas resgatadas do suicídio volta a fazer uma tentativa de pôr fim à vida; a grande maioria acaba por se mostrar contente por estar viva. Mas perante os doentes terminais que enfrentam um sofrimento que sabemos que se tornará cada vez maior, só uma pessoa com um coração de pedra é que não sentirá compaixão.

Ainda assim, temo as consequências de alargarmos o terreno da prática da Medicina de modo a incluir o ato de ajudarmos as pessoas ativamente a acelerar a sua morte. Preocupa-me menos o abuso deste poder do que a dependência dele. Os seus defensores definiram que essa autorização tem de ser extremamente circunscrita, para evitar erros e más utilizações. Nos sítios onde os médicos estão autorizados a passar receitas letais – nos Países Baixos, na Bélgica e na Suíça, e em estados como o Oregon, Washington e Vermont –, só o podem fazer no caso de doentes em fase terminal que enfrentam um sofrimento insuportável, que fazem pedidos repetidos em diferentes etapas da doença, que comprovadamente não sofrem de depressão nem de outra doença mental e que têm um segundo médico a confirmar que preenchem os critérios. Não obstante, é a comunidade em sentido mais lato que invariavelmente determina como é que se põe em prática essa autorização. Nos Países Baixos, por exemplo, este sistema existe há décadas sem que tenha havido um movimento de oposição a ele, e é cada vez mais usado. Mas o facto de que, em 2012, um em cada trinta e cinco holandeses recorria ao suicídio assistido não é uma medida de sucesso. É uma medida de fracasso. No fim de contas, o nosso objetivo supremo não é dar às pessoas uma morte boa e sim uma vida boa até ao fim. Os Holandeses demoraram mais tempo do que outros povos a desenvolver programas de Cuidados Paliativos que pudessem alcançar esse objetivo. Eventualmente uma razão para isso é o facto de o seu sistema de morte assistida ter reforçado a convicção de que reduzir o sofrimento e melhorar a vida por outros meios não é possível quando uma pessoa fica muito debilitada ou gravemente doente.

Não há dúvida de que o sofrimento no final da vida por vezes é inevitável e insuportável, e ajudar as pessoas a pôr termo ao seu tormento pode ser necessário. Se houvesse essa possibilidade, eu apoiaria as leis que dessem esse tipo de receitas letais às pessoas, até porque cerca de metade nem sequer usa a receita. Basta-lhes o reconforto de saber que têm esse controlo, se precisarem. Mas prejudicamos sociedades inteiras, se permitirmos que o dar às pessoas essa capacidade nos desvie do objetivo de tentarmos melhorar a vida dos doentes. A vida assistida é muito mais difícil do que a morte assistida, mas as suas possibilidades são bem melhores.

No auge do sofrimento, as pessoas podem ter dificuldade em ver isso. Um dia, recebi um telefonema do marido de Peg Bachelder, a professora de piano da minha filha Hunter. «A Peg está no hospital», disse o Martin.

Eu sabia que ela tinha graves problemas de saúde. Dois anos e meio antes, ela tinha começado a sentir dores na anca direita. O problema foi diagnosticado erradamente como artrite durante quase um ano. Quando piorou, um médico até lhe recomendou que fosse a um psiquiatra e ofereceu-lhe um livro sobre «como aliviar a dor». Mas os exames finalmente revelaram que ela tinha um sarcoma de treze centímetros, um cancro raro do tecido conjuntivo que lhe estava a devorar a pélvis e a causar um grande coágulo sanguíneo na perna. O tratamento passava por quimioterapia, radioterapia e uma operação radical para lhe retirar um terço da pélvis e reconstruir com uma prótese metálica. Foi um ano de inferno. Ela esteve hospitalizada durante meses com complicações. Adorava andar de bicicleta, fazer ioga, passear o seu pastor-de-shetland com o marido, tocar piano e dar aulas aos seus queridos alunos. Teve de abdicar de tudo isso.

Porém, a Peg recuperou e pôde voltar ao ensino. Precisava de canadianas – daquelas com braçadeiras – para se deslocar, mas, fora isso, continuava a ser a mesma pessoa graciosa de sempre e rapidamente retomou as aulas. Tinha sessenta e dois anos, era alta, usava uns grandes óculos redondos e o cabelo acobreado e grosso cortado curto, e tinha uma maneira de ser tão branda e agradável que os alunos gostavam imenso dela. Sempre que a minha filha tinha dificuldade em captar um som ou uma técnica, a Peg nunca a apressava. Mandava-a experimentar isto e aquilo e, quando finalmente a Hunter percebia, a Peg ficava deliciada e abraçava-a com força.

Um ano e meio depois de retomar a sua vida profissional, descobriu-se que a Peg tinha um cancro, tipo leucemia, causado pela radioterapia. Voltou a fazer quimioterapia, mas continuou a dar aulas ao longo do tratamento. De tantas em tantas semanas, tinha de mudar o horário da aula da Hunter e tivemos de explicar a situação à nossa filha, que na altura ainda só tinha treze anos. Mas a Peg arranjava sempre maneira de andar para a frente.

Depois, durante duas semanas consecutivas, ela adiou as aulas. Foi então que recebi o telefonema do Martin, que me ligou do hospital. A Peg fora internada. Ele pôs o telemóvel no altifalante para ela poder falar. Parecia debilitada – fazia longas pausas ao falar –, mas estava muito lúcida em relação ao que se passava. O tratamento para a leucemia tinha deixado de resultar há umas semanas, explicou. Contraiu febre e uma infeção por ter o sistema imunitário em baixo. Os exames também mostraram que o cancro original tinha voltado a atacar-lhe a anca e o fígado. A doença começou a causar-lhe dores paralisantes na anca. Quando a deixou incontinente, para ela essa foi a última gota de água. Deu entrada no hospital e não sabia o que fazer.

Perguntei-lhe o que é que os médicos tinham dito que podiam fazer. «Não muito», disse ela, numa voz abatida, completamente sem esperança. Estavam a fazer transfusões de sangue, a dar-lhe medicamentos para as dores e esteroides para as febres causadas pelo tumor. Tinham parado com a quimioterapia.

Perguntei-lhe se percebia o que se passava.

Ela respondeu que sabia que estava a morrer. «Os médicos não podem fazer mais nada», disse, com uma pontinha de raiva na voz.

Perguntei-lhe quais eram os seus objetivos e ela disse que não havia nenhum que lhe parecesse possível de alcançar. Quando lhe perguntei quais eram os seus medos para o futuro, ela fez-me uma litania: enfrentar mais dor, passar pela humilhação de perder ainda mais o controlo sobre o seu corpo, não ter alta do hospital. A voz embargou-se-lhe. Estava internada há dias e, como não parava de piorar, tinha medo que não lhe restasse muito mais tempo de vida. Perguntei-lhe se lhe tinham falado nos Cuidados Paliativos. Respondeu que sim, mas não percebia como é que isso a podia ajudar.

Algumas pessoas na situação dela a quem oferecêssemos a possibilidade de uma «morte com dignidade» talvez a tivessem aceitado como se fosse a sua única oportunidade de terem controlo sobre a situação, à falta de outras opções. O Martin e eu convencemos a Peg a experimentar os Cuidados Paliativos. Pelo menos assim poderia voltar para casa, expliquei, e talvez a ajudasse mais do que julgava. Disse-lhe que o objetivo dos Cuidados Paliativos, pelo menos na teoria, era dar às pessoas o melhor dia possível, dentro das circunstâncias. Comentei que me parecia que ela já não tinha um dia bom há bastante tempo.

«Pois não... há muito tempo que não», confirmou.

Respondi-lhe que valia a pena ter esperança nisso: pelo menos um dia bom.

No espaço de quarenta e oito horas, ela voltou para casa com a ajuda dos Cuidados Paliativos. Demos a notícia à Hunter de que a Peg já não lhe poderia dar aulas, que estava a morrer. A Hunter ficou muito abatida. Adorava a Peg. Quis saber se podia visitá-la uma última vez. Tivemos de lhe dizer que, em princípio, não.

Uns dias depois, recebemos um telefonema surpreendente. Era a Peg. Disse que, se a Hunter quisesse, ela gostaria de retomar as aulas, mas compreendia se a Hunter preferisse não o fazer. Não sabia quantas aulas lhe conseguiria dar, mas gostava de tentar.

Eu nunca imaginei que, graças aos Cuidados Paliativos, a Peg pudesse voltar a dar aulas e ela ainda menos. Mas quando a Deborah, a enfermeira dos Cuidados Paliativos, foi lá a casa pela primeira vez, as duas conversaram sobre qual era a coisa mais importante da vida para a Peg e o que seria para ela «o melhor dia possível». A partir daí, uniram esforços para tornar isso possível.

A princípio, o objetivo dela era simplesmente gerir as dificuldades do dia-a-dia. A equipa dos Cuidados Paliativos instalou uma cama hospitalar no rés-do-chão para ela não ter de subir e descer escadas. Puseram uma sanita portátil ao lado da cama. Arranjaram uma pessoa para a ajudar a lavar-se e a vestir-se. Deram-lhe morfina, gabapentina e oxicodone para controlar as dores, e metilfenidato para combater a letargia que os medicamentos lhe causavam.

A ansiedade dela caiu a pique ao ver que conseguia controlar as dificuldades. Recomeçou a aspirar a objetivos mais altos. «Ela estava concentrada no principal», disse o Martin, mais tarde. «E acabou por ter uma perspetiva muito clara de como queria passar o resto dos seus dias. Ficaria em casa e daria aulas.»

Foi preciso muito planeamento e muita mestria para tornar cada aula possível. A Deborah ensinou-a a calibrar a medicação. «Antes de dar uma aula, ela tomava uma dose acrescida de morfina. O truque era dar-lhe o suficiente para conseguir ensinar, mas sem a deixar grogue», relembrou o Martin.

«Ela enchia-se de vida antes de uma aula e o efeito perdurava nos dias que se seguiam», disse o Martin. Como não tinha filhos, os alunos preenchiam essa lacuna na vida dela. E ainda tinha umas coisas para lhes ensinar antes de morrer. «Foi importante para ela poder despedir-se dos seus queridos amigos e dar os últimos conselhos aos alunos.»

Viveu seis semanas depois de ter chamado os Cuidados Paliativos. A Hunter teve aulas em quatro delas e no fim deram dois concertos: um com os antigos alunos da Peg, excelentes intérpretes de várias partes do país, e o outro com os alunos atuais, todos eles crianças dos ensinos básico e secundário. Reunidos na sala de estar dela, tocaram Brahms, Dvořák, Chopin e Beethoven para a sua professora adorada.

A sociedade tecnológica esqueceu aquilo a que os estudiosos chamam o «papel do moribundo» e a sua importância para as pessoas à medida que a vida se aproxima do fim. As pessoas à beira da morte querem partilhar recordações, transmitir conhecimentos e conselhos, firmar relações, definir o seu legado, fazer as pazes com Deus e certificar-se de que os entes queridos que deixam para trás ficarão bem. Querem terminar a sua história nos seus próprios termos. Esse papel, segundo os investigadores, é um dos mais importantes da vida, quer para quem está a morrer, quer para quem cá fica. E se assim é, a forma como negamos às pessoas esse papel, por sermos obtusos e negligentes, é motivo de vergonha para todo o sempre. Vezes sem conta, nós, profissionais de saúde, infligimos feridas profundas no fim da vida das pessoas e depois ficamos a ver, sem termos consciência do mal que fizemos.

A Peg pôde cumprir o seu papel de moribunda. Pôde fazê-lo até três dias antes do fim, quando começou a delirar e a perder os sentidos.

A minha última recordação dela é do final do seu último recital. Ela chamou a Hunter à parte para lhe oferecer um livro de música e, a seguir, enlaçou-a pelo ombro.

«És especial», sussurrou-lhe. Era uma coisa que ela não queria que a Hunter esquecesse, nunca.

A história do meu pai também acabou por chegar ao fim. Todavia, apesar de todos os nossos preparativos e de tudo o que eu pensava que tinha aprendido, não estávamos prontos para esse momento. Desde que ele recorrera aos Cuidados Paliativos, no início da primavera, estabilizara num estado novo, imperfeito, mas gerível. Com a ajuda da minha mãe, das várias auxiliares que ela arranjara e da sua própria vontade de ferro, ele conseguira viver uma sucessão de dias bons ao longo de algumas semanas.

Mas até esses dias bons tinham os seus sofrimentos e humilhações, como é óbvio. Ele precisava de clisteres diários. Sujava a cama. Os medicamentos para as dores faziam-no sentir a cabeça «turva», «enevoada», «pesada», dizia ele, coisa que o incomodava profundamente. Não queria que o sedassem; queria poder receber visitas e comunicar com as pessoas. As dores, porém, tinham piorado muito. Se aligeirasse a dose de medicamentos, ficava com dores de cabeça intensas e uma dor lancinante que lhe percorria o pescoço e as costas. Quando isso acontecia, a dor apagava tudo o resto. Ele estava constantemente a ajustar as doses, a tentar encontrar uma combinação que não o fizesse sentir nem dores, nem as ideias turvas, que o fizesse sentir-se normal, como a pessoa que era antes de o seu corpo começar a falhar. Mas qualquer que fosse a droga ou a dose, a «normalidade» era algo que estava fora do seu alcance.

Era, no entanto, possível alcançar o «bom». Ao longo da primavera e do verão, continuou a organizar jantares em casa, aos quais presidia à cabeceira da mesa. Fez planos para um novo edifício no instituto superior na Índia. Escrevia uma dúzia de *e-mails* por dia, apesar da dificuldade em controlar os movimentos das mãos enfraquecidas. Ele e a minha mãe viam um filme juntos quase todas as noites e torceram pelo Novak Djokovic durante o seu percurso de duas semanas até à vitória em Wimbledon. A minha irmã levou o namorado novo lá a casa para conhecer os meus pais, pensando que talvez fosse o homem da sua vida – de facto, acabaram por casar – e o meu pai ficou doido de felicidade por ela. Todos os dias, ele arranjava momentos pelos quais valia a pena viver. E à medida que as semanas se foram transformando em meses, parecia que ele poderia continuar a viver assim durante muito tempo.

Olhando para trás, houve sinais de como isso não seria possível. Continuava a emagrecer. Precisava de doses cada vez maiores de medicamentos para as dores. Nos primeiros dias de agosto, recebi uma série de *e-mails* incompreensíveis. «Quergdo Atulm qundo´e qur», começava um deles. O último dizia:

Querido Atul
desculpa a cata male scri ta. tenho difculdades.
abraço
Pai

Ao telefone, falava mais devagar, fazendo longas pausas entre as frases. Explicou-me que às vezes ficava confuso e tinha dificuldade em comunicar. Os *e-mails* não faziam sentido para ele, disse, embora achasse que sim quando os escrevia. Os seus horizontes começavam a estreitar-se.

No dia 6 de agosto, um sábado, às oito horas da manhã, a minha mãe telefonou-me, assustada. «Ele não acorda», disse. Estava a respirar, mas ela não conseguia acordá-lo. Pensámos que fosse dos medicamentos. A minha mãe explicou-me que, na noite anterior, ele teimara em tomar um comprimido inteiro de buprenorfina, um narcótico, em vez de meio comprimido como tinha andado a fazer. Ela discutira com ele, mas ele irritara-se. Não queria ter dores, dissera. E, agora, não acordava. Assumindo o papel de médica, ela reparou que ele tinha as pupilas muito pequeninas, sinal de uma *overdose* de narcóticos. Decidimos esperar que passasse o efeito do medicamento.

Três horas depois, ela ligou novamente. Tinha chamado uma ambulância e não a equipa dos Cuidados Paliativos. «Ele estava a ficar azul, Atul.» Ela estava nas Urgências. «Está com cinco de tensão. Continua sem acordar. Tem os níveis de oxigénio baixos.» A equipa médica deu-lhe naloxona, para inverter os efeitos do narcótico, se tivesse sido uma *overdose*, isso teria feito com que ele acordasse, mas continuou inconsciente. Um raio-X ao tórax mostrou que tinha uma pneumonia no pulmão direito. Puseram-lhe uma máscara a receber cem por cento de oxigénio, antibiótico e fluidos, mas o oxigénio continuou sem passar dos 70 por cento, um nível que não permitia a sobrevivência. A minha mãe disse-me que os médicos queriam saber se o podiam entubar, pôr-lhe uma sonda intravenosa e mudá-lo para os Cuidados Intensivos. Ela não sabia o que fazer.

Quando o fim de uma pessoa está próximo, chega um momento em que a responsabilidade de tomar uma decisão passa para as mãos de outra pessoa. E nós tínhamo-nos preparado para esse momento. Tínhamos tido as conversas difíceis e ele explicara-nos como queria que fosse o final da sua história. Não queria ventiladores artificiais nem sofrimento. Queria ficar em casa, junto das pessoas que amava.

Mas o curso dos acontecimentos recusa-se a seguir um caminho sem curvas e isso gera o caos na mente da pessoa que tem de tomar as decisões. Ainda na véspera ele parecia ter semanas, inclusive meses de vida, e agora a minha mãe via-se obrigada a enfrentar a hipótese de ele durar apenas umas horas? A minha mãe sentia o coração a partir-se, mas enquanto conversávamos, apercebeu-se do caminho que nos arriscávamos a percorrer e que o tipo de vida que os Cuidados Intensivos dariam ao meu pai estava longe de ser o que ele desejava. O fim é importante, não só para a pessoa mas também, e talvez mais ainda, para as pessoas que cá ficam. Ela decidiu dizer à equipa para não o entubar. Ligou à minha irmã e apanhou-a quando estava a entrar no comboio para ir trabalhar. Ela também não estava pronta para a notícia.

«Como é que é possível?», perguntou. «De certeza que ele não pode voltar ao estado em que estava ontem?»

«Parece muito pouco provável», respondi. São raras as famílias onde toda a gente vê as coisas da mesma maneira. Eu fui o mais rápido a aceitar que o meu pai estava a chegar ao fim e o que mais temia era cometer o erro de prolongar demasiado o sofrimento dele. A oportunidade de uma morte serena pareceu-me uma bênção. Mas para a minha irmã, e mais ainda para a minha mãe, o fim não estava assim tão claro e o que mais as assustava era enganarem-se e não preservarem a vida dele o tempo suficiente. Decidimos não dar autorização ao hospital para o reanimar, na esperança desesperada de que ele se agarrasse à vida a tempo de eu e a minha irmã o conseguirmos ver. Quando o mudaram para um quarto individual no hospital, estávamos nós a marcar os nossos voos.

Mais tarde, a minha mãe telefonou-me, estava eu no aeroporto, à espera de partir.

«Ele acordou!», disse ela, exultante. Reconhecera-a. Estava tão lúcido que até perguntara qual era a sua tensão arterial. Senti-me envergonhado por ter pensado que ele não voltaria a si. Por muito que tenhamos visto na vida, a natureza recusa-se a ser previsível. Mas o que eu não parava de pensar era: eu vou chegar a tempo. Até pode ser que ele fique bem durante mais uns tempinhos.

Afinal, ele só durou mais quatro dias. Quando cheguei à beira dele, encontrei-o alerta e infeliz por ter acordado no hospital. Queixou-se de que ninguém lhe dava ouvidos. Tinha acordado cheio de dores, mas a equipa médica recusava-se a dar-lhe analgésicos que chegassem para elas passarem, com medo de que ele perdesse novamente os sentidos. Pedi à enfermeira para lhe dar a dose que ele tomava em casa, na totalidade. Ela teve de pedir autorização ao médico de serviço e, ainda assim, ele só autorizou metade.

Por fim, às três da manhã, o meu pai fartou-se e desatou aos gritos. Exigiu que lhe tirassem as sondas intravenosas e o deixassem ir para casa. «Porque é que não fazem nada?», berrou. «Porque é que me estão a deixar em sofrimento?» A dor deixara-o incoerente. Ligou do telemóvel para a Cleveland Clinic – a trezentos quilómetros de distância – e disse a um médico perplexo, que estava de serviço: «Faça alguma coisa!» A enfermeira da noite conseguiu finalmente autorização para lhe dar um narcótico intravenoso, mas ele recusou. «Não funciona», disse. Por fim, às cinco da manhã, conseguimos convencê-lo a levar a injeção e a dores começaram a abrandar. Ele acalmou-se, mas continuou a dizer que queria ir para casa. Num hospital criado para assegurar a sobrevivência a todo o custo e pouco apto para agir de outra maneira que não nesse sentido, ele sabia que, ali, nunca seria ele a tomar as decisões.

Pedimos à equipa médica para lhe dar a dose matinal de medicamentos, parar com o oxigénio e os antibióticos para a pneumonia e nos deixar levá-lo para casa. A meio da manhã já ele estava na sua própria cama.

«Não quero sofrer», repetiu, quando me apanhou a sós. «Aconteça o que acontecer, prometes-me que não me deixas sofrer?»

«Prometo», respondi.

Isso era mais difícil de garantir na prática do que parecia. O simples ato de urinar, por exemplo, era um problema. A paralisia agravara-se em relação à semana anterior e o sinal disso era o facto de ele não conseguir urinar. Sentia que tinha a bexiga cheia, mas não conseguia expulsar a urina. Ajudei-o a ir à casa de banho e sentei-o na sanita. Depois, esperei que ele fizesse. Passou meia hora. «Há de sair», insistia ele, tentando não pensar demasiado no assunto. Apontou para o assento da sanita da Lowe que mandara instalar uns meses antes. Era elétrico, disse. Adorava-o. Lavava-lhe o rabo com um jacto de água e secava-o. Ele não precisava de pedir ajuda a ninguém para se limpar. Podia cuidar de si próprio sozinho.

«Já experimentaste?», perguntou.

«A resposta é não», disse eu.

«Pois devias», retorquiu, sorrindo.

Mas continuava sem conseguir urinar. Depois, começaram os espasmos da bexiga. Gemeu quando o assolaram. «Vais ter de me pôr um cateter», disse ele. A enfermeira dos Cuidados Paliativos, que já estava à espera que isso acontecesse, tinha levado o material e ensinado a minha mãe. Mas eu já o tinha feito centenas de vezes aos meus doentes, por isso tirei o meu pai da sanita, levei-o para a cama e comecei a pôr o cateter. Ele manteve os olhos fechados com força o tempo todo. Não é o tipo de coisa que uma pessoa pense que um dia lhe vai acontecer. Coloquei a sonda e a urina jorrou. O alívio foi do tamanho de um oceano.

A sua maior luta continuou a ser contra as dores causadas pelo tumor, não por serem difíceis de controlar, mas pela dificuldade em decidir unanimemente as doses. No terceiro dia, voltou a passar longos períodos inconsciente. A questão que se levantou foi se continuávamos a dar-lhe a dose habitual de morfina líquida, que se punha debaixo da língua para ser absorvida pela corrente sanguínea através das membranas mucosas. A minha irmã e eu achávamos que sim, com medo de que ele acordasse com dores. A minha mãe achava que não, com receio precisamente do contrário.

«Se ele tiver uma certa dor, pode ser que acorde», disse ela, com os olhos enchendo-se de lágrimas. «Ele ainda tem tanta coisa pela frente.»

Ela tinha razão, mesmo nos últimos dias de vida dele. Sempre que conseguia superar as exigências do corpo, ele aproveitava a oportunidade para se entregar vorazmente aos seus pequenos prazeres. Ainda conseguia desfrutar de algumas comidas e comia surpreendentemente bem, pedindo *chapatis*, arroz, feijão-verde com caril, batata, *dahl* de ervilhas, *chutney* de feijão e *shira*, um prato doce da sua juventude. Falava com os netos ao telefone, organizava fotografias, dava instruções sobre os seus projetos em curso. Restavam-lhes ínfimos fragmentos de vida aos quais se podia agarrar e nós estávamos atormentados com isso. Conseguiríamos dar-lhe mais um?

Apesar disso, não me esqueci da promessa que lhe fiz e, de duas em duas horas, dava-lhe morfina, como planeado. A minha mãe aceitou, ainda que com muita ansiedade. Ficava deitado, horas a fio, completamente imóvel, tirando a agitação da sua respiração. Inspirava fundo – parecia uma ressonadela que se calava abruptamente, como se tivessem fechado a tampa de uma caixa – e, um segundo depois, soltava uma longa expiração. O barulho do ar ao passar pelo muco da traqueia parecia um monte de pedrinhas a chocalhar dentro de um tubo oco. Seguia-se um silêncio que parecia interminável até o ciclo recomeçar.

Habituámo-nos a isso. Ele ficava deitado com as mãos cruzadas em cima da barriga, com ar sereno e em paz. Nós sentávamo-nos à cabeceira da cama durante horas, a minha mãe a ler o *Athens Messenger*, a beber chá e a preocupar-se se a minha irmã e eu andávamos a comer o suficiente. Era reconfortante estar ali.

Na penúltima tarde, ele começou a transpirar por todos os poros. A minha irmã sugeriu que lhe mudássemos a camisa e o lavássemos. Levantámos-lhe o tronco até ele ficar sentado. Estava inconsciente, um peso morto. Tentámos despir-lhe a camisa pela cabeça. Fomos muito desajeitados. Tentei lembrar-me de como é que as enfermeiras o faziam. De repente, percebi que ele tinha aberto os olhos.

«Olá, pai», disse eu. Ele ficou uns instantes a olhar, a observar, respirando a custo.

«Olá», respondeu.

Observou-nos enquanto lhe lavávamos o corpo com um pano molhado e lhe vestíamos uma camisa limpa.

«Tem dores?»

«Não.» Fez um sinal a indicar que queria levantar-se. Sentámo-lo na cadeira de rodas e levámo-lo para junto de uma janela com vista sobre o jardim, onde havia flores, árvores e um belo sol de verão. Percebi que a mente dele se estava a desanuviar aos poucos.

Mais tarde, levámo-lo para a mesa de jantar. Ele comeu um pouco de manga, papaia, iogurte e tomou os medicamentos. Estava calado, a respirar normalmente outra vez, a pensar.

«Em que é que está a pensar?», perguntei.

«Estou a pensar em como não prolongar o processo de morrer. Isto... esta comida prolonga o processo.»

A minha mãe não gostou de ouvir isto.

«Nós gostamos de tratar de ti, Ram», disse ela. «Adoramos-te.»

Ele abanou a cabeça.

«É difícil, não é?», disse a minha irmã.

«É, é difícil.»

«Se pudesse adormecer e não acordar, era isso que preferia?», perguntei.

«Sim.»

«Não queres estar acordado, ciente da nossa presença, aqui connosco, assim?», perguntou a minha mãe.

Ele não disse nada durante uns instantes. Ficámos calados, à espera.

«Não quero passar por isto», disse ele.

O sofrimento que o meu pai viveu no seu último dia de vida não foi propriamente físico. A Medicina fez um bom trabalho no que toca a prevenir a dor. Quando emergia na maré da consciência, sorria ao ouvir as nossas vozes. Mas, depois, a maré atirava-o para terra e ele percebia que o tormento ainda não tinha acabado. Percebia que as ansiedades não tinham desaparecido: os problemas do corpo, sim, mas acima de tudo os problemas da mente, a confusão, as preocupações com o trabalho inacabado, com a minha mãe, com a maneira como seria lembrado na posteridade. Estava em paz quando dormia, mas não quando acordava. E o que queria, como últimas linhas da sua história, agora que a natureza pressionava o seu fim, era a paz.

Durante os seus derradeiros momentos de consciência, pediu para ver os netos. Como não estavam presentes, mostrei-lhe fotografias no meu *iPad*. Ele tinha os olhos muito abertos e um sorriso enorme. Olhou para cada fotografia ao pormenor.

Depois, voltou a mergulhar na inconsciência. Parava de respirar durante vinte ou trinta segundos de cada vez. Eu convencia-me de que tinha morrido e daí a nada ele recomeçava a respirar. Foi assim durante horas.

Por fim, por volta das seis e dez da tarde, a minha mãe e a minha irmã conversavam e eu lia um livro, reparei que ele tinha parado de respirar durante mais tempo do que até ali.

«Acho que parou», disse.

Aproximámo-nos dele. A minha mãe pegou-lhe na mão. E ficámos à escuta, em silêncio.

Não voltou a respirar.

Epílogo

Ser mortal é ter de lutar para lidar com os constrangimentos da nossa biologia, com as limitações impostas pelos genes e células, pela carne e pelos ossos. A Medicina enquanto ciência deu-nos um poder extraordinário para contrariarmos estas limitações e o valor potencial deste poder foi uma das razões fundamentais que me fez querer ser médico. Mas tenho visto vezes sem conta os estragos que nós, profissionais de saúde, causamos quando nos recusamos a admitir que esse poder é finito e sê-lo-á sempre.

Temos andado enganados sobre o nosso papel enquanto médicos. Achamos que o nosso papel é garantir a saúde e a sobrevivência. Mas, na realidade, vai além disso. É possibilitar o bem-estar. E o bem-estar prende-se com as razões pelas quais desejamos viver. Essas razões importam não só no fim da vida, quando nos tornamos frágeis, mas a vida toda. Sempre que uma doença grave ou uma lesão nos atacam e o nosso corpo ou a nossa mente se vão abaixo, as perguntas vitais são as mesmas: Que noção tem da sua situação e dos seus potenciais desfechos? Quais são os seus receios e as suas esperanças? Que cedências está disposto a fazer e o que não aceita? E qual é a linha de conduta mais adequada para alcançar esses objetivos?

A área dos Cuidados Paliativos surgiu nas últimas décadas para levar este tipo de pensamento aos cuidados dos doentes moribundos. E a especialidade está a desenvolver-se, levando a mesma abordagem a outros doentes em estado grave, quer estejam a morrer quer não. Isto é motivo de incentivo, mas não de celebração. Só será um motivo de celebração quando todos os médicos aplicarem este tipo de pensamento a todas as pessoas que lhes passarem pelas mãos. Quando não for preciso uma especialidade à parte.

Se ser humano é ser limitado, então o papel das profissões e instituições ligadas à saúde – desde os cirurgiões aos lares – devia ser ajudar as pessoas na sua luta com essas limitações. Por vezes, podemos oferecer uma cura, outras vezes apenas um bálsamo, e outras ainda nem isso. Mas seja o que for que tivermos para dar, as nossas intervenções, e os riscos e sacrifícios que acarretam, só se justificam se forem ao encontro dos objetivos mais altos da vida de uma pessoa. Sempre que nos esquecemos disto, o sofrimento que infligimos pode ser bárbaro. Quando nos lembramos, o bem que fazemos pode ser de cortar a respiração.

Nunca pensei que as experiências mais marcantes que já tive como médico – e, na realidade, como ser humano – adviriam de ajudar os outros a lidar não só com aquilo que a Medicina consegue fazer, mas sobretudo com aquilo que a Medicina *não* consegue fazer. E, no entanto, assim tem sido, como são exemplos o caso de uma doente como a Jewel Douglass, de uma amiga como a Peg Bachelder, ou de uma pessoa que eu amava tanto como o meu pai.

O meu pai chegou ao fim da vida sem nunca ter tido a necessidade de sacrificar os seus princípios nem quem era e, por isso, sinto-me grato. Ele tinha uma ideia muito clara do que desejava, inclusive para quando morresse. Deixou instruções à minha mãe, à minha irmã e a mim. Queria que o cremássemos e espalhássemos as suas cinzas em três lugares que eram importantes para ele: em Athens, na aldeia onde cresceu, e no rio Ganges, que é sagrado para todos os hindus. Segundo a mitologia hindu, quando os restos mortais de uma pessoa tocam no grande rio, fica garantida a salvação eterna. Por isso, há milénios que as famílias levam as cinzas dos seus entes queridos para o Ganges e as espalham nas suas águas.

Uns meses depois da morte do meu pai, seguimos esse destino. Viajámos até Varanasi, a vetusta cidade dos templos nas margens do Ganges, que remonta ao século XII a.C. Acordámos antes do nascer do sol e dirigimo-nos para as *ghats*, as escadarias íngremes que forram as margens desse rio colossal. Tínhamos contratado os serviços de um pândita, um homem sábio, e ele levou-nos até um pequeno barco de madeira com um remador que nos levou pelo rio adentro, ao raiar do dia.

O ar era frio e revigorante. Um manto de nevoeiro branco pairava sobre a água e sobre os telhados da cidade. O guru de um templo entoava mantras difundidos por altifalantes. O som flutuava sobre o rio até junto dos madrugadores de sabonete na mão, dos homens que lavavam a roupa nas pedras, e de um guarda-rios empoleirado numa amarração. Passámos pelas plataformas na margem do rio com enormes piras de lenha à espera dos corpos que seriam cremados nesse dia. Quando nos afastámos da margem e o sol nascente se tornou visível por entre a bruma, o pândita começou a entoar cânticos.

Sendo eu o elemento masculino mais velho da família, pediram-me para ajudar nos rituais necessários para o meu pai atingir a *moksha*, a libertação do interminável ciclo terreno de morte e renascimento para ascender ao nirvana. O pândita enfiou um anel de retrós no meu dedo anelar direito. Mandou-me segurar na urna de latão, do tamanho da palma da minha mão, que continha as cinzas do meu pai e salpicá-la com plantas medicinais, flores e alguma comida: uma noz de bétele, arroz, passas, cristais de açúcar, açafrão. Depois, pediu aos outros familiares para fazerem o mesmo. Queimámos incenso e agitámos o fumo sobre as cinzas. O pândita debruçou-se sobre a proa com uma pequena chávena e mandou-me beber três colherinhas de água do Ganges. Depois, disse-me para lançar o conteúdo da urna por cima do meu ombro direito e, no fim, para atirar a própria urna e a tampa. «Não olhe», admoestou-me em inglês, e eu não olhei.

É difícil criar uma criança sob os preceitos hindus numa cidadezinha do Ohio, por mais que os pais se esforcem, como fizeram os meus. Eu não era um grande adepto da ideia de que os deuses controlam os destinos das pessoas e não acreditava propriamente que o que estávamos a fazer ia oferecer ao meu pai um lugar especial no Além. O Ganges podia ser sagrado para uma das maiores religiões do mundo, mas para mim, o médico, era um dos rios mais poluídos do mundo, em parte graças à quantidade de corpos lançados nas suas águas sem estarem totalmente cremados. Sabendo que ia ter de beber aqueles goles de água do rio, tinha pesquisado de antemão as análises bacteriológicas numa página na *net* e, para prevenir, tomei uns antibióticos antes. (Ainda assim, apanhei uma giardíase, porque me esqueci de considerar a hipótese de parasitas.)

Apesar disso, fiquei profundamente comovido e grato por ter podido desempenhar o meu papel. Em primeiro lugar, porque se tratava de um desejo do meu pai, e da minha mãe e irmã também. Além do mais, apesar de não acreditar que o meu pai estava naquela chávena e meia de pó cinzento, senti que o tínhamos ligado a algo muito superior a nós próprios, naquele lugar onde as pessoas executavam rituais há tanto, tanto tempo.

Quando eu era pequeno, as lições que o meu pai me ensinava eram sobre perseverança: nunca aceitar os obstáculos que se pusessem no meu caminho. Já adulto, observando-o nos seus derradeiros anos de vida, acabei por aceitar as limitações que pura e simplesmente não podemos descartar à custa de força de vontade. Nem sempre é fácil perceber quando devemos enfrentar os obstáculos e quando devemos tirar o melhor partido deles. Mas é evidente que, às vezes, o preço de os contrariarmos é demasiado alto e não compensa. Ajudar o meu pai na sua luta para definir esse momento foi simultaneamente uma das experiências mais dolorosas e mais enriquecedoras da minha vida.

Uma das maneiras de o meu pai lidar com as limitações foi encarando-as sem ilusões. Embora as circunstâncias por vezes o deitassem abaixo, nunca fingiu que eram melhores do que eram. Percebeu sempre que a vida é curta e que o lugar que ocupamos no mundo é pequeno. Mas também se via a si próprio como um elo na corrente da História. Vogando naquele rio imponente, não pude deixar de sentir as mãos das muitas gerações unidas através dos tempos. Ao levar-nos até ali, o meu pai ajudou-nos a perceber que fazia parte de uma história que remontava a milhares de anos... e nós também.

Tivemos a sorte de ele nos ter podido dizer quais eram os seus desejos e de se ter despedido de nós. Essa possibilidade permitiu-lhe mostrar-nos que estava em paz. E isso permitiu-nos, a nós, ficar também em paz.

Depois de espalharmos as cinzas do meu pai, vogámos em silêncio durante uns momentos, ao sabor da corrente. À medida que o sol foi queimando a bruma, começou a aquecer-nos os ossos. A seguir, fizemos sinal ao remador, que pegou nos remos e nos levou de volta para terra.

Agradecimentos

Este livro existe graças a uma série de pessoas. Em primeiríssimo lugar, tenho de agradecer à minha mãe, Sushila Gawande, e à minha irmã, Meeta. Sei que a minha decisão de incluir aqui a história do declínio e morte do meu pai relembrou momentos que ambas preferiam não reviver ou que elas não teriam contado da mesma maneira que eu. Apesar disso, ajudaram-me a cada passo, respondendo às minhas perguntas difíceis, vasculhando as suas memórias e procurando o rasto a tudo o que eu lhes pedia, desde objetos de recordação a registos médicos.

Outros familiares, quer aqui nos Estados Unidos, quer no estrangeiro, também me deram uma ajuda crucial. Na Índia, o meu tio Yadaorao Raut, em especial, mandou-me cartas e fotografias antigas, recolheu recordações sobre o meu pai e o meu avô junto de familiares e ajudou-me a confirmar inúmeros pormenores. Nan, Jim, Chuck e Ann Hobson foram igualmente generosos na partilha das suas memórias e dos registos da vida de Alice Hobson.

Sinto-me em dívida também para com as muitas pessoas que conheci e entrevistei acerca das suas experiências relacionadas com o envelhecimento ou uma doença grave, seus ou de um familiar. Foram mais de duzentas as pessoas que me concederam o seu tempo, me ofereceram as suas histórias e me deixaram entrar nas suas vidas. Só uma ínfima parte delas é explicitamente mencionada nestas páginas. Mas estão aqui todas, apesar disso.

Houve também centenas de funcionários de lares da terceira idade, especialistas em Cuidados Paliativos, técnicos dos Cuidados Paliativos, reformadores de casas de repouso, pioneiros e inconformistas que me mostraram lugares e ideias que, de outra maneira, nunca se me teriam deparado. Gostava de agradecer em especial a duas pessoas: Robert Jenkens abriu-me portas e guiou-me através da grande comunidade de pessoas que está a reinventar a rede de apoios para os idosos, e Susan Block, do Dana Farber Cancer Institute, não só fez o mesmo no mundo dos Cuidados Paliativos, mas também me deixou ser seu companheiro de investigação sobre a maneira como podemos transpor as ideias aqui descritas para a rede de cuidados onde trabalhamos e mais além.

O Brigham and Women's Hospital e a Harvard School of Public Health dão-me um espaço incrível para eu poder trabalhar, há mais de uma década e meia. E a minha equipa no Ariadne Labs, o centro de inovação que chefio, fez com que aliar o meu trabalho de cirurgia, investigação e escrita fosse não só possível, mas também uma alegria. Este livro não teria sido possível sem os esforços em particular de Khaleel Seecharan, Katie Hurley, Kristina Vitek, Tanya Palit, Jennifer Nadelson, Bill Berry, Arnie Epstein, Chip Moore e Michael Zinner. Dalia Littman ajudou-me a verificar alguns factos. E, acima de tudo, o indispensável, brilhante e impassível Ami Karlage passou os últimos três anos a trabalhar neste livro comigo como assistente de investigação, artista de *storyboard*, organizador de manuscrito, ouvinte e comentador, e fornecedor, sempre que necessário, de *cocktails* Bourbon Brambles.

A revista *The New Yorker* tem sido o meu outro espaço de criatividade. Sinto-me inacreditavelmente sortudo não só por ter podido escrever para essa extraordinária revista (obrigado, David Remnick), mas também por ter tido como meu editor e amigo o grande Henry Finder. Ele apoiou-me na escrita dos dois artigos que publiquei na revista e que se tornaram a base deste livro e encaminhou-me para muitas ideias-chave adicionais. (Foi ele, por exemplo, que me disse para ler Josiah Royce.)

Tina Bennett tem sido a minha incansável agente, generosa protetora e, recuando aos tempos da faculdade, minha grande amiga. Embora tudo no meio editorial esteja a mudar, ela tem arranjado sempre uma maneira de eu ter cada vez mais leitores e continuar a escrever o que quero. É uma pessoa impar.

A Rockefeller Foundation abriu-me as portas do seu magnífico Bellagio Center, onde me refugiei para começar a escrever este livro e aonde depois voltei para terminar a primeira versão. As conversas que tive sobre o manuscrito, a seguir, com Henry, Tina, David Segal e Jacob Weisberg mudaram a maneira como eu via o livro e levaram-me a reescrevê-lo de uma ponta à outra. Leo Carey fez a revisão do manuscrito final e o seu ouvido para a língua e para um discurso claro tornaram o texto muitíssimo melhor. Riva Hocherman ajudou-me muito em todas as etapas, incluindo ter feito uma meticulosa leitura final. O meu agradecimento também a Grigory Tovbis e Roslyn Schloss pelos seus contributos fundamentais.

A minha mulher, Kathleen Hobson, foi mais importante para este livro do que imagina. Todas as ideias e histórias que aqui descrevo foram tema de conversas entre nós e, em muitos casos, vivemo-las juntos. Ela tem sido uma força constante e motivadora. Nunca fui um daqueles escritores que dizem que as palavras fluem naturalmente para o papel. As palavras saem-me a um ritmo lento e à custa de muito esforço. Mas a Kathleen ajuda-me sempre a encontrar as palavras e faz-me ver que o trabalho é exequível e que vale a pena, por mais que eu demore a levá-lo a bom porto. Ela e os nossos três incríveis filhos, a Hunter, a Hattie e o Walker, torceram por mim a cada passo.

Por fim, queria agradecer a Sara Bershtel, a minha extraordinária editora. Enquanto trabalhava neste livro, a Sara viu-se confrontada, na sua própria família, com as realidades mais duras que aqui descrevo. Teria sido perfeitamente compreensível ela ter-se afastado do projeto, mas a sua dedicação ao livro permaneceu inabalável. A Sara releu meticulosamente, a par comigo, todas as versões, revendo parágrafo por parágrafo, para ter a certeza de que eu tinha captado todas as situações da maneira mais verdadeira e correta possível. É graças à dedicação dela que este livro transmite a mensagem que eu queria que transmitisse. E é por isso que eu lho dedico.

Notas sobre as fontes

INTRODUÇÃO

17 O conto clássico de Leão Tolstoi, *A morte de Ivan Ilitch*, 1886, Signet Classic, 1994. Trad. portuguesa de António Pescada, Lisboa, Dom Quixote, 2008.

19 Comecei a escrever: A. Gawande, *Complications*, Metropolitan Books, 2002.

21 Até uma data tão recente como 1945: National Office of Vital Statistics, *Vital Statistics of the United States, 1945*, Government Printing Office, 1947, p. 104, http://www.cdc.gov/nchs/data/vsus/vsus19451.pdf.

21 Nos anos 80: J. Flory et al., «Place of Death: U.S. Trends since 1980», *Health Affairs* 23, 2004, pp. 194-200, http://content.healthaffairs.org/content/23/3/194.full.html.

22 Em todo o território dos Estados Unidos e não só: A. Kellehear, *A Social History of Dying*, Cambridge University Press, 2007.

23 O falecido cirurgião Sherwin Nuland: S. Nuland, *How We Die: Reflections on Life's Final Chapter*, Knopf, 1993. Trad. portuguesa: *Como morremos: Reflexões sobre o último capítulo da vida*, Lisboa, Rocco, 1995.

CAPÍTULO 1 > O «EU» INDEPENDENTE

32 Até quando a família nuclear: P. Thane, ed., *A History of Old Age*, John Paul Getty Museum Press, 2005.

32 Geralmente havia um filho que ficava: D. H. Fischer, *Growing Old in America: The Bland-Lee Lectures Delivered at Clark University*, Oxford University Press, 1978. V. também C. Haber e B. Gratton, *Old Age and the Search for Security: An American Social History*, Indiana University Press, 1994.

32 A poeta Emily Dickinson: C. A. Kirk, *Emily Dickinson: A Biography*, Greenwood Press, 2004.

33 Era pouco comum as pessoas viverem até chegarem a velhas: R. Posner, *Aging and Old Age*, University of Chicago Press, 1995, v. cap. 9.

33 Normalmente mantinha o seu estatuto social [...] Enquanto hoje, muitas vezes, as pessoas tiram anos à sua idade real: Fischer, *Growing Old in America*.

33 Na América, em 1790: A. Achenbaum, *Old Age in the New Land*, Johns Hopkins University Press, 1979.

33 Hoje, constituem 14 por cento: United States Census Bureau, http://quickfacts.census.gov/qfd/states/00000.html.

33 Na Alemanha, Itália e no Japão: World Bank, http://data.worldbank.org/indicator/SP.POP.65UP.TO.ZS.

33 Cem milhões de pessoas idosas: «China's Demographic Time Bomb», *Time*, 31 de agosto de 2011, http://www.time.com/time/world/article/0,8 599,2091308,00.html.

33 Quanto ao domínio que os idosos costumavam ter: Posner, cap. 9.

34 O facto de vivermos mais tempo acarretou uma mudança: Haber e Gratton, pp. 24-25, 39.

35 Os historiadores afirmam [...] Começou a delinear-se o conceito radical de «reforma»: Haber e Gratton.

35 A esperança de vida: E. Arias, «United States Life Tables», *National Vital Statistics Reports* 62, 2014, p. 51.

36 O tamanho das famílias caiu: L. E. Jones e M. Tertilt, «An Economic History of Fertility in the US, 1826-1960», *NBER Working Paper Series*, Working Paper 12796, 2006, http://www.nber.org/papers/w12796.

36 A idade média com que as mulheres: Fischer, apêndice, tabela 6.

36 «intimidade à distância»: L. Rosenmayr e E. Kockeis, «Propositions for a Sociological Theory of Aging and the Family», *International Social Science Journal* 15, 1963, pp. 410-424.

36 Enquanto na América do início do século XX: Haber e Gratton, p. 44.

36 O padrão é mundial: E. Klinenberg, *Going Solo: The Extraordinary Rise and Surprising Appeal of Living Alone*, Penguin, 2012.

36 Só 10 por cento: Comissão Europeia, *i2010: Independent Living for the Ageing Society*, http://ec.europa.eu/informationsociety/activities/ictpsp/documents/independentliving.pdf.

36 Del Webb: J. A. Trolander, *From Sun Cities to the Villages*, University Press of Florida, 2011.

CAPÍTULO 2 > O MUNDO DESMORONA

39 O rumo das nossas vidas: J. R. Lunney et al., «Patterns of Functional Decline at the End of Life», *Journal of the American Medical Association* 289, 2003, pp. 2387-92. Os gráficos deste capítulo foram adaptados a partir do artigo.

39-40 Em meados do século XX: National Center for Health Statistics, *Health, United States, 2012: With Special Feature on Emergency Care*, Washington, DC, U.S. Government Printing Office, 2013.

40-41 Pessoas com cancros incuráveis [...] A curva da vida torna-se um longo e lento murchar: J. R. Lunney, J. Lynn, e C. Hogan, «Profiles of Older Medicare Decedents», *Journal of the American Geriatrics Society* 50, 2002, p. 1109. V. também Lunney et al., «Patterns of Functional Decline».

42 Tomemos os dentes como exemplo: G. Gibson e L. C. Niessen, «Aging and the Oral Cavity», in *Geriatric Medicine: An Evidence-Based Approach*, ed. C. K. Cassel, Springer, 2003, pp. 901-919. V. também I. Barnes e A. Walls, «Aging of the Mouth and Teeth», *Gerodontology*, John Wright, 1994.

43 Os músculos do maxilar perdem: J. R. Drummond, J. P. Newton e R. Yemm, *Color Atlas and Text of Dental Care of the Elderly*, Mosby-Wolfe, 1995, pp. 49-50.

43 Aos sessenta anos: J. J. Warren et al., «Tooth Loss in the Very Old: 13-15-Year Incidence among Elderly Iowans», *Community Dentistry and Oral Epidemiology* 30, 2002, pp. 29-37.

43 Ao microscópio: A. Hak et al., «Progression of Aortic Calcification Is Associated with Metacarpal Bone Loss during Menopause: A Population-

-Based Longitudinal Study», *Arteriosclerosis, Thrombosis, and Vascular Biology* 20, 2000, pp. 1926-1931.

43 Estudos demonstraram que a perda de densidade óssea: H. Yoon et al., «Calcium Begets Calcium: Progression of Coronary Artery Calcification in Asymptomatic Subjects», *Radiology* 224, 2002, pp. 236-241; Hak et al., «Progression of Aortic Calcification».

43 Mais de metade das pessoas: N. K. Wenger, «Cardiovascular Disease», in *Geriatric Medicine*, ed. Cassel, Springer, 2003; B. Lernfeit et al., «Aging and Left Ventricular Function in Elderly Healthy People», *American Journal of Cardiology* 68, 1991, pp. 547-549.

43 Os músculos do resto do corpo tornam-se mais finos: J. D. Walston, «Sarcopenia in Older Adults», *Current Opinion in Rheumatology* 24, 2012, pp. 623-627; E. J. Metter et al., «Age-Associated Loss of Power and Strength in the Upper Extremities in Women and Men», *Journal of Gerontology: Biological Sciences* 52A, 1997, B270.

44 Podemos ver todos estes processos: E. Carmeli, «The Aging Hand», *Journal of Gerontology: Medical Sciences* 58A, 2003, pp. 146-152.

44 Isto é normal: R. Arking, *The Biology of Aging: Observations and Principles*, 3.ª ed., Oxford University Press, 2006; A. S. Dekaban, «Changes in Brain Weights During the Span of Human Life: Relation of Brain Weights to Body Heights and Body Weights», *Annals of Neurology* 4, 1978, p. 355; R. Peters, «Ageing and the Brain», *Postgraduate Medical Journal* 82, 2006, pp. 84-85; G. I. M. Craik e E. Bialystok, «Cognition Through the Lifespan: Mechanisms of Change», *Trends in Cognitive Sciences* 10, 2006, p. 132; R. S. N. Liu et al., «A Longitudinal Study of Brain Morphometrics Using Quantitative Magnetic Resonance Imaging and Difference Image Analysis», *NeuroImage* 20, 2003, p. 26; T. A. Salt house, «Aging and Measures of Processing Speed», *Biological Psychology* 54, 2000, p. 37; D. A. Evans et al., «Prevalence of Alzheimer's Disease in a Community Population of Older Persons», *JAMA* 262, 1989, p. 2251.

45 Porque é que envelhecemos: R. E. Ricklefs, «Evolutionary Theories of Aging: Confirmation of a Fundamental Prediction, with Implications for the Genetic Basis and Evolution of Life Span», *American Naturalist* 152, 1998, pp. 24-44; R. M. Zammuto, «Life Histories of Birds: Clutch Size, Longevity, and Body Mass among North American Game Birds», *Canadian Journal of Zoology* 64, 1986, pp. 2739-2749.

45 A ideia de que os seres vivos desligam: C. Mobbs, «Molecular and Bio-logic Factors in Aging», in *Geriatric Medicine*, ed. Cassel; L. A. Gavrilov e N. S. Gavrilova, «Evolutionary Theories of Aging and Longevity», *Scientific World Journal* 2, 2002, p. 346.

45 O tempo médio de vida dos seres humanos: S. J. Olshansky, «The Demography of Aging», in *Geriatric Medicine*, ed. Cassel; Kellehear, *A Social History*.

45 Como escreveu Montaigne: Michel de Montaigne. *The Essays*, sel. e ed. Adolphe Cohn, G. P. Putnam's Sons, 1907, p. 278. Trad. portuguesa de Rui Bertrand Romão, Relógio D'Água, 1998.

46 A carga genética tem, surpreendentemente, muito pouca influência: G. Kolata, «Live Long? Die Young? Answer Isn't Just in Genes», *New York Times*, 31 de agosto de 2006; K. Christensen e A. M. Herskind, «Genetic Factors Associated with Individual Life Duration: Heritability», in J. M. Robine et al., eds., *Human Longevity, Individual Life Duration, and the Growth of the Oldest-Old Population*, Springer, 2007.

46 Se os nossos genes explicam menos: Gavrilov e Gavrilova, «Evolutio-nary Theories of Aging and Longevity».

47 O cabelo torna-se grisalho: A. K. Freeman e M. Gordon, «Dermatolo-gic Diseases and Problems», in *Geriatric Medicine*, ed. Cassel, p. 869.

47 No interior das células da pele: A. Terman e U. T. Brunk, «Lipofuscin», *International Journal of Biochemistry and Cell Biology* 36, 2004, pp. 1400-1404; Freeman e Gordon, «Dermatologic Diseases and Problems».

47 Perdemos a visão: R. A. Weale, «Age and the Transmittance of the Human Crystalline Lens», *Journal of Physiology* 395, 1988, pp. 577-587.

48 A «retangularização» da sobrevivência: Olshansky, «The Demography of Aging». V. também os dados do US Census Bureau relativos a 1950: http://www.census.gov/ipc/www/idbpyr.html. Dados adicionais da Popu-lation Pyramid
Online: http://populationpyramid.net/.

49 Continuamos a agarrar-nos à ideia de reforma: M. E. Pollack, «Intelli-gent Technology for an Aging Population: The Use of AI to Assist Elders with Cognitive Impairment», *AI Magazine*, verão 2005, pp. 9-25. V. tam-bém Federal Deposit Insurance Corporation, *Economic Conditions and Emerging Risks in Banking: A Report to the FDIC Board of Directors*, 9 de maio de 2006, http://www.fdic.gov/deposit/insurance/risk/200602/Economic200602.html.

49 Igualmente preocupante: os dados sobre diplomas em Geriatria da American Board of Medical Specialties e American Board of Internal Medicine.

53 350 mil americanos caem e fazem uma fratura do fémur: M. Gillick, *The Denial of Aging: Perpetual Youth, Eternal Life, and Other Dangerous Fantasies*, Harvard University Press, 2006.

56 Há vários anos, investigadores da Universidade do Minnesota: C. Boult et al., «A Randomized Clinical Trial of Outpatient Geriatric Evaluation and Management», *Journal of the American Geriatrics Society* 49, 2001, pp. 351-359.

63 Daqui a um ano, menos de trezentos médicos: American Board of Medical Specialties, American Board of Psychiatry and Neurology; L. E. Garcez- Leme et al., «Geriatrics in Brazil: A Big Country with Big Opportunities», *Journal of the American Geriatrics Society* 53, 2005, pp. 2018-2022; C. L. Dotchin et al., «Geriatric Medicine: Services and Training in Africa», *Age and Ageing* 41, 2013, pp. 124-128.

64 O risco de um acidente fatal de automóvel: D. C. Grabowski, C. M. Campbell e M. A. Morrissey, «Elderly Licensure Laws and Motor Vehicle Fatalities», *JAMA* 291, 2004, pp. 2840-2846.

64 Em Los Angeles, George Weller: J. Spano, «Jury Told Weller Must Pay for Killing 10», *Los Angeles Times*, 6 de outubro de 2006, http://articles.latimes.com/2006/oct/06/local/me-weller6.

CAPÍTULO 3 > DEPENDÊNCIA

72 Em 1913, Mabel Nassau: M. L. Nassau, *Old Age Poverty in Greenwich Village: A Neighborhood Study*, Fleming H. Revell Co., 1915.

73 A menos que a família as pudesse acolher: M. Katz, *In the Shadow of the Poor house*, Basic Books, 1986; M. Holstein e T. R. Cole, «The Evolution of Long-Term Care in America», in *The Future of Long-Term Care*, ed. R. H. Binstock, L. E. Cluff e O. Von Mering, Johns Hopkins University Press, 1996.

74 Um relatório de 1912: Illinois State Charities Commission, *Second Annual Report of the State Charities Commission*, 1912, pp. 457-508; Virginia State Board of Charities and Corrections, *First Annual Report of State Board of Charities and Corrections*, 1909.

74 Nada causava tanto terror: Haber e Gratton, *Old Age and the Search for Security*.

77 Um indivíduo chamado Harry Truman: M. Barber, «Crotchety Harry Truman Remains an Icon of the Eruption», *Seattle Post-Intelligencer*, 11 de março de 2000; S. Rosen, *Truman of Mt. St. Helens: The Man and His Mountain*, Madrona Publishers, 1981. Duas bandas lançaram músicas inspiradas por Truman: o sucesso de *country rock* de R. W. Stone, de 1980, «Harry Truman, Your Spirit Still Lives On», http://www.youtube.com/watch?v=WGwa3N43GB4, e o single de *indie rock* de Headgear, de 2007, «Harry Truman», http://www.youtube.com/watch?v=JvcZnKkMDE.

79 Em meados do século XX: L. Thomas, *The Youngest Science*, Viking, 1983.

80 O Congresso promulgou a lei Hill-Burton: A. P. Chung, M. Gaynor e S. Richards-Shubik, «Subsidies and Structure: The Last Impact of the Hill-Burton Program on the Hospital Industry», National Bureau of Economics Research Program on Health Economics meeting paper, April 2013, http://www.nber.org/confer/2013/HEs13/summary.htm.

80 Entretanto, os decisores do Estado: uma fonte fundamental sobre a história dos lares foi *Unloving Care: The Nursing Home Tragedy*, de B. Vladeck, Basic Books, 1980. V. também Holstein e Cole, «Evolution of Long-Term Care», e os registos da Cidade de Boston e dos seus asilos: https://www.cityofboston.gov/ImagesDocuments/Guide%20to%20the%20Almshouse%20recordstcm3-30021.pdf.

81 Como disse um estudioso: Vladeck, *Unloving Care*.

83 O sociólogo Erving Goffman: E. Goffman, *Asylums*, Anchor, 1961. Corroborado por C. W. Lidz, L. Fischer e R. M. Arnold, *The Erosion of Autonomy in Long-Term Care*, Oxford University Press, 1992.

CAPÍTULO 4 > ASSISTÊNCIA

89 As nossas hipóteses de evitarmos um lar: G. Spitze e J. Logan, «Sons, Daughters, and Intergenerational Social Support», *Journal of Marriage and Family* 52, 1990, pp. 420-430.

97 «A visão dela era simples»: K. B. Wilson, «Historical Evolution of Assisted Living in the United States, 1979 to the Present», *Gerontologist* 47, special issue 3, 2007, pp. 8-22.

100 Em 1988, os resultados foram tornados públicos: K. B. Wilson, R. C. Ladd e M. Saslow, «Community Based Care in an Institution: New Approaches and Definitions of Long Term Care», artigo apresentado no 41.º Congresso Científico Anual da Gerontological Society of America, São Francisco, novembro de 1988. Citado in Wilson, «Historical Evolution».

101 Em 1943, o psicólogo Abraham Maslow: A. H. Maslow, «A Theory of Human Motivation», *Psychological Review* 50, 1943, pp. 370-396.

102 Estudos demonstram que à medida que as pessoas envelhecem: D. Field e M. Minkler, «Continuity and Change in Social Support between Young-Old, Old-Old, and Very-Old adults», *Journal of Gerontology* 43, 1988, pp. 100-106; K. Fingerman e M. Perlmutter, «Future Time Perspective and Life Events across Adulthood», *Journal of General Psychology* 122, 1995, pp. 95-111.

102 Num dos seus estudos mais influentes: L. L. Carstensen et al., «Emotional Experience Improves with Age: Evidence Based on over 10 Years of Experience Sampling», *Psychology and Aging* 26, 2011, pp. 21-33.

105 Ela levou a cabo uma série de experiências: L. L. Carstensen e B. L. Fredrickson, «Influence of HIV Status on Cognitive Representation of Others», *Health Psychology* 17, 1998, pp. 494-503; H. H. Fung, L. L. Carstensen e A. Lutz, «Influence of Time on Social Preferences: Implications for Life-Span Development», *Psychology and Aging* 14, 1999, p. 595; B. L. Fredrickson e L. L. Carstensen, «Choosing Social Partners: How Old Age and Anticipated Endings Make People More Selective», *Psychology and Aging* 5, 1990, p. 335; H. H. Fung e L. L. Carstensen, «Goals Change When Life's Fragility Is Primed: Lessons Learned from Older Adults, the September 11 Attacks, and SARS», *Social Cognition* 24, 2006, pp. 248-278.

108 Em 2010, O número de pessoas em residências com assistência: Center for Medicare and Medicaid Services, *Nursing Home Data Compendium, 2012 Edition*, Government Printing Office, 2012.

109 Um inquérito efetuado a mil e quinhentas residências com assistência: C. Hawes et al., «A National Survey of Assisted Living Facilities», *Gerontologist* 43, 2003, pp. 875-882.

CAPÍTULO 5 > UMA VIDA MELHOR

127 Num livro que escreveu: W. Thomas, *A Life Worth Living*, Vanderwyk and Burnham, 1996.

128 E outros estudos foram consistentes com esta conclusão: J. Rodin e E. Langer, «Long-Term Effects of a Control-Relevant Intervention with the Institutionalized Aged», *Journal of Personality and Social Psychology* 35, 1977, pp. 897-902.

130 Em 1908, um filósofo de Harvard: J. Royce, *The Philosophy of Loyalty*, Macmillan, 1908.

133 Estudos demonstraram que em unidades com menos de vinte pessoas: M. P. Calkins, «Powell Lawton's Contributions to Long-Term Care Settings», *Journal of Housing for the Elderly* 17, 2008, pp. 1-2, 67-84.

143 Como escreveu Dworkin: R. Dworkin, «Autonomy and the Demented Self», *Milbank Quarterly* 64, sup. 2, 1986, pp. 4-16.

CAPÍTULO 6 > DESAPEGAR-SE

152 Mais de 15 por cento dos cancros do pulmão: C. M. Rudin et al., «Lung Cancer in Never Smokers: A Call to Action», *Clinical Cancer Research* 15, 2009, pp. 5622-5625.

152 85 por cento das pacientes reagem: C. Zhou et al., «Erlotinib versus Chemotherapy for Patients with Advanced EGFR Mutation-Positive Non--Small-Cell Lung Cancer», *Lancet Oncology* 12, 2011, pp. 735-742.

153 Estudos tinham demonstrado: C. P. Belani et al., «Maintenance Pemetrexed plus Best Supportive Care (BSC) versus Placebo plus BSC: A Randomized Phase III Study in Advanced Non-Small Cell Lung Cancer», *Journal of Clinical Oncology* 27, 2009, pp. 18s.

154 Nos Estados Unidos, 25 por cento dos gastos do Medicare: G. F. Riley e J. D. Lubitz, «Long-Term Trends in Medicare Payments in the Last Year of Life», *Health Services Research* 45, 2010, pp. 565-576.

154 Dados disponíveis sobre outros países: L. R. Shugarman, S. L. Decker e A. Bercovitz, «Demographic and Social Characteristics and Spending at the End of Life», *Journal of Pain and Symptom Management* 38, 2009, pp. 15-26.

155 Os gastos com uma doença como o cancro: A. B. Mariotto, K. R. Yabroff, Y. Shao et al., «Projections of the Cost of Cancer Care in the United States: 2010– 2020», *Journal of the National Cancer Institute* 103, 2011, pp. 117-28. V. também M. J. Hassett e E. B. Elkin, «What Does Breast Cancer Treatment Cost and What Is It Worth?», *Hematology/Oncology Clinics of North America* 27, 2013, pp. 829-841.

156 Em 2008, o projeto nacional Coping with Cancer: A. A. Wright et al., «Associations Between End-of-Life Discussions, Patient Mental Health, Medical Care Near Death, and Caregiver Bereavement Adjustment», *Journal of the American Medical Association* 300, 2008, pp. 1665-1673.

156 As pessoas com uma doença grave têm prioridades: P. A. Singer, D. K. Martin e M. Kelner, «Quality End-of-Life Care: Patients' Perspectives», *Journal of the American Medical Association* 281, 1999, pp. 163-168; K. E. Steinhauser et al., «Factors Considered Important at the End of Life by Patients, Family, Physicians, and Other Care Providers», *Journal of the American Medical Association* 284, 2000, p. 2476.

157 Joanne Lynn, uma investigadora que estuda o final da vida: J. Lynn, *Sick to Death and Not Going to Take It Anymore*, University of California Press, 2004.

157 Guias sobre a *ars moriendi*: J. Shinners, ed., *Medieval Popular Religion 1000-1500: A Reader*, 2.ª ed., Broadview Press, 2007.

158 As últimas palavras: D. G. Faust, *This Republic of Suffering*, Knopf, 2008, pp. 10-11.

158 Uma doença catastrófica e rápida é que é a exceção: M. Heron, «Deaths: Leading Causes for 2009», National Vital Statistics Reports 6, 2009, http://www.cdc.gov/nchs/data/nvsr/nvsr61/nvsr6107.pdf. V. também Organisation for Economic Cooperation and Development, *Health at a Glance, 2013*, http://www.oecd.org/els/health-systems/health-at-a-glance.htm.

167 Em primeiro lugar, as nossas próprias perspetivas podem ser pouco realistas: N. A. Christakis and E. B. Lamont, «Extent and Determinants of Error in Doctors' Prognoses in Terminally Ill Patients: Prospective Cohort Study», *BMJ* 320, 2000, pp. 469-473.

168 Em segundo lugar, muitas vezes evitamos exprimir: E. J. Gordon e C. K. Daugherty, «'Hitting You Over the Head': Oncologists' Disclosure of Prognosis to Advanced Cancer Patients», *Bioethics* 17, 2003, pp. 142-168; W. F. Baile et al., «Oncologists' Attitudes Toward and Practices in Giving

Bad News: An Exploratory Study», *Journal of Clinical Oncology* 20, 2002, pp. 2189-2196.

170 Gould publicou um artigo extraordinário: S. J. Gould, «The Median Isn't the Message», *Discover*, junho de 1985.

174 O caso de Nelene Fox: R. A. Rettig, P. D. Jacobson, C. Farquhar e W. M. Aubry, *False Hope: Bone Marrow Transplantation for Breast Cancer*, Oxford University Press, 2007.

174 Dez estados promulgaram leis: Centers for Diseases Control, «State Laws Relating to Breast Cancer», 2000.

175 Não importa o facto de que a Health Net tinha razão: E. A. Stadt-mauer, A. O'Neill, L. J. Goldstein et al., «Conventional-Dose Chemothe-rapy Compared with High-Dose Chemotherapy plus Autologous Hemato-poietic Stem-Cell Transplantation for Metastatic Breast Cancer», *New England Journal of Medicine* 342, 2000, pp. 1069-1076. V. também Rettig et al., *False Hope*.

175 Aetna, decidiram experimentar uma abordagem diferente: R. Krakauer et al., «Opportunities to Improve the Quality of Care for Advan-ced Illness», *Health Affairs* 28, 2009, pp. 1357-1359.

175 Um estudo de dois anos deste programa de «cuidados concomitan-tes»: C. M. Spettell et al., «A Comprehensive Case Management Program to Improve Palliative Care», *Journal of Palliative Medicine* 12, 2009, pp. 827--832. V. também Krakauer et al., «Opportunities to Improve.»

175 Aetna pôs em prática um programa de cuidados concomitantes mais modesto: Spettel et al., «A Comprehensive Case Management Program».

176 Dois terços dos doentes cancerosos em fase terminal: Wright et al., «Associations Between End-of-Life Discussions».

176 Um estudo de 2010 que se tornou uma referência, levado a cabo pelo Massachusetts General Hospital: J. S. Temel et al., «Early Palliative Care for Patients with Metastatic Non-Small Cell Lung Cancer», *New England Journal of Medicine* 363, 2010, pp. 733-742; J. A. Greer et al., «Effect of Early Palliative Care on Chemotherapy Use and End-of-Life Care in Patients with Metastatic Non-Small Cell Lung Cancer», *Journal of Clinical Oncology* 30, 2012, pp. 394-400.

177 Num deles, os investigadores seguiram 4493 doentes do Medicare: S. R. Connor et al., «Comparing Hospice and Nonhospice Survival among

Patients Who Die Within a Three-Year Window», *Journal of Pain and Symptom Management* 33, 2007, pp. 238-246.

179 Em 1996, já 85 por cento dos residentes de La Crosse: B. J. Hammes, *Having Your Own Say: Getting the Right Care When It Matters Most*, CHT Press, 2012.

CAPÍTULO 7 > CONVERSAS DIFÍCEIS

189 Cinco das dez economias que estão em franca expansão: dados do World Bank, 2013, http://www.worldbank.org/en/publication/global-economic-prospects.

189 Em 2030, entre metade e dois terços: Ernst & Young, «Hitting the Sweet Spot: The Growth of the Middle Class in Emerging Markets», 2013.

189 Estudos efetuados em algumas cidades africanas: J. M. Lazenby e J. Olshevski, «Place of Death among Botswana's Oldest Old», *Omega* 65, 2012, pp. 173-187.

190 A levar as famílias à bancarrota: K. Hanson e P. Berman, «Private Health Care Provision in Developing Countries: A Preliminary Analysis of Levels and Composition», *Data for Decision Making Project*, Harvard School of Public Health, 2013, http://www.hsph.harvard.edu/ihsg/topic.html.

190 No entanto, ao mesmo tempo, surgem programas de Cuidados Paliativos em todo o lado: H. Ddungu, «Palliative Care: What Approaches Are Suitable in the Developing World?», *British Journal of Haemotology* 154, 2011, pp. 728-735. V. também D. Clark et al., «Hospice and Palliative Care Development in Africa», *Journal of Pain and Symptom Management* 33, 2007, pp. 698-710; R. H. Blank, «End of Life Decision-Making Across Cultures», *Journal of Law, Medicine & Ethics*, Verão 2011, pp. 201-214.

190 Segundo os estudiosos: D. Gu, G. Liu, D. A. Vlosky e Z. Yi, «Factors Associated with Place of Death Among the Oldest Old», *Journal of Applied Gerontology* 26, 2007, pp. 34-57.

190 O recurso aos Cuidados Paliativos tem vindo a aumentar: National Center for Health Statistics, «Health, United States, 2010: With Special Feature on Death and Dying», 2011. V. também National Hospice and Palliative Care Organization, «NHPCO Facts and Figures: Hospice Care in America, 2012 Edition», 2012.

195 Os doentes tendem a ser otimistas: J. C. Weeks et al., «Patients' Expectations about Effects of Chemotherapy for Advanced Cancer», *New England Journal of Medicine* 367, 2012, pp. 1616-1625.

196 Um breve artigo escrito por dois especialistas em ética médica: E. J. Emanuel e L. L. Emanuel, «Four Models of the Physician- Patient Relationship», *Journal of the American Medical Association* 267, 1992, pp. 2221--2226.

199 A maior parte das doentes com cancro dos ovários na fase dela: «Ovarian Cancer», guia *online* da American Cancer Society, 2014, http://www.cancer.org/cancer/ovariancancer/detailedguide.

202 Bob Arnold, um médico dos Cuidados Paliativos: V. A. Back, R. Arnold e J. Tulsky, *Mastering Communication with Seriously Ill Patients*, Cambridge University Press, 2009.

217 Um terço do condado vivia na pobreza: Office of Research, Ohio Development Services Agency, *The Ohio Poverty Report, February 2014*, ODSA, 2014, http://www.development.ohio.gov/files/research/P7005.pdf.

218 Criaram a Athens Village com base no mesmo modelo: mais informações em http://www.theathensvillage.org. Já agora, bem precisam de donativos.

CAPÍTULO 8 > CORAGEM

225 Platão escreveu um diálogo: *Laches*, trans. Benjamin Jowett, 1892, disponível *online* através da Perseus Digital Library, Tufts University, http://www.perseus.tufts.edu/hopper/text?doc=Perseus%3atext%3a1999. 01.0176%3atext%3dLach. Trad. portuguesa de Francisco Oliveira, Lisboa, Edições 70, 2007.

229 O cérebro dá-nos duas maneiras de avaliar experiências: D. Kahneman, *Thinking, Fast and Slow*, Farrar, Straus, and Giroux, 2011; *Pensar, depressa e devagar*, trad. de Pedro Vidal, Lisboa, Temas e Debates, Círculo de Leitores, 2014. V. também D. A. Redelmeier e D. Kahneman, «Patients' Memories of Painful Treatments: Real-Time and Retrospective Evaluations of Two Minimally Invasive Procedures», *Pain* 66, 1996, pp. 3-8.

232 «Existe uma incoerência na nossa estrutura mental»: Kahneman, *Thinking, Fast and Slow*, p. 385.

236 Depois de uma certa resistência, os cardiologistas aceitam agora: A. E. Epstein et al., «ACC/AHA/HRS 2008 Guidelines for Device-Based Therapy of Cardiac Rhythm Abnormalities», *Circulation* 117, 2008, pp. e350-e408. V. também R. A. Zellner, M. P. Aulisio e W. R. Lewis, «Should Implantable Cardioverter-Defibrillators and Permanent Pacemakers in Patients with Terminal Illness Be Deactivated? Patient Autonomy Is Paramount», *Circulation: Arrhythmia and Electrophysiology* 2, 2009, pp. 340-344.

236 Só uma minoria de pessoas resgatadas do suicídio volta a fazer uma tentativa de pôr fim à vida: S. Gibb et al. «Mortality and Further Suicidal Behaviour After an Index Suicide Attempt: A 10-Year Study», *Australia and New Zealand Journal of Psychiatry* 39, 2005, pp. 95-100.

237 Nos sítios onde os médicos estão autorizados a passar receitas letais: Ex., a Lei sobre a Morte com Dignidade do Estado de Washington, http://apps.leg.wa.gov/rcw/default.aspx?cite=70.245.

237 Um em cada trinta e cinco holandeses: Governo dos Países Baixos, «Euthanasia Carried Out in Nearly 3 Percent of Cases», *Statistics Netherlands*, 21 de julho de 2012, http://www.cbs.nl/en-GB/menu/themas/gezondheid-welzijn/publicaties/artikelen/archief/2012/2012-3648-wm.htm.

237 Os Holandeses demoraram mais tempo: British Medical Association, *Euthanasia: Report of the Working Party to Review the British Medical Association's Guidance on Euthanasia*, 5 de maio de 1988, p. 49, n. 195. V. também A.-M. The, *Verlossers Naast God: Dokters en Euthanasie in Nederland*, Thoeris, 2009.

237 Até porque cerca de metade nem sequer usa a receita: Ex., dados da Autoridade Sanitária do Oregon, *Oregon's Death with Dignity Act, 2013 Report*, http://public.health.oregon.gov/ProviderPartnerResources/EvaluationResearch/DeathwithDignityAct/Documents/year16.pdf.

241 A sociedade tecnológica esqueceu: L. Emanuel e K. G. Scandrett, «Decisions at the End of Life: Have We Come of Age?», *BMC Medicine* 8, 2010, p. 57.